Marie-claude

P9-CMR-694

Comment nourrir
son enfant

Données de catalogage avant publication (Canada)

Lambert-Lagacé, Louise

Comment nourrir son enfant: du lait maternel au repas complet

1. Enfants - Alimentation. 2. Nourrissons - Alimentation.
3. Cuisine. I. Titre.

RJ206.L34 1999   613.2'083   C99-940813-5

DISTRIBUTEURS EXCLUSIFS:

• Pour le Canada
  et les États-Unis:
  MESSAGERIES ADP*
  955, rue Amherst
  Montréal, Québec
  H2L 3K4
  Tél.: (514) 523-1182
  Télécopieur: (514) 939-0406
  * Filiale de Sogides ltée

• Pour la France et les autres pays:
  VIVENDI UNIVERSAL PUBLISHING SERVICES
  Immeuble Paryseine, 3, Allée de la Seine
  94854 Ivry Cedex
  Tél.: 01 49 59 11 89/91
  Télécopieur: 01 49 59 11 96
  Commandes: Tél.: 02 38 32 71 00
                 Télécopieur: 02 38 32 71 28

• Pour la Suisse:
  VIVENDI UNIVERSAL PUBLISHING SERVICES SUISSE
  Case postale 69 - 1701 Fribourg - Suisse
  Tél.: (41-26) 460-80-60
  Télécopieur: (41-26) 460-80-68
  Internet: www.havas.ch
  Email: office@havas.ch
  DISTRIBUTION: OLF SA
  Z.I. 3, Corminbœuf
  Case postale 1061
  CH-1701 FRIBOURG
  Commandes: Tél.: (41-26) 467-53-33
                 Télécopieur: (41-26) 467-54-66

• Pour la Belgique et le Luxembourg:
  VIVENDI UNIVERSAL PUBLISHING SERVICES BENELUX
  Boulevard de l'Europe 117
  B-1301 Wavre
  Tél.: (010) 42-03-20
  Télécopieur: (010) 41-20-24
  http://www.vups.be
  Email: info@vups.be

Pour en savoir davantage sur nos publications,
visitez notre site: **www.edhomme.com**
Autres sites à visiter: www.edjour.com • www.edtypo.com
www.edvlb.com • www.edhexagone.com • www.edutilis.com

© 1996, 1999, Les Éditions de l'Homme,
une division du groupe Sogides

Tous droits réservés

Dépôt légal: 2e trimestre 1999
Bibliothèque nationale du Québec

ISBN 2-7619-1517-8

LOUISE LAMBERT-LAGACÉ
diététiste

Comment nourrir son enfant

Du lait maternel
au repas complet

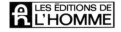

À Pascale et Janique,
deux jeunes mamans
que j'admire énormément.

Remerciements

Je prépare cette version révisée de *Comment nourrir son enfant* depuis plusieurs années et plus j'avance en livres... plus je réalise à quel point il est difficile de remercier adéquatement toutes mes collaboratrices. Chose certaine, je n'aurais jamais pu compléter toute seule un livre comme celui-ci et je n'aurais pu livrer autant d'information sans l'apport de plusieurs diététistes très intéressées par le sujet et très dévouées.

Josée Thibodeau, diététiste, a commencé le travail de recherches dès 1992 et a participé activement à toutes les étapes de ce livre jusqu'à sa rédaction finale. Une fois de plus, elle m'a fourni une aide précieuse tant par la qualité de son travail que par son sens pratique de jeune maman et son esprit de plus en plus critique.

Monik St-Pierre, diététiste et ardente avocate de l'allaitement maternel, est revenue du Laos avec bébé Maude dans les bras, juste à temps pour relire et commenter minutieusement le manuscrit. Monik m'a apporté un appui chaleureux et exceptionnel.

Quatre autres diététistes ont travaillé avec moi, à titre de stagiaires. Marie-Claire Garneau, Line Saillant et Isabelle Vincent ont recueilli une foule d'informations sur les préparations pour nourrissons, les suppléments, les petits pots et les céréales pour bébés. Elles ont calculé et recalculé recettes et menus avec une patience remarquable. Pascale Valois a, pour sa part, compilé l'importante bibliographie.

Quelques diététistes de l'Hôpital Sainte-Justine ainsi qu'une infirmière du département de néonatalogie m'ont fourni des informations pertinentes sur certaines ressources du milieu ainsi que sur le protocole mis de l'avant avec les mamans de bébés prématurés afin d'encourager l'allaitement maternel.

Des diététistes du réseau, dont Josée Trahan et Nicole Doré, ont généreusement accepté de relire le manuscrit et de le passer au peigne fin... de façon à harmoniser le plus souvent possible les messages donnés aux parents et intervenants. Nicole Doré m'a apporté non seulement des commentaires positifs, mais aussi un appui de taille.

Ginette Chartier de La Ligue La Leche et Céline Loubier du groupe Entraide Naturo-lait ont également lu et commenté le manuscrit.

J'apprécie la générosité et la contribution de toutes ces personnes et je les en remercie chaleureusement.

Je remercie aussi ma fille Janique, mère de Sébastien et de Tristan, qui m'a nourrie de ses expériences au cours des deux dernières années et qui m'a permis de vivre de grands moments de grand-maternage.

Je remercie Diane Corbeil, médecin et mère de jeunes enfants, qui a lu, commenté et accepté d'appuyer le livre de façon toute particulière.

Je remercie aussi les mères bénévoles de Naturo-lait qui aident quotidiennement les nouvelles mamans aux prises avec l'initiation à l'allaitement et qui n'ont pas hésité à appuyer le livre.

Je remercie les Dr Christine Lejtengi et Bonnie Worthington-Roberts pour avoir accepté de me prêter main-forte sur la question de l'«allergie» au lait maternel, un dossier brûlant d'actualité.

Je remercie finalement les Éditions de l'Homme qui ont dorloté *Comment nourrir son enfant* depuis plus de 21 ans. Je remercie James de Gaspé Bonar pour sa patience légendaire, Rachel Fontaine pour ses interventions délicates, mais toujours pertinentes, Sylvie Archambault pour son enthousiasme inlassable, et toute l'équipe de Linda Nantel pour son travail de moine. Je ne peux que souligner le travail exceptionnel d'Odette Lord, à la révision des textes, qui m'accompagne depuis plusieurs mois, et le mot n'est pas trop fort. Elle a su apporter de bonnes modifications au bon moment, avec douceur et fermeté.

Je suis très heureuse de vous présenter ce nouveau livre et je demeure immensément reconnaissante envers toutes les personnes qui m'ont aidée.

Introduction

L'art de bien nourrir son bébé s'apprend un peu chaque jour en développant l'amour des bons aliments et en amassant quelques notions de nutrition. Il comprend, bien entendu, une foule d'idées culinaires, mais également une bonne dose de compréhension, de respect et d'imagination. Il favorise la croissance de votre bébé et son développement harmonieux. Cet art, je l'ai appris avec mes trois filles et je l'ai approfondi au cours des années.

Lorsque j'ai écrit *Comment nourrir son enfant* en 1974, j'étais maman de trois écolières et je commençais ma carrière comme diététiste. Chaque semaine, à l'émission *Pour vous, mesdames,* on me posait plusieurs questions concernant l'alimentation du bébé. Mon réalisateur, André Rousseau, m'avait alors convaincue d'écrire un livre sur le sujet. J'avais peu d'expérience et peu de recherches sur cette question. Mais j'ai quand même relevé le défi et, à mon grand étonnement, j'ai rejoint plus de 100 000 lecteurs en 6 ans.

En 1980, j'ai complètement révisé cet ouvrage pour tenir compte d'un grand nombre de recherches et des nouvelles questions des parents. Seize ans se sont écoulés depuis. La dernière édition a vieilli et moi aussi. Je suis maintenant grand-mère de deux petits-fils, soleils de ma vie. J'ai une clinique de nutrition et je reçois encore de nombreuses questions de parents sur l'alimentation des bébés. Les recherches dans le domaine se sont multipliées, que ce soit sur les qualités du lait maternel, les coliques du nouveau-né, les déficiences nutritionnelles de la première année de vie ou la consommation de gras des tout-petits. Les informations nous arrivent maintenant de partout. L'expérience de vie et les inquiétudes des parents ont changé. Les préparations pour nourrissons ainsi que les aliments pour bébés occupent de plus en plus de place sur les tablettes des marchés d'alimentation et des pharmacies.

Malgré le temps qui passe, ce qui ne change pas, c'est votre désir de donner à votre nouveau-né ce qu'il y a de mieux, et mon souhait, de continuer à vous aider dans toute la mesure de mes capacités. Pour ce faire, j'ai mené plus d'un sondage auprès de jeunes parents et d'infirmières qui travaillent dans le milieu. J'ai aussi pris note de vos inquiétudes et de vos questions.

Mes collaboratrices ont fait la tournée des magasins et pharmacies pour faire un relevé des préparations, aliments et suppléments pour bébés ainsi que pour en revoir la liste des ingrédients et leur valeur nutritive.

Le résultat de tout cela, c'est la présente édition de cet ouvrage. Cette version ne ressemble pas aux précédentes. Elle conserve la même philosophie du respect de l'enfant, de l'importance du lait maternel et de l'introduction graduelle des aliments solides. Mais elle traite beaucoup plus en profondeur tout le dossier de l'allaitement, du sevrage et du retour au travail. Elle passe également en revue toutes les préparations pour nourrissons et tous les autres laits en vous présentant les avantages, les inconvénients et l'âge d'introduction de chacun.

Vous y trouvez un menu postnatal pour vous, que vous allaitiez ou non, une liste de marché et des idées pour mieux vous nourrir au cours du mois de relevailles. Cet ouvrage contient aussi des suggestions sur les suppléments et quand les donner, comment alléger ou prévenir les problèmes de coliques, de constipation, de diarrhée ou même d'allergies alimentaires.

Il y a maintenant tellement de céréales pour bébés sur le marché que j'y ai consacré un chapitre complet. J'ai également affûté ma critique des aliments en petits pots et je présente tous les bénéfices des purées maison, auxquelles j'ai ajouté de nouvelles recettes, adaptées à la cuisson au four à micro-ondes.

J'ai renouvelé les menus pour la période de 9 à 24 mois et je vous présente plusieurs nouvelles idées et recettes.

Je consacre aussi un chapitre au végétarisme et j'explique comment l'intégrer prudemment dès les premières années, si c'est ce que vous souhaitez. Je discute aussi des caprices du bébé de 12 mois, sans oublier la question de la garderie.

Il ne me reste qu'à vous souhaiter de belles découvertes alimentaires avec votre bébé.

Mode d'emploi

Pour bien comprendre la philosophie de ce livre, je vous conseille de lire attentivement les deux premiers chapitres qui vous expliqueront le fondement des recommandations que vous trouverez tout au long de ce volume.

Par la suite, consultez les sections qui vous intéressent le plus.

Si vous vous posez des questions sur un sujet précis ou si vous êtes aux prises avec un problème particulier, consultez l'index général (voir p. 285). Par exemple, si votre bébé a des coliques, vous n'avez qu'à chercher le mot «coliques» et vous saurez tout de suite à quelle page vous référer.

Les notes se trouvent toujours à la fin des chapitres. Celle qui revient le plus souvent concerne le lait concentré. Elle se lit comme suit: «Le lait concentré a longtemps été appelé lait évaporé, sous l'influence de l'anglais. Mais il ne faut pas confondre le lait concentré et le lait concentré sucré (Eagle Brand) qui est très riche et sucré.»

Les références aux ressources suggérées se trouvent à la p. 267, dans la section Ressources.

Considérez que les consignes et les réponses qui sont données tout au long de ce livre sont des règles générales qui s'appliquent à la majorité des bébés. N'oubliez jamais qu'il y a toujours des exceptions et que votre bébé peut être une exception, à l'occasion.

Chapitre premier

Une question de santé

ien nourrir votre bébé peut sembler au départ un très grand défi. Comme tout nouveau parent, vous avez sans doute des inquiétudes, vous vous posez des questions et vous n'avez peut-être aucune notion de nutrition. Vous avez entendu plusieurs informations et certaines d'entre elles vous paraissent contradictoires. Le médecin de votre amie ne dit pas la même chose que l'infirmière de l'hôpital, une revue en contredit une autre ou encore un livre diffère d'un autre. Alors, vous ne savez plus à qui faire confiance. Rassurez-vous, car bien nourrir votre bébé est une chose toute naturelle, qui n'est pas aussi compliquée qu'elle peut d'abord le sembler.

Lorsque vous vous sentez confus, prenez le chemin du gros bon sens et suivez deux grandes règles d'or: offrez à votre bébé ce qui vous semble l'aliment de meilleure valeur nutritive et laissez-le manger selon son appétit. N'oubliez jamais que les bonnes habitudes alimentaires de votre bébé se développent graduellement au contact des bons aliments et grâce à votre attitude positive.

Bien nourrir votre bébé n'est plus le fruit de la tradition

Mon arrière-grand-mère n'a sans doute jamais consulté un livre de nutrition pour bébés. Elle avait l'avantage d'habiter près de sa mère ou de ses tantes qui lui transmettaient tous les jours des conseils alimentaires. Elle allaitait sans se poser de question et ne trouvait aucun aliment pour bébés sur le marché. Elle a eu plusieurs enfants et elle improvisait à la grâce de Dieu. Les temps ont beaucoup changé...

Ma fille, devenue mère en 1994, n'a plus cet environnement tradi-tionnel. Elle habite à 500 kilomètres de chez moi et à 300 kilomètres de sa belle-famille. Elle a choisi d'allaiter, mais elle a été submergée d'information sur les préparations pour nourrissons et elle a reçu plusieurs échantillons d'aliments pour bébés. Pendant sa grossesse, elle a lu plusieurs livres et elle est toujours à la recherche de la bonne infor-mation à chaque étape du développement de ses bébés. Elle ne veut rien improviser et c'est tout à fait normal.

On connaît maintenant l'impact des premiers aliments sur la santé du bébé. On sait que le métabolisme du bébé fonctionne à pleine vitesse pour développer et entretenir des nouveaux tissus. On sait aussi que ses besoins nutritifs sont immenses et qu'une déficience laisse rapidement des traces.

Ce livre s'inspire de recherches crédibles dans le domaine et tient compte des prises de position récentes de Santé Canada en collabora-tion avec les Société canadienne de pédiatrie et les Diététistes du Canada (1998) ainsi que de l'American Academy of Pediatrics. Il tient également compte des consignes émises dans le tout dernier *Mieux vivre avec son enfant,* édition 1998.

Cela dit, la recherche scientifique ne cesse d'apporter des réponses nouvelles et, d'ici quelques années, il faudra amender une fois de plus ce livre, mais, pour l'instant, les informations sont à la fine pointe de la recherche.

Bien nourrir votre bébé commence même avant la grossesse

Il y a quelques années, j'ai reçu en consultation un jeune couple qui souhaitait améliorer son alimentation, car il désirait fonder une famille. Ce couple voulait transmettre à ses enfants le meilleur exemple pos-sible. Cette démarche est exceptionnelle, mais rarissime...

Même si tous les couples n'y pensent pas toujours, certaines femmes devraient se préparer du point de vue nutritionnel avant de devenir enceintes. Les études scientifiques des dernières années mentionnent, entre autres, les cas de la femme très mince et de celle qui se nourrit mal. Trois à six mois avant de devenir enceintes, elles devraient pren-dre quelques livres pour atteindre un poids santé, réduire leur con-sommation de café, refaire leurs réserves de vitamine B_6 affectées par la pilule anticonceptionnelle et prendre une multivitamine contenant de l'acide folique. Elles redonnent ainsi à leur corps les éléments nécessaires au bon déroulement d'une grossesse et travaillent à la santé de leur futur bébé.

Bien nourrir votre bébé n'est pas juste une question d'aliments

Vous pensez que bien nourrir votre bébé consiste à lui offrir les meilleurs aliments au bon moment, à respecter ses besoins nutritionnels, ses capacités digestives, ses préférences et ses aversions. C'est déjà beaucoup, mais ce n'est pas tout! Bien nourrir votre bébé veut également dire favoriser une attitude positive envers les aliments.

La façon dont vous lui donnez les aliments, la bonne humeur que vous affichez à l'heure des repas, le respect de son appétit, de ses refus ou de ses caprices forment une partie essentielle de l'art de bien le nourrir.

Bien nourrir votre bébé n'exige pas la perfection

Comme tout nouveau parent, vous débordez de bonne volonté et vous voulez suivre à la lettre, jour après jour, mois après mois, le programme alimentaire idéal. Mais personne ne peut être parfait tout le temps.

Le menu de votre bébé peut, certains jours, être moins nutritif que le menu modèle. C'est normal. Ces soubresauts passagers font partie de la vie et ne nuisent pas à la santé de votre bébé. C'est la routine quotidienne qui façonne les bonnes habitudes alimentaires. Alors, façonnez le quotidien et ne vous faites pas trop de soucis pour les écarts occasionnels.

Bien nourrir votre bébé est une question de qualité

Vers la fin des années 20 et le début des années 30, le Dr Clara M. Davis fut un des premiers médecins à s'intéresser à l'impact de la qualité des aliments sur la croissance et sur le développement de l'enfant. Une de ses recherches a été menée auprès de trois bébés hospitalisés, n'ayant encore jamais mangé un aliment solide. Le Dr Davis a suivi ces bébés sur une période de 6 à 12 mois.

Le personnel infirmier offrait chaque jour 33 aliments différents à chaque bébé, soit 11 aliments à chaque repas. Chaque bébé était libre de choisir ce qu'il voulait manger parmi ces 33 aliments nutritifs, non transformés, non raffinés et non assaisonnés.

Chaque bébé pouvait aussi décider de la quantité qu'il voulait prendre. Au bout des 6 à 12 mois, les trois bébés avaient tous les trois grandi normalement.

La formule gagnante, dans tout cela, n'a vraiment rien à voir avec l'instinct des bébés, mais découle du choix et de la qualité des aliments offerts. Les bébés ne pouvaient pas commettre d'erreur, car ils n'avaient devant eux que des aliments très nutritifs qu'ils pouvaient manger selon leur appétit.

Bien entendu, il serait difficile pour vous de faire une démarche semblable à la maison, car offrir à votre bébé autant d'aliments différents chaque jour n'est pas chose facile!

Bien nourrir votre bébé réduit les problèmes de santé au cours des douze premiers mois

Si vous choisissez le lait maternel, si vous introduisez lentement les aliments solides et si vous retardez l'introduction du lait de vache, vous protégez la santé de votre bébé au cours des douze premiers mois.

Les bébés allaités sont non seulement archi-bien nourris, mais ils résistent mieux aux infections pendant la première année de leur vie. De plus, ils acceptent plus facilement les nouveaux aliments que les bébés nourris à la préparation pour nourrissons, selon les études de Susan Sullivan, parce qu'ils ont goûté à toutes les saveurs du menu de la maman par l'intermédiaire du lait maternel.

Lorsque vous introduisez lentement et graduellement des aliments solides vers l'âge de 4 à 6 mois, vous facilitez le processus de digestion et vous réduisez les risques d'allergie.

Lorsque vous retardez l'introduction du lait de vache ou de chèvre après l'âge de 9 mois, vous réduisez, entre autres, les risques d'anémie (voir p. 18).

Bien nourrir votre bébé ne veut surtout pas dire le mettre au régime

Vous voyez plus d'enfants ronds et obèses aujourd'hui qu'il y a 20 ans, mais dans 90 % des cas, il n'y a aucun lien entre leur problème de poids et leur poids à la naissance. Un gros bébé à la naissance ne devient pas nécessairement gros à 12 mois et un gros bébé à 1 an ne devient pas nécessairement un adulte obèse.

Certains bébés, dont les parents sont obèses, prennent du poids en ne mangeant pas plus que des bébés de poids normal. L'enfant, dont l'un ou l'autre ou les deux parents souffrent d'obésité, doit donc être suivi de plus près.

Il n'y a par ailleurs aucune bonne raison de mettre un bébé au régime. Une diminution des calories ou même la consommation de lait *écrémé* avant l'âge de 2 ans peuvent entraîner des déficiences nutrition-nelles, une diminution de l'activité physique, une baisse de la tempéra-ture corporelle ainsi qu'une baisse de la résistance immunitaire.

La meilleure façon de prévenir une prise excessive de poids chez votre bébé est de ne jamais le forcer à manger et de le stimuler à bouger davantage. D'autres mesures peuvent aussi être prises entre 1 et 2 ans, et avoir un bon impact sur les habitudes de vie de la famille tout entière.

Bien nourrir votre bébé ne signifie pas limiter le gras et le cholestérol

La phobie du cholestérol a pris de telles proportions dans les médias que plusieurs parents bien intentionnés ne savent plus quoi faire. Or, les règles de prévention des maladies cardiovasculaires qui s'appliquent aux adultes ne s'appliquent pas aux bébés.

Le lait maternel renferme naturellement beaucoup de gras et de cholestérol, même si l'alimentation de la mère n'en contient que très peu, car il répond aux besoins du bébé et lui permet de parachever le développement de son cerveau et de son système hormonal.

Lorsqu'on offre au bébé un aliment allégé comme du lait écrémé, on ne respecte plus ses besoins nutritifs, car on oublie qu'un bébé requiert plus de gras au cours des douze premiers mois que durant toute sa vie.

De fait, la réduction importante de gras dans l'alimentation du bébé peut causer des problèmes semblables à ceux que l'on peut observer si l'on donne du lait écrémé avant l'âge de 12 mois (voir p.16-17). C'est pourquoi on ne recommande pas l'adoption de lait ou de produits laitiers écrémés pendant la petite enfance. Il n'y a, par ailleurs, aucune bonne raison d'ajouter du beurre ou de l'huile sur les aliments du jeune enfant pour contrer ce type de problème. Nos enfants mangent habituellement déjà assez gras.

Bien nourrir votre bébé réduit les problèmes gastro-intestinaux

Vous pouvez prévenir les problèmes de constipation de votre bébé lorsqu'il commence à manger des aliments solides en choisissant la céréale appropriée (voir p. 171) et en augmentant sa consommation de liquides.

Vous pouvez également prévenir les problèmes de déshydrata-tion qui surviennent lors de diarrhées aiguës et hâter le processus de guérison en réalimentant votre bébé de façon appropriée (voir p. 170-171).

Bien nourrir votre bébé peut prévenir l'anémie

Beaucoup trop de bébés souffrent encore d'anémie avant l'âge de 2 ans. Une étude menée à Montréal, en 1992, a révélé que 25 % des bébés de milieux défavorisés souffrent d'un tel problème. Or, il est possible de prévenir cette déficience en fer:

* en allaitant au moins 6 mois ou, si on n'allaite pas, en offrant dès la naissance une préparation pour nourrissons, *enrichie de fer* (voir p. 88);
* en offrant des aliments riches en fer dès l'âge de 6 mois (voir p. 175);
* en retardant l'introduction du lait de vache après 9 mois, et seulement lorsque l'enfant mange environ 200 ml (12 c. à soupe) d'aliments solides par jour;
* en limitant le volume de lait de vache à un litre (32 oz) par jour, lorsque tous les groupes d'aliments font partie du menu.

Bien nourrir votre bébé prévient la carie dentaire

Vous pouvez réduire les problèmes tragiques associés à la carie rampante en évitant d'offrir un biberon au lit (qu'il soit rempli de lait, de jus ou d'eau sucrée), en évitant d'utiliser le biberon comme soulage-tout partout et en vous abstenant de tremper la suce de bébé dans le miel ou le sirop.

Vous pouvez aussi réduire le nombre de caries dentaires en limitant la consommation d'aliments sucrés, fruits secs ou bonbons, particulièrement entre les repas, et en brossant régulièrement les dents de votre bébé, dès qu'il a quelques dents.

Bien nourrir votre bébé n'est qu'un pas vers la santé

J'ai rencontré plusieurs parents qui ont offert dès la naissance les meilleurs aliments à leur bébé, mais qui laissent tomber les *bons principes* lorsque l'enfant grandit et qu'il a des caprices, comme si l'alimentation des douze premiers mois donnait une garantie de santé à vie.

Pour que votre enfant profite à long terme des meilleurs aliments, les bonnes habitudes alimentaires de la première année de vie doivent se poursuivre!

Par ailleurs, si votre bébé n'a pu recevoir une alimentation idéale pendant sa première année, ce n'est pas irrémédiable. Offrez-lui graduellement les meilleurs aliments dans le meilleur climat possible.

Rappelez-vous que toute bonne démarche alimentaire a des effets bénéfiques dans la mesure où elle est maintenue!

La santé de votre bébé dépend beaucoup de la façon dont vous le nourrissez.

Chapitre 2

Une question
de plaisir et de respect

Lorsque vous nourrissez votre bébé, vous l'initiez au plaisir de manger, en plus de lui offrir les bons aliments au bon moment. Votre bébé fait très vite ses premières expériences alimentaires. Il découvre un univers de saveurs beaucoup plus rapidement que vous ne le croyez. Il enregistre des sensations différentes à chaque boire, à chaque repas, entouré de ses parents, de sa gardienne ou de ses grands-parents.

Plus vous faites de découvertes alimentaires heureuses en compagnie de votre bébé, plus il aura de plaisir à savourer différents aliments. Plus vous avez de caprices et de dégoûts alimentaires, moins votre enfant sera ouvert à toute une gamme de saveurs. Le plaisir de manger, comme le dégoût, s'acquiert très tôt et persiste longtemps.

Les aliments, sources de souvenirs

Les saveurs que vous aimez vraiment, les repas dont vous rêvez, les aliments que vous évitez ou détestez vous rappellent souvent des moments heureux ou malheureux. Plusieurs de vos goûts et dégoûts remontent à vos jeunes années et vous font revivre des circonstances autant qu'ils vous rappellent des saveurs bien précises. Le gâteau au chocolat peut représenter le summum du plaisir parce qu'il était réservé aux jours de fête. Le poisson ou le foie que vous deviez *obligatoirement* manger a pu devenir un déplaisir parce qu'on vous l'a imposé ou parce que l'entourage n'aimait pas cet aliment. La nourriture est intimement liée à des moments heureux ou malheureux de notre existence.

L'enfant vient au monde sans préjugés, sans goût ni dégoût. Il a un dossier vierge. Il accumule des sensations alimentaires sans effort et sans regret. S'il goûte au yogourt comme dessert surprise, au brocoli comme légume chouchou de son meilleur ami, au poisson grillé après avoir pêché sa petite truite, au pain de blé entier qui sort du four du boulanger, il garde d'excellents souvenirs de ces aliments.

Les aliments ne règlent pas tous les problèmes

Quand vous nourrissez votre bébé lorsqu'il a faim, vous comblez un besoin physique. Mais le bébé que vous allaitez ou nourrissez dans vos bras reçoit aussi une dose d'affection. Il associe vite nourriture et affection et peut éventuellement les confondre.

Si vous nourrissez votre bébé au moindre pleur ou si vous le gavez de céréales dans le but de prolonger ses heures de sommeil, il a du mal à faire la différence entre la faim et ses autres besoins: besoin d'attention, besoin d'affection ou besoin de distraction.

Pendant plusieurs années, le Dr Hilde Bruch, psychiatre reconnue, a étudié les problèmes de comportement alimentaire comme la boulimie et l'anorexie. Elle a découvert un lien entre ces problèmes et les expériences de la petite enfance. Elle a noté que ces problèmes pouvaient survenir lorsque les aliments ne répondaient plus nécessairement à la faim, mais à toutes sortes d'autres besoins comme une soif d'amour inaccessible, une expression de haine, de frustration ou de colère, ou encore un faux sens du pouvoir.

Après plusieurs années de recherche, le Dr Bruch a compris qu'un enfant ne naît pas nécessairement gros mangeur ou fine bouche. Elle a vu qu'il apprenait à avoir faim au bon moment, qu'il apprenait à cesser de manger au bon moment et que, très jeune, il pouvait désapprendre.

Un bébé forcé à finir son biberon n'apprend pas à contrôler son appétit. Un enfant contraint à terminer son assiette n'apprend pas à contrôler son appétit. Il apprend à obéir. Votre bébé n'apprend pas à respecter ses besoins si vous le forcez à boire ou à manger.

Le respect de l'appétit s'apprend à deux

Vous aidez votre bébé à développer son mécanisme de la faim en ayant d'heureuses négociations avec lui.

Votre nouveau-né n'est pas aussi dépendant que vous le croyez. Il peut exprimer certains besoins dès les premières heures:

- il pleure, il tousse, il avale et il régurgite;
- il sent et il entend;
- il distingue la douleur;
- il tourne la tête vers la joue qu'on caresse;
- il bouge ses pieds dans tous les sens.

Lorsque vous répondez correctement aux messages de votre bébé, vous lui permettez de communiquer ses émotions et ses besoins. Vous l'aidez à devenir autonome.

Si vous nourrissez votre bébé à chaque pleur, vous n'interprétez pas nécessairement bien ses messages. S'il continue de pleurer après que vous avez vérifié sa couche, changé sa position ou que vous l'avez bercé un peu, le nourrir peut répondre à un besoin de nourriture.

Vous n'avez pas nécessairement la bonne réaction à chaque pleur, mais vous prenez graduellement de l'expérience en répondant jour après jour aux différents messages de votre bébé. Au bout de quelques semaines, vous interprétez déjà mieux ses pleurs et vous lui donnez la chance de vous dire *j'ai faim* ou *j'en ai assez*.

Le refus est un message permis

Si vous insistez pour que votre bébé boive jusqu'à la dernière goutte, vous ne lui permettez pas de vous dire qu'il n'a plus faim. Si vous ignorez son message *j'en ai assez*, vous lui apprenez à trop manger. Mais si vous acceptez son message, vous l'aidez à respecter son appétit.

Si votre bébé refuse la viande ou les légumes lorsque vous commencez à lui donner des aliments solides, ne le forcez jamais. Il est normal qu'un bébé hésite devant un nouvel aliment. Les recherches originales de Leann Birch de l'Université de l'Illinois démontrent par ailleurs qu'il est possible d'augmenter l'acceptation de certains aliments en respectant l'enfant et en utilisant des stratégies positives: par exemple, offrir l'aliment sain comme récompense ou comme un aliment réservé aux grandes personnes. En agissant de la sorte, vous ne suscitez pas de rapport de forces. Si vous acceptez les refus, tout en offrant de nouveau l'aliment sans jamais insister, vous continuez d'être positif et vous demeurez sur la bonne voie.

Votre bébé peut perdre l'appétit vers l'âge de 1 an. C'est fréquent, c'est normal et sa santé n'est pas en danger. Rappelez-vous qu'une perte d'appétit coïncide presque toujours avec un ralentissement de la croissance.

Lorsque vous répondez bien aux messages de votre bébé, vous ne le forcez jamais à manger et vous l'aidez à respecter son appétit.

Ce n'est pas juste une question d'aliments

Il y a quelques années, un cas d'enfants en arrêt de croissance m'avait bouleversée. Deux enfants du Rock Island dévoraient d'énormes quantités d'aliments, mais ne grandissaient plus. Un jour, un médecin s'est rendu compte qu'ils étaient maltraités et battus. Après qu'ils furent placés en foyer d'accueil, leur croissance a fait un bond en quelques semaines. C'est le manque d'amour, et non le manque d'aliments, qui avait nui à leur croissance. Illustration extrême, mais réelle.

Sans aller aussi loin, plusieurs chercheurs ont étudié l'impact de l'environnement socio-affectif du bébé sur sa croissance physique. En Amérique latine, le Dr Cravioto et son équipe ont observé deux groupes d'enfants d'un village du Guatemala. Pendant 6 mois, un premier groupe d'enfants recevait chaque jour une quantité additionnelle d'aliments, alors que le groupe témoin n'en recevait pas. Les enfants qui recevaient des aliments additionnels venaient de familles plus nombreuses et recevaient moins d'attention que le groupe témoin. Leur gain de poids a été moindre et leurs problèmes de santé ont été plus nombreux que les bébés qui ne recevaient pas d'aliments additionnels. Les chercheurs ont conclu que l'addition d'aliments n'avait pu compenser le manque d'affection et de contact humain dont souffraient les enfants du premier groupe.

Une autre étude a mis en relief le lien qui existe entre l'état nutritionnel d'un bébé et l'intensité des contacts avec sa maman. Les chercheurs ont noté que plus la mère et l'enfant communiquaient par des sons et par des mots, meilleur était l'état nutritionnel du bébé.

Le rituel qui entoure les repas du bébé et l'affection qu'il reçoit s'ajoutent aux aliments qu'il mange et affectent son développement et sa croissance.

Le désir d'autonomie se manifeste très tôt

Au cours des premières années, les problèmes de comportement alimentaire ne sont pas rares. Ils font partie du développement normal de l'enfant et reflètent souvent son attitude face à la vie! Certaines études ont même démontré qu'un jeune enfant difficile à table avait également d'autres problèmes de comportement.

Le professeur A.S. Neill, auteur du livre *Summerhill: A Radical Approach to Child Rearing,* rapporte que les problèmes de comportement alimentaire cachent souvent un message de protestation. Les caprices alimentaires deviennent une façon de proclamer son autonomie. L'enfant veut être le patron et souhaite avoir le dernier mot.

Si vous vous laissez prendre au jeu de pouvoir qui peut se développer autour de la nourriture, l'heure des repas risque de devenir critique et les habitudes alimentaires en souffriront.

Si, au contraire, vous acceptez les refus sans en faire un plat, vous redonnez à votre bébé une certaine autonomie.

Lorsque les aliments sains deviennent des plaisirs

Les adultes qui n'ont pas connu toute la gamme des aliments sains et nutritifs éprouvent de la difficulté à apprécier certains aliments comme les légumineuses, les poissons frais, les légumes ou les grains entiers. Par contre, les enfants qui grandissent avec ces aliments, imitent les grands et apprécient rapidement les aliments que les adultes mangent autour d'eux.

Si vous servez régulièrement des légumes de toutes les couleurs et de toutes les formes, crus ou cuits, votre enfant les acceptera beaucoup plus facilement.

Si vous faites les louanges des asperges fraîches, des superbes pois gourmands de juillet et si vous préparez une ratatouille aux premiers froids d'automne, vous encouragez votre enfant à aimer ces beaux légumes.

Si vous cuisinez régulièrement des poissons et des crustacés, votre enfant aura du plaisir à savourer de la sole ou du saumon frais et ne se limitera pas aux bâtonnets de poissons panés et surgelés.

Si vous offrez des fruits frais bien mûrs à l'heure du dessert, votre enfant prendra l'habitude de terminer son repas sans gâteau, sans tarte ni biscuit sucré.

Si vous préparez régulièrement des repas sans viande, votre enfant acceptera assez facilement le vaste choix de mets végétariens.

Les aliments que vous cuisinez et que vous mangez ont plus d'impact que tous les messages de nutrition. Un enfant apprécie la saveur d'une orange fraîche, mais il n'a pas besoin de connaître sa valeur en vitamine C; il peut aimer le foie grillé, sans connaître sa richesse en fer. Le plaisir passe par le goût et par le climat favorable, et non par les cours de nutrition.

Vous ne voudriez pas que votre enfant dise un jour à ses amis: «J'aimais beaucoup les épinards jusqu'à ce que ma mère me dise que c'était bon pour moi!»...

Le chocolat devient-il un aliment tabou?

Vous êtes préoccupé par le fait que, tôt ou tard, votre enfant sera en contact avec des aliments sucrés, salés ou frits. Dès qu'il entre à la garderie, vous vous faites du souci pour certains aliments qu'on lui sert. Devez-vous absolument donner du chocolat à votre enfant, au cas où il en abuserait plus tard? Devez-vous lui faire manger du fast-food pour éviter les orgies de l'adolescence?

Les stratégies garanties se font rare. Ma réflexion sur le sujet me porte à dire qu'il n'y pas d'avantage à initier un enfant à la saveur des bonbons, du chocolat ou des fritures. Sans aller à l'autre extrême, je ne crois pas qu'il faille décréter que certains aliments sont tabous. Le fruit défendu a toujours un double attrait.

Par ailleurs, je ne crois pas qu'il soit avantageux de défendre à votre enfant de manger certains aliments quand vous n'êtes pas à la maison. Votre enfant ne veut qu'imiter les autres. Faites confiance au quotidien et à votre bon exemple.

J'ai toujours célébré l'anniversaire de mes filles avec de vrais gâteaux bien glacés et je persiste à croire qu'il y a place pour des aliments de fête dans une alimentation saine.

Je vois également l'adolescence comme une période de contestation globale au cours de laquelle plusieurs adolescents rejettent tous les *bons-aliments-des-parents* ou presque. C'est normal et ça passe.

Quoi que vous fassiez, vos enfants vont goûter, un jour, à des aliments riches, sucrés, frits et salés, mais leur attitude profonde, en ce qui a trait aux meilleurs aliments, reflétera toujours ce qu'ils auront appris à aimer avec vous pendant des années.

Lorsque vous répondez correctement aux messages de votre bébé, vous lui permettez de communiquer ses émotions et ses besoins. Vous l'aidez à devenir autonome.

Chapitre 3

Pourquoi choisir le lait maternel?

Vous avez une petite idée des qualités nutritionnelles du lait maternel, mais vous ne connaissez pas tous ses atouts. Rien de surprenant, puisque des chercheurs du monde entier ne cessent d'y découvrir des éléments intéressants sur les plans nutritionnel, immunitaire et affectif. Une recherche, publiée récemment, relatait même l'impact de l'allaitement sur le développement intellectuel de l'enfant.

Pour toutes ces excellentes raisons, la majorité des mamans choisissent le lait maternel.

Allaiter, c'est plus simple

Allaiter simplifie la vie, car le lait maternel est toujours prêt à servir; il ne demande aucune préparation, il se «transporte» facilement, est toujours à la bonne température, ne contient aucun additif ni agent de conservation et reste toujours frais, même sans réfrigération. Aucun autre aliment sur terre n'est aussi pratique.

L'allaitement permet aussi d'économiser temps et argent. Vous n'avez pas besoin d'acheter de préparations pour nourrissons, de biberons ni de tétines; pas besoin non plus de laver ni de réchauffer les biberons, ni de nettoyer les tétines... Vous pouvez nourrir votre bébé n'importe où, n'importe quand. Vous pouvez même voyager avec votre bébé, en ayant toujours sous la main le meilleur aliment.

Si vous n'avez pas encore pris votre décision, laissez-moi vous faire découvrir plusieurs facettes de cet aliment.

Le lait maternel, c'est plus qu'un aliment

Le bébé naissant qui passe de la vie fœtale à la vraie vie a besoin de chaleur, d'affection, d'éléments nutritifs et de protection immunitaire, et il trouve tout cela dans le lait maternel.

Les faits sont les faits! L'allaitement génère de la chaleur qui se communique du sein de la maman à la bouche du bébé, et vice versa. Il fournit des contacts exceptionnels dès les premiers instants de vie. Le lait maternel nourrit le bébé différemment les premières heures et les premiers jours de sa vie. Il s'adapte même aux besoins du prématuré et se transforme graduellement au cours des premières semaines de vie du bébé.

Les hormones qui stimulent la sécrétion du lait maternel jouent un rôle dans le développement de l'instinct maternel et augmentent l'attachement physique entre la mère et l'enfant. L'allaitement concrétise le sentiment de don de soi et devient une source de gratification pour la maman qui prend graduellement confiance dans sa capacité de nourrir adéquatement son bébé.

Comme vous pouvez l'imaginer, j'ai suivi attentivement la croissance de mon premier petit-fils et je l'ai vu doubler son poids de naissance en prenant pour seule nourriture le lait maternel de ma fille. J'ai été émerveillée et j'ai compris la fierté et l'attachement d'une mère devenue l'unique responsable de la croissance de son bébé.

Le lait maternel a une valeur nutritionnelle unique

La vie du bébé après sa naissance n'est pas de tout repos. Après un séjour douillet dans l'utérus, à une température idéale, nourri à toute heure du jour et de la nuit, votre bébé doit maintenant respirer, maintenir une température corporelle adéquate, se nourrir lui-même, digérer et éliminer les aliments, en plus de combattre les infections. Or, les principaux ingrédients du lait maternel sont merveilleusement adaptés à tous ses besoins.

Le **colostrum,** ce liquide jaunâtre sécrété naturellement les premiers jours après l'accouchement, fournit toute une variété d'anticorps. Il favorise la formation de la flore intestinale et aide à l'élimination des premières selles du bébé, le méconium. Il renferme plus de protéines, de vitamines, d'eau et de minéraux, mais moins de calories et de gras que le lait maternel de quelques semaines. Il répond aux besoins du bébé naissant. Aucune autre préparation ne peut remplacer cette boisson d'initiation à la vie.

Le **lait de transition,** sécrété la deuxième semaine après l'accouchement, renferme moins de protéines, plus de gras et de lactose que le colostrum, et son contenu en calories augmente graduellement pour répondre aux besoins croissants de l'enfant.

La composition du lait maternel varie aussi au cours d'un boire, le début d'un boire contient plus d'eau que la fin. Lorsque votre bébé a *plus soif que faim,* il va boire moins longtemps à chaque sein. Lorsqu'il a *plus faim que soif,* il va téter plus longtemps le premier sein jusqu'à ce qu'il obtienne le lait plus riche de la fin du boire.

Après quelques semaines, les principales composantes du lait maternel possèdent les caractéristiques suivantes:

Les **protéines** du lait maternel sont plus faciles à digérer que les protéines du lait de vache; elles coagulent dans l'estomac en petits flocons plus faciles à absorber que les gros flocons des protéines du lait de vache.

Les **matières grasses** du lait maternel renferment sept fois plus d'acides gras essentiels que le lait de vache. Ces acides gras jouent un rôle important dans le développement du cerveau, dont une partie des cellules continue de se développer au cours des premiers mois. Parmi ces acides gras et leurs sous-produits, certains ne se trouvent que dans très peu d'aliments et jouent un rôle important dans le développement de la rétine de l'œil. Aucune préparation pour nourrissons n'a réussi jusqu'à maintenant à fournir cette qualité de gras. De plus, la quantité de gras varie d'un boire à l'autre. Les boires de jour, comme les dernières gorgées d'un boire, contiennent plus de gras que les boires de nuit, phénomène unique qui respecte les besoins du bébé et qui facilite le contrôle de l'appétit.

Même si votre menu ne contient aucune trace de cholestérol, le **cholestérol** du lait maternel est remarquablement stable parce qu'il est essentiel au développement du bébé. Des chercheurs ont même noté que des animaux nourris très tôt avec beaucoup de cholestérol étaient plus aptes à régulariser leur taux de cholestérol à l'âge adulte. Pour l'instant, les préparations pour nourrissons ne renferment pas de cholestérol.

Le **lactose,** composante qui sucre le lait, est beaucoup plus abondant dans le lait maternel que dans tout autre lait de mammifère. Il participe activement au développement du système nerveux central et facilite l'absorption du calcium. Les premières gorgées d'un boire en renferment plus que les dernières.

On a longtemps cru que le **fer** du lait maternel était insuffisant pour répondre aux besoins du bébé. Cette inquiétude s'est estompée lorsque les chercheurs ont constaté que même en petite quantité, ce fer était mieux absorbé que toute autre source de fer, grâce au travail d'équipe des autres ingrédients du lait maternel. La Société canadienne de pédiatrie juge que le fer du lait maternel suffit à combler les besoins d'un bébé en santé, né à terme, jusqu'à ce qu'il soit âgé de 6 mois ou jusqu'à ce qu'il mange des aliments solides. On comprend mieux maintenant pourquoi les bébés allaités souffrent rarement d'anémie, comparativement aux bébés nourris aux préparations non enrichies de fer ou au lait de vache.

Les **autres minéraux,** comme le calcium et le phosphore, sont présents en quantité suffisante dans le lait maternel et favorisent la croissance et le développement des dents et des os du bébé, même s'ils se trouvent en moins grande quantité que dans le lait de vache. Les quantités de sodium et de potassium du lait maternel sont également ajustées aux besoins de bébé et respectent mieux l'immaturité du système rénal que celles que l'on trouve dans le lait de vache.

On trouve de grandes quantités de **zinc** dans le colostrum des premiers jours après la naissance. Cet élément contribue au développement global du système immunitaire et diminue progressivement par la suite. Le zinc du lait maternel semble mieux utilisé que celui qui est présent dans les préparations pour nourrissons.

La **vitamine D** est présente en très petite quantité dans le lait maternel. Elle reflète l'état des réserves de la mère. Si le bébé vient au monde à la fin de l'été et qu'il n'est pas exposé aux rayons du soleil pendant tout l'hiver, ou si la maman est végétarienne stricte et qu'elle n'a pris ni lait ni supplément pendant sa grossesse, ou si elle a la peau foncée, la vitamine D du lait maternel ne suffit pas (voir p. 98).

La **vitamine C** du lait maternel varie légèrement selon l'alimentation de la mère. Les glandes mammaires peuvent aussi produire une certaine quantité de cette vitamine et répondre aux besoins du bébé.

La **vitamine A** est deux fois plus élevée dans le colostrum que dans le lait maternel de quelques semaines, mais la quantité répond adéquatement aux besoins du bébé.

Les **vitamines du complexe B** sont présentes en quantités suffisantes dans le lait maternel lorsque la mère est bien nourrie. Les mères qui mangent bien ou qui prennent un supplément de vitamines du complexe B augmentent le contenu de leur lait en ces vitamines.

Un enfant allaité au sein, sur demande, reçoit suffisamment **d'eau** dans le lait maternel. Il n'a pas besoin d'eau additionnelle, même lorsqu'il fait chaud. Des études menées dans des pays tropicaux l'ont clairement démontré.

Le lait maternel protège contre les infections

Le lait maternel protège les bébés du monde entier contre toute une gamme d'infections respiratoires et gastro-intestinales.

Au cours des premiers mois, le bébé ne possède qu'une faible résistance aux microbes de l'extérieur. Ses mécanismes de défense et son système immunitaire ne sont que partiellement développés. Un bébé sur dix contracte une infection lors de l'accouchement ou dès les premiers mois de sa vie. Pour faire face à cette grande vulnérabilité, le lait maternel fournit une quantité abondante d'agents protecteurs, surtout dans le colostrum des premiers jours.

De nombreuses recherches ont confirmé cet effet protecteur en notant une incidence moins élevée d'infections de toutes sortes chez les bébés allaités.

De plus, lorsqu'un enfant allaité souffre d'une infection respiratoire ou d'une otite, il est moins malade et souffre moins de déshydratation que l'enfant nourri autrement. Une étude menée au Manitoba auprès de la communauté autochtone a démontré que les bébés allaités étaient hospitalisés dix fois moins souvent pour des infections et passaient le dixième du temps à l'hôpital que les bébés nourris avec des préparations pour nourrissons, au cours des premières années de leur vie.

Même si vous n'allaitez votre bébé qu'une ou deux fois par jour, l'allaitement maternel protège les jeunes bébés à la garderie, là où l'incidence des infections est très élevée.

Le lait maternel renferme plusieurs anticorps

Chaque groupe d'anticorps du lait maternel joue un rôle de défense bien spécifique, dont voici quelques exemples:

Toutes les classes **d'immunoglobulines** sont présentes dans le lait maternel et demeurent actives tant que vous allaitez. Les concentrations sont plus fortes dans le colostrum des premiers jours, mais commencent à diminuer vers la 3e semaine. Une des immunoglobulines, appelée «sIgA», n'est pas détruite par l'acidité de l'estomac et demeure intacte jusqu'à l'intestin. Une fois là, elle tapisse l'intestin d'une substance antiseptique qui protège la muqueuse contre certains agents pathogènes comme le virus de la polio et d'autres bactéries qui pénètrent dans l'organisme par la paroi de l'intestin.

Le **facteur bifidus** est 40 fois plus abondant dans le colostrum des premiers jours que dans le lait maternel de quelques semaines. Ce facteur favorise le développement d'une flore intestinale capable de limiter la multiplication de bactéries indésirables. C'est ce qui explique que la flore intestinale du bébé allaité lutte plus efficacement contre les infections intestinales. Le facteur bifidus n'est pas détruit par la congélation ou par des températures très élevées.

La **lactoferrine** est une autre protéine du lait maternel qui n'est pas détruite par l'acidité de l'estomac et qui demeure un agent puissant contre les staphylocoques et d'autres bactéries.

Plusieurs autres anticorps sont présents dans le lait maternel et fournissent au bébé une protection unique contre les infections bactériennes et virales. Aucune préparation pour nourrissons ne peut fournir un tel arsenal.

Le lait maternel protège contre les allergies

Le lait maternel peut réduire l'incidence des allergies infantiles. Plusieurs études récentes le confirment. Juste après la naissance, le bébé a du mal à lutter contre les agents allergènes. Sa paroi intestinale est extrêmement perméable aux aliments allergènes; ces derniers peuvent susciter toutes sortes de réactions, de l'eczéma à l'asthme. Même si le lait maternel n'est pas une garantie contre les coliques et les allergies futures, il demeure la meilleure méthode de prévention pour les bébés qui ont des allergies alimentaires (voir index général) dans leur famille.

L'émission Urgence *du 8 février 1996 présentait le cas d'un bébé allaité qui avait une réaction allergique violente au beurre d'arachide que sa mère avait consommé pour la première fois depuis l'accouchement. C'est un cas extrêmement rare qui n'est rapporté que quelques fois dans la littérature scientifique depuis 1930. Par contre, les parents qui souffrent eux-mêmes d'allergies alimentaires graves doivent être plus vigilants. La maman a souvent avantage à éviter de manger certains aliments pendant la période d'allaitement.*

Cela dit, le meilleur aliment anti-allergénique qui soit demeure le lait maternel.

Un lait adapté à chaque espèce animale

Le lait maternel est adapté aux besoins nutritionnels de chaque espèce animale, et sa composition varie en fonction de ces besoins. Le contenu en protéines varie selon le rythme de croissance de chacun. Plus le contenu en protéines est élevé, plus l'espèce grandit rapidement. Par exemple, un lapereau double son poids en 6 jours et boit du lait qui contient 12 % de protéines. Un veau double son poids en 50 jours et le lait de vache renferme 3,4 % de protéines. Un enfant double son poids avant 5 mois et le lait maternel renferme 1 % de protéines.

La concentration en protéines et en minéraux du lait d'une espèce animale joue sur la fréquence des boires en 24 heures. Plus le lait est riche en protéines et en minéraux, plus l'intervalle entre les boires est long. Ainsi, les lapins produisent un lait très dense et ne nourrissent leurs petits qu'une fois par jour, alors que les souris produisent un lait très dilué et passent 80 % de leur temps à nourrir leurs petits. Les femmes produisent un lait un peu moins dilué que celui des souris... et doivent nourrir leur bébé plusieurs fois par jour.

Le contenu en gras du lait varie selon la grosseur de l'animal et la température de son habitat naturel. Plus l'animal est gros et plus la température ambiante est froide, plus le lait est gras. Ainsi, le lait d'éléphant renferme 20 % de gras, le lait de phoque, 43 % et le lait de la baleine bleue, 50 %.

La nature a pensé à tout.

Le kangourou, qui nourrit souvent deux petits d'âges différents à la fois, produit deux types de lait. Le plus jeune bébé boit le lait plus riche à l'un des mamelons, pendant que le plus âgé reçoit un lait plus dilué, adapté à ses besoins, à l'autre mamelon. Le singe hokkaido donne naissance au printemps et nourrit son petit tout l'été. À l'automne, la mère refait ses propres réserves et laisse son petit subvenir à ses besoins. Lorsque la neige apparaît et que la nourriture se fait rare, le petit reprend le lait de sa mère pour l'hiver.

L'être humain n'est pas exclu de ce merveilleux phénomène.

Aucun aliment n'est parfait, mais le lait maternel est sûrement ce qu'il y a de mieux pour les nouveau-nés. Selon l'Organisation mondiale de la santé et tous les experts en santé du bébé, le lait maternel demeure l'aliment le plus nutritif et le plus valable pour le nourrisson.

En choisissant le lait maternel, vous donnez à votre bébé ce qu'il y a de mieux!

Chapitre 4

Vous ne pouvez pas allaiter?

Vous avez envie d'allaiter, mais vous hésitez. Vous avez peut-être une excuse valable, mais ne passez pas à côté de cette belle expérience avant d'en avoir vérifié toutes les possibilités.

Vous avez de petits seins

Vous pouvez allaiter avec succès, même avec de petits seins. Soyez assurée qu'il n'y a aucun lien entre la grosseur de vos seins et le volume de lait que vous pouvez produire. De fait, les gros seins cachent plus de tissus gras, mais pas nécessairement plus de lait. Au cours de la grossesse et sous l'effet des hormones, les canaux mammaires grossissent et deviennent les petites usines responsables de la production de lait, quel que soit le volume de vos seins.

Vous avez les mamelons invertis ou très plats

Votre mamelon n'excède pas l'extrémité de votre sein. Au lieu d'être en érection à l'extrémité de votre sein, il est très plat, ou encore, il semble retenu à l'intérieur. Ce problème ne vous empêchera pas d'allaiter, car il se corrige.

Vous pouvez avoir recours, plusieurs mois avant l'accouchement, à une technique manuelle enseignée par une conseillère en allaitement ou utiliser les boucliers de Woolwich. Six à huit semaines avant l'accouchement, vous placez les boucliers dans votre soutien-gorge, de sorte qu'ils appuient constamment sur les aréoles de vos seins et qu'ils poussent le mamelon à sortir. Vous pouvez obtenir ces boucliers par l'intermédiaire de la Ligue La Leche ou de votre CLSC. Continuez de les porter après la naissance, entre les boires, jusqu'à ce que la montée laiteuse soit bien établie.

Nicole, 35 ans, souhaite allaiter, mais elle ne s'y prépare pas pendant la grossesse. Elle accouche comme une chatte, mais elle se rend compte, dans l'heure qui suit la naissance, que son bébé a du mal à s'agripper à son sein. Elle a un mamelon très plat, un sein «fuyant». L'infirmière lui reproche de ne pas avoir préparé ses seins. Elle n'y peut rien et ne réussit pas à allaiter adéquatement son bébé pendant son séjour à l'hôpital. Au bout de trois jours, seule avec son bébé dans le calme de sa maison, elle arrive enfin à allaiter.

Pour Nicole, il aurait pu être bénéfique:
• de tirer son lait dès les premières heures après la naissance pour enclencher la production de lait;
• de faire des exercices d'étirement du mamelon ou d'utiliser les boucliers de Woolwich le plus rapidement possible.

Vous avez subi une chirurgie aux seins

On vous a fait une biopsie et on vous a retiré un kyste bénin. Ce type d'intervention n'affecte pas la montée laiteuse.

Vous avez reçu des implants mammaires pour augmenter le volume de vos seins. Il peut y avoir une perte temporaire de sensation au mamelon, mais l'allaitement demeure possible dans la majorité des cas.

Vous avez subi une chirurgie pour diminuer le volume de vos seins, mais vos seins ont pris du volume pendant la grossesse; la glande mammaire n'a pas été affectée et vous pouvez allaiter. Mais si vos seins n'ont pas pris de volume pendant la grossesse, la production de lait peut être compromise.

Vous ne voulez pas abîmer vos seins

La grossesse fait gonfler vos seins et l'allaitement le fera davantage. Vos seins peuvent perdre un peu de tonus, particulièrement s'ils sont gros au départ ou si l'élasticité de votre peau est faible. Toutefois, bien soutenus dans un soutien-gorge jour et nuit, ils peuvent s'en tirer avec un minimum de séquelles.

Vous êtes inquiète au sujet de votre poids

Vous rencontrez des femmes qui allaitent et qui ne réussissent pas à perdre de poids, mais vous avez entendu dire que l'allaitement favorise une perte de poids plus rapide. Vous ne savez plus vraiment quoi penser.

De fait, la grande majorité des femmes retiennent un surplus de poids après l'accouchement, mais elles le perdent graduellement au cours de la première année après la naissance de leur bébé, quel que soit le lait choisi. Deux femmes sur trois conservent environ 2,3 kg (5 lb) additionnels un an après la naissance.

Plus vous avez pris de poids pendant la grossesse, plus vous en perdez les six premières semaines, que vous allaitiez ou non.

Il y a quelques années, une équipe de chercheurs a observé que les mères qui allaitaient mangeaient 2000 calories par jour et perdaient environ 8 kg (18 lb) en six mois. Les mères qui donnaient en alternance du lait maternel et des préparations pour nourrissons mangeaient la même chose et perdaient 7 kg (16 lb) en six mois. Les mères qui n'allaitaient pas du tout mangeaient 500 calories de moins par jour et ne perdaient pas plus de 8 kg (18 lb). Ce qui revient à dire que la perte de poids se fait graduellement, quel que soit le lait choisi.

Vous pouvez toutefois planifier une perte sage (voir p. 59) sans nuire à votre production de lait, mais évitez de perdre du poids trop rapidement. C'est dans vos réserves de gras que se logent les polluants (BPC, etc.). Plus vite vous perdez du gras, plus vous sécrétez des polluants dans votre lait maternel (voir p. 63). De plus, une réduction importante de calories peut réduire la quantité de lait que vous produisez.

Gisèle, 29 ans, a pris 25 kg (55 lb) pendant sa grossesse et a donné naissance à un bébé de près de 4 kg (8½ lb). Elle a perdu graduellement du poids les six premiers mois et a perdu presque tout l'excédent en retournant au travail et en continuant d'allaiter jusqu'à ce que son bébé ait atteint 10½ mois.

Sans rien brusquer, tout rentre dans l'ordre. Grâce à un menu équilibré et à une activité physique régulière, vous retrouverez votre poids entre 6 et 12 mois après la naissance de votre enfant.

Vous vous sentez mal à l'aise à l'idée d'allaiter devant d'autres personnes

Vous avez envie d'allaiter, mais vous ne voulez pas le faire en public. Vous avez un réflexe de pudeur normal et vous n'êtes pas la seule. C'est tout à fait courant dans une société encore assez timide en ce qui concerne l'allaitement.

Plus vous allaiterez, plus vous vous sentirez à l'aise, et n'oubliez pas que l'allaitement est naturel et universel. Si vous le désirez, vous pouvez facilement camoufler votre sein lorsque vous êtes au restaurant ou en public; vous n'avez qu'à porter un châle, une blouse très ample, un cardigan qui vous recouvre juste assez, et le tour est joué.

Vous voulez conserver votre liberté

Peu importe le type de lait que vous choisissez, devenir mère change votre vie. Que vous allaitiez ou non, les soins à donner au bébé prennent plusieurs heures par jour et votre liberté est naturellement compromise pendant plusieurs mois.

Si vous décidez d'allaiter, vous pouvez quand même vous accorder des moments de liberté. Lorsque vos montées laiteuses sont bien établies entre la cinquième ou la sixième semaine, tirez votre lait et faites-en des réserves (voir p. 83-84). Demandez à votre partenaire, à la grand-mère ou à une amie d'offrir ces biberons de lait maternel pendant que vous savourez votre liberté bien méritée.

Vous avez un prématuré

«La prématurité n'est pas un obstacle», souligne le ministère de la Santé et du Bien-Être social du Canada. Bien au contraire, votre lait représente la meilleure solution pour la croissance de votre petit bébé. Chaque fois que c'est possible, le bébé prématuré a avantage à recevoir votre lait qui est différent du lait maternel d'un bébé né à terme et qui est adapté aux besoins nutritifs d'un tout petit bébé.

Si votre bébé est trop petit et qu'il n'a pas acquis une succion suffisante, vous pouvez tirer votre lait et l'équipe médicale se chargera de le lui donner. Les éléments présents dans votre lait peuvent faire toute la différence. Plus vous devenez habile à tirer votre lait, plus il sera facile pour vous d'allaiter votre bébé lorsque son réflexe de succion sera mieux développé. Demandez de l'aide pour bien mener cette mission délicate et consultez les documents pertinents.

Dans un hôpital pour enfants de la région de Montréal, l'équipe de néonatalogie encourage les mamans de prématurés à tirer leur lait pour fournir à leur bébé cette boisson si bien adaptée. Même si la maman ne tire que 5 ml (1 c. à thé) de son lait, les infirmières le donnent au bébé, car rien n'est aussi valable. Les infirmières réussissent à convaincre des mamans qui ne voulaient pas allaiter, mais qui se rendent compte de l'importante contribution de leur lait. Dans plusieurs cas, ces petits bébés doivent demeurer à l'hôpital un certain temps, mais une fois sorties, les mères peuvent revenir à l'hôpital tirer leur lait dans un petit salon réservé à cette fin ou peuvent le livrer congelé à l'hôpital, à intervalles réguliers.

Dans plusieurs pays d'Amérique latine, on utilise maintenant la méthode du Kangourou avec les bébés prématurés de très petits poids. Cela consiste à donner le très petit bébé à la maman pour qu'elle le porte sur elle, sous ses vêtements, 24 heures sur 24, et qu'elle puisse le nourrir aussi souvent que possible, tout en maintenant constante la température corporelle du bébé. L'un des principaux effets de cette approche a été de réduire le taux de morbidité et de mortalité et d'enrayer le problème d'abandon. J'ai eu l'occasion d'observer quelques mamans-kangourous au Guatemala et j'ai été émerveillée par les résultats de cette approche sur la croissance des bébés et par la fierté des mamans qui réussissent l'exploit.

Vous attendez des jumeaux

Plusieurs mères réussissent l'allaitement de jumeaux et même de triplés. Elles réorganisent leur vie autour des bébés pour quelques mois au moins. Consultez une personne accréditée en allaitement pour recevoir tout l'appui nécessaire (voir Ressources, p. 267).

Denise, 41 ans, vient d'accoucher de jumeaux, mais elle a déjà deux petites filles, l'une de 4 ans, l'autre de 2 ans. Les allergies alimentaires font partie de son histoire familiale et elle sait que le lait maternel peut retarder les problèmes d'allergie. Elle tente d'allaiter les deux bébés à la fois, comme le recommandent certaines personnes, mais n'y trouve pas le confort souhaité. Elle opte donc pour l'allaitement de chaque bébé en alternance. La nuit, elle allaite au lit, couchée sur le côté, et elle s'endort jusqu'à ce que le bébé ait terminé. Puis elle change de côté et allaite l'autre bébé; elle change de sein à chaque boire et pour chaque bébé. Malgré quelques difficultés au cours des premières semaines, elle réussit à allaiter ses jumeaux jusqu'à l'âge de 7 mois.

Votre bébé a la jaunisse

Il n'est pas rare que les nouveau-nés aient la jaunisse.

Celle qui survient les premiers jours peut être réglée par un allaitement fréquent. Plus les boires sont rapprochés au cours des premières journées, plus le bébé reçoit de colostrum, qui l'aide à éliminer la bilirubine dans ses premières selles.

Bien entendu, le bébé doit être sous observation, et son taux de bilirubine doit être surveillé de près, mais les suppléments d'eau ne règlent rien, bien au contraire.

Même si le bébé doit être soumis à une séance de photothérapie, continuez de l'allaiter sur demande.

Jonathan, né à terme, pèse près de 4 kg (8½ lb); il a une jaunisse quelques heures après sa naissance, à cause d'une incompatibilité sanguine. Sa mère a du sang de type O positif, et son sang à lui est de type AB. L'infirmière conseille de suspendre l'allaitement, mais la maman désire le poursuivre. Un jour, après sa sortie de l'hôpital, le bébé ne boit presque plus et ne fait pas de selles. Son taux de bilirubine est plus élevé. On soumet alors le bébé à une nuit de photothérapie à l'hôpital, en compagnie de sa maman qui continue de l'allaiter sur demande. Le lendemain matin, la bilirubine a baissé, et Jonathan rentre sain et sauf à la maison.

L'allaitement sur demande est la meilleure méthode pour faire baisser le taux de bilirubine lorsque la jaunisse survient au cours de la première semaine après la naissance.

Vous craignez le découragement

Vous avez votre beau bébé dans vos bras. Vous vous remettez de votre accouchement et vous pleurez toute seule, sans bruit. Vous avez les *bleus* sans raison. Consolez-vous, car vous n'êtes pas la seule à faire cette mini-dépression, une semaine ou deux après l'accouchement. C'est normal et c'est très fréquent. Or, cette mini-dépression survient aussi souvent chez des mamans qui n'allaitent pas que chez les autres. Elle ne dure généralement que quelques jours.

Ne confondez pas vos difficultés d'allaiter pendant les premières semaines et cette petite dépression. Les deux problèmes ne sont pas reliés. Mais hélas, ils provoquent souvent l'arrêt précoce de l'allaitement. Avant de démissionner, ne vous gênez pas pour avoir recours aux ressources du milieu: infirmière, conseillère en allaitement, amie, médecin de famille ou groupe d'entraide.

> *Suzanne, 25 ans, a accouché facilement d'une belle fille. L'initiation à l'allaitement a été difficile et, malgré sa chevelure noire associée à une peau moins sensible, les gerçures aux mamelons sont vite devenues très douloureuses. Les mamelons saignent, et Suzanne pleure. Elle ne sait plus quoi faire. Après avoir obtenu le support du CLSC pour traverser cette période critique, Suzanne a allaité pendant 5½ mois. Elle conseille aux mamans de ne jamais se décourager pendant ces premières semaines difficiles.*

Vous devez accoucher par césarienne

Vous pouvez allaiter quand même, car vous produisez autant de lait que si vous aviez accouché naturellement.

Demandez une anesthésie régionale, si possible, pour que votre bébé développe un bon réflexe de succion dès les premières heures après la naissance. N'hésitez pas à prendre des médicaments contre la douleur, mais assurez-vous qu'ils ne sont pas contre-indiqués. Si possible, planifiez de cohabiter dans votre chambre d'hôpital avec votre nouveau-né et demandez au père de s'en occuper pendant que vous vous reposez. Découvrez lentement la meilleure position pour allaiter et utilisez toute l'aide possible.

> *Chantal, 37 ans, a une césarienne après 33 heures de travail. Elle met au monde une petite fille en santé de 5 lbs 6 oz. Elle ne peut allaiter pendant l'heure qui suit la naissance mais débute l'allaitement environ 6 heures après l'accouchement. Chantal quitte l'hôpital trois jours après l'accouchement et poursuit l'allaitement sur demande et sans contrainte. Au cours de la deuxième semaine de vie, le bébé gagne presque 8 oz et le médecin constate la belle croissance tout à fait normale. La césarienne n'a nui ni à la production de lait ni au succès de l'allaitement.*

Vous craignez de vous épuiser

Cela peut arriver. Accoucher, s'initier à l'allaitement et s'ajuster à une perte de sommeil représentent tout un défi. Alors, prenez soin de vous avant et après l'accouchement. Dormez un peu plus au cours du dernier mois de grossesse, mangez mieux et délaissez le ménage ainsi que les réceptions fatigantes. La première semaine avec votre bébé, vous pouvez vous sentir euphorique, mais dès la deuxième semaine, lorsque l'horaire des boires et des siestes de votre bébé s'améliore, n'hésitez pas à faire des siestes, à prendre des collations santé aussi souvent que possible et à vous détendre afin de conserver toutes vos forces physiques et émotives.

Vous avez peur de ne pas produire du bon lait

Vous n'aimez pas beaucoup les fruits et les légumes; vous avez négligé les produits laitiers et vous adorez le fast-food. Vous avez l'impression que votre lait ne sera pas assez bon. Dans certains pays, les mères n'ont pas les ressources nécessaires pour bien manger et elles produisent quand même un lait maternel assez riche en protéines, en gras, en glucides et en anticorps pendant au moins trois mois; leur lait maternel sauve des millions de vie dans le monde entier. Alors, ne vous inquiétez pas outre mesure, votre lait contiendra sûrement tous les éléments nutritifs essentiels à votre bébé.

Par contre, il n'est jamais trop tard pour améliorer votre alimentation et augmenter vos réserves personnelles. C'est beaucoup plus simple que vous ne le croyez (voir chapitre 6).

Vous souffrez d'une maladie grave

Les grandes sociétés scientifiques, comme l'Institute of Medicine de la National Academy of Sciences des États-Unis, ne recommandent pas l'allaitement si vous suivez actuellement un traitement de chimiothérapie ou de radiothérapie, ou si vous souffrez de tuberculose active. Si vous êtes atteinte du virus du sida (VIH), sachez que ce virus peut être transmis par le lait maternel.

Par ailleurs, même si vous souffrez d'une hépatite B à virus, du cytomégalovirus ou d'une autre infection traitée par antibiotiques, il n'y a pas de contre-indication à l'allaitement.

Vous prenez certains médicaments

La plupart des médicaments passent dans le lait maternel, mais ils s'y retrouvent à des doses cent fois moins fortes que la dose que vous avez avalée vous-même. Même les antibiotiques ne sont pas contre-indiqués, si l'on juge qu'ils sont nécessaires à votre santé. Mais consultez quand même votre médecin ou votre pharmacien avant de prendre quoi que ce soit.

Francis a 3½ jours; il est complètement endormi, il ne boit plus et ne mouille plus de couches. Il a perdu 280 g (10 oz) depuis sa naissance. Sa maman, sous la recommandation du médecin, a pris deux Tylenol avec codéine aux 4 heures, pour se remettre des séquelles de l'accouchement, mais on ne lui a fait aucune mise en garde.

Il eut été si simple d'avertir la maman de surveiller son bébé et d'arrêter ou de diminuer la médication en présence de la moindre réaction.

Pour minimiser les effets d'un médicament, ne le prenez que lorsque c'est vraiment nécessaire; prenez-le, de préférence, juste après un boire ou juste avant le long sommeil du bébé. N'hésitez surtout pas à demander à votre médecin ou à votre pharmacien si ce médicament peut causer des effets secondaires.

Vous fumez

Ce n'est pas l'idéal. Tentez de réduire le nombre de cigarettes et fumez immédiatement après un boire, plutôt qu'avant ou pendant. Si vous fumez plus de dix cigarettes par jour, vous pouvez affecter la sécrétion et l'éjection de lait, ou rendre votre bébé plus irritable. Vous pouvez même nuire à son gain de poids. Évitez de fumer dans la chambre du bébé ou dans la maison pour réduire l'exposition de votre enfant au minimum. Mais allaitez quand même!

En réalité, 99 % des femmes ont la capacité d'allaiter adéquatement leur bébé. Ne ratez pas cette belle expérience.

Chapitre 5

Allaiter, ça s'apprend

C'est sûr qu'au départ, ça peut être difficile. «Tu as tort de ne mentionner que les beaux côtés, m'a dit ma fille, lorsqu'elle s'est initiée à l'allaitement, tu devrais préparer les mères aux difficultés de départ.» Ma fille a raison, car elle a connu plusieurs problèmes au début. Elle a vu également certaines de ses amies démissionner, au bout de quelques semaines, lorsque le pire était passé. Trop de mamans démissionnent avant de récolter tous les bénéfices de l'allaitement. Pour éviter cet écueil, faites provision de bons conseils et consultez les personnes les plus compétentes de votre entourage. Vous en aurez besoin.

Recrutez les bons alliés

Assurez-vous que votre conjoint comprend bien votre décision. Sa collaboration et ses encouragements sont des ingrédients quasi essentiels à votre réussite. Ils font toute la différence.

Si vous n'avez pas l'approbation du reste de votre famille ou de votre belle-famille, faites la sourde oreille aux remarques désobligeantes et constituez-vous une banque de personnes qui peuvent vous encourager et vous aider. Consultez une conseillère en allaitement, dès les premiers jours, si vous avez du mal au départ.

Prenez un mois pour récupérer et pour vous adapter à votre nouvelle vie

Planifiez votre allaitement pour qu'il s'ajuste à votre vie ou, de façon plus réaliste, ajustez votre vie à l'allaitement. Éliminez le plus de stress possible, car c'est votre pire ennemi! Acceptez l'idée que vous ne pouvez plus maintenir un horaire de superwoman, une maison impeccable, des activités sociales et allaiter jour et nuit. Apprenez à couper les coins ronds et avertissez votre entourage. Oubliez le reste du monde.

Au bout de 4 à 6 semaines, vous trouverez la vie de plus en plus simple; pas de préparation pour nourrissons à préparer, pas de lait à chauffer et pas de biberon à nettoyer et à trimbaler partout où vous allez. Vous récolterez les bénéfices de l'allaitement. Vous pourrez sortir sans problème. Vous n'avez qu'à rechercher un petit coin paisible pour nourrir votre bébé. Certaines femmes trouvent même pratique de nourrir leur bébé dans leur voiture garée, et le tour est joué.

Préparez-vous pendant la grossesse

Achetez un répondeur ou abonnez-vous à un service d'appels, afin de ne pas vous laisser déranger par le téléphone lorsque vous allaitez votre bébé. Aménagez un coin agréable et tranquille pour allaiter confortablement votre bébé; arrangez-le à votre goût.

Achetez un soutien-gorge bien adapté à la grossesse et un soutien-gorge d'allaitement. Cela vous procurera un bon soutien. À l'occasion, détachez le devant des bonnets, exposez les mamelons nus sous vos vêtements et endurcissez la peau. Les mères suédoises exposent régulièrement leurs seins au soleil et portent des vêtements amples; elles diminuent ainsi la sensibilité de leurs mamelons. Voilà une façon simple et efficace de préparer vos seins avant la naissance, à condition d'éviter les coups de soleil!

Congelez des collations et des repas, afin d'avoir congé de la cuisine ou presque, pendant les premières semaines après l'accouchement.

Demandez subtilement à votre conjoint, à vos parents et à vos meilleurs amis de vous aider à l'entretien de la maison, à faire le marché, à amuser l'aîné, à lui faire faire ses devoirs et à promener le chien. Suggérez à vos parents, comme cadeau de naissance, l'aide d'une femme de ménage, un ou deux jours par semaine ou des repas de traiteur, livrés à domicile.

Allaitez dès la première heure

Essayez d'allaiter dans la première heure qui suit la naissance. Durant cette heure particulière, votre bébé est habituellement assez éveillé; il découvre son univers et il répond à vos messages. Son réflexe de succion est particulièrement fort. Il s'endort ensuite profondément. Les premières tétées stimulent votre production de lait et un grand nombre d'études attribuent une partie du succès de l'allaitement à ce premier boire, donné dans l'heure qui suit la naissance.

Si ça ne fonctionne pas, ne démissionnez pas pour autant.

Suzanne, 34 ans, a eu un accouchement facile, mais son bébé n'a pas réussi à boire au cours de la première heure. Après plusieurs tentatives infructueuses, Suzanne n'a pu allaiter que le 3e jour après l'accouchement, mais elle a poursuivi son allaitement plus de 6 mois.

Il ne faut jamais se décourager!

Allaitez sur demande

À l'hôpital, cohabitez avec votre enfant si vous en avez la force et si vous êtes assurée de la bonne collaboration du personnel infirmier. Visitez l'hôpital avant l'accouchement et vérifiez si ce genre d'arrangement est possible.

Insistez pour qu'aucun supplément d'eau ou de préparation pour nourrissons ne soit donné à votre bébé et nourrissez-le sur demande, c'est-à-dire lorsqu'il pleure et qu'il semble avoir soif.

Plus votre bébé demande de lait, plus souvent il tète, plus vous produisez de lait. Les boires fréquents vous permettent aussi de vous rapprocher de votre nouveau bébé sur les plans physique et émotif.

Marie, 29 ans, a eu de sérieux problèmes d'initiation à l'allaitement, lors de son séjour à l'hôpital. Elle n'a pas réussi, au cours des premiers jours, à allaiter pour la peine, mais elle n'a pas voulu donner de préparation pour nourrissons à son bébé, malgré les échantillons offerts. Marie a eu peur de nuire à la santé de son enfant.

Ce n'est qu'au retour à la maison qu'elle a su répondre aux demandes de son bébé. Par la suite, elle n'a observé aucune séquelle chez son bébé.

Considérez que les premiers jours sont des jours d'apprentissage et d'ajustements. En allaitant toutes les heures ou aux deux heures, vous stimulez la montée de lait et vous fournissez au bébé une bonne quantité de colostrum, qui aide à prévenir la jaunisse, un problème courant chez les nouveau-nés.

Trouvez la bonne position

Assurez-vous que votre mamelon s'enfonce complètement dans le fond de la bouche de votre bébé et que les gencives, le palais et la langue du bébé exercent une pression sur l'aréole. Placez votre bébé à l'horizontale, soutenu par des oreillers, ventre contre ventre, son visage devant votre sein et non devant votre visage. Si vous n'y arrivez pas, demandez l'aide d'une infirmière qui connaît bien l'allaitement ou d'une conseillère en allaitement qui peut même se rendre à l'hôpital. Souvenez-vous que *la bonne position* constitue la clé d'un allaitement efficace et que cela vous permet d'éviter les gerçures.

Laissez votre bébé boire ce qu'il souhaite

Lorsque votre bébé se désintéresse du premier sein, offrez-lui le second jusqu'à ce qu'il se désintéresse aussi de celui-là. N'interrompez jamais le bébé pendant qu'il tète activement pour lui faire faire un rot; attendez qu'il fasse une pause pour l'aider à rejeter les bulles d'air avalées.

> *Diane, 35 ans, a eu son bébé en plein été. Au bout de quelques semaines, elle s'est rendu compte que son bébé refusait de boire lorsqu'elle sortait de la piscine. Il n'aimait tout simplement pas les mamelons trop froids. La maman a réagi en réchauffant ses seins avec une débarbouillette d'eau tiède, et le bébé a retrouvé son appétit.*

Vos seins sont très sensibles

La sensibilité des seins est normale les premiers jours, même dans le cas d'un deuxième ou troisième bébé. La douleur peut ressembler à une crampe à l'intérieur du sein, mais elle ne dure que quelques tétées. La douleur peut également être vive à la hauteur des mamelons, mais cette douleur ne dure pas non plus. N'attendez pas d'avoir des gerçures et une crevasse pour apporter une solution. Assurez-vous que votre position d'allaitement est adéquate (voir plus haut).

Allouez-vous quelques semaines pour vous sentir réellement à l'aise avec votre bébé et en arriver à un horaire d'allaitement satisfaisant.

L'allaitement réussi est le fruit de bonnes négociations entre vous et votre bébé.

Ne donnez rien d'autre à votre bébé

Entre les boires, évitez d'offrir à votre bébé un biberon de préparation pour nourrissons ou d'eau sucrée. Cette pratique ne peut que diminuer l'appétit de votre bébé et compromettre votre production de lait. Le lait maternel fournit tout le liquide nécessaire au bébé, même en été. Tout liquide supplémentaire peut diminuer la consommation de lait maternel et augmenter le risque de diarrhée dans les régions où il n'est pas recommandé de boire l'eau du robinet.

Ne vous découragez pas: le réflexe d'éjection peut se faire attendre

Vous sentez que le lait ne coule pas assez vite après que le bébé commence à téter. Cela peut vous paraître long avant que le réflexe d'éjection se manifeste. Ce réflexe correspond à la libération du lait de la glande mammaire.

Lorsque le bébé commence à téter, il stimule le système hormonal et met en branle la sécrétion du lait. Mais la synchronisation entre les premières succions du bébé et la sécrétion du lait n'est pas toujours parfaite. Elle se développe avec le temps, la bonne position et le travail de succion du bébé. N'oubliez pas que ce réflexe reflète aussi votre humeur. Si vous êtes pressée, tendue, embarrassée, préoccupée ou inquiète, le réflexe peut être temporairement ralenti.

Jusqu'à ce que vous ayez bien maîtrisé la technique et que vous soyez suffisamment détendue, essayez de réchauffer un peu vos seins, dix minutes avant l'heure du boire, en prenant un bain, une douche ou en appliquant un coussin chauffant ou une débarbouillette mouillée à l'eau chaude.

Isolez-vous pour retrouver le calme nécessaire ou couchez-vous avec votre bébé pour favoriser la détente et la montée laiteuse.

Vous n'avez pas assez de lait?

Toutes les mères ont peur de ne pas produire assez de lait.

Comptez les couches mouillées. Si votre bébé mouille de 6 à 8 couches par jour, il boit suffisamment de lait.

Augmentez, si nécessaire, votre production de lait, en allaitant plus souvent, car plus vous allaitez souvent, plus vous produisez de lait.

L'appétit de votre bébé peut varier. Il peut augmenter autour de la deuxième semaine, de la cinquième ou sixième semaine et du troisième mois. Pour répondre à ses demandes supplémentaires, allaitez plus souvent, car plus vous allaitez, plus vous produisez de lait.

Pendant les trois premiers mois, vous devez allaiter au moins 6 fois en 24 heures. Si, de temps en temps, vous allaitez plus souvent, c'est normal, et c'est votre façon de répondre aux demandes de votre bébé.

Vous êtes capable de produire suffisamment de lait, mais vous devez prendre soin de vous, la productrice. Assurez-vous de bien manger (voir chapitre 7) pour maintenir vos propres réserves. Buvez suffisamment entre les repas et aux repas. Reposez-vous, réduisez le stress au minimum, profitez de la relation privilégiée avec votre bébé... et oubliez le volume de lait. Et vous verrez!

La croissance du bébé est-elle normale?

Ne vous inquiétez pas si votre bébé perd un peu de poids au cours de sa première semaine, c'est tout à fait normal.

Par la suite, le gain de poids de votre bébé est la meilleure façon d'évaluer votre production de lait. Un bébé allaité prend environ 1 kg (2 lb) par mois au cours des trois premiers mois et 0,5 kg (1 lb) par mois durant les trois mois qui suivent.

Exemple d'un gain de poids normal au cours des six premiers mois	
à la naissance	3,2 kg (7 lb)
à 1 mois	4,1 kg (9 lb)
à 2 mois	5,0 kg (11 lb)
à 3 mois	5,9 kg (13 lb)
à 4 mois	6,4 kg (14 lb)
à 5 mois	6,8 kg (15 lb)
à 6 mois	7,3 kg (16 lb)

Il y quand même une différence importante entre un *arrêt de croissance* et une *croissance lente*. Un bébé qui pleure très souvent, qui a une urine très foncée, des selles peu fréquentes, qui boit peu et moins de 6 fois en 24 heures et qui est apathique peut avoir un problème inquiétant. N'attendez pas pour consulter votre médecin ou la conseillère en allaitement. Par ailleurs, rassurez-vous si votre bébé mouille au moins 6 couches par jour, s'il a une urine pâle et diluée, si ses selles sont fréquentes et s'il boit au moins 6 fois ou plus par jour, de 15 à 20 minutes par boire. Il peut avoir une croissance lente, mais il n'y a pas lieu de vous inquiéter.

Vous avez les mamelons gercés, douloureux, crevassés

La douleur est vive, mais elle ne dure pas. Ça vous fait très mal, mais ça n'affecte pas la santé de votre bébé. Toutefois, n'attendez pas pour apporter une solution. Assurez-vous que votre position d'allaitement est adéquate (voir p. 48).

Si le mamelon est crevassé et qu'il saigne, le bébé peut avaler quelques gouttes de sang qui passent ensuite dans sa couche. Ce n'est pas grave pour le bébé, mais soignez vite vos mamelons pour en diminuer la douleur. Réajustez votre position. Avant le boire, ramollissez la blessure avec une débarbouillette tiède. Si le sein est très gonflé, tirez un peu de lait avant d'allaiter.

Nourrissez votre bébé souvent, sur demande. Assurez-vous qu'il tète bien et qu'il avale. Lorsque le sein semble vide, ne laissez pas votre bébé continuer à téter; donnez-lui une suce.

Lorsque vous lavez vos seins, n'utilisez jamais de savon; rincez-les à l'eau seulement et séchez-les bien. À la fin d'un boire, séchez les mamelons à l'air libre et assurez-vous que les mamelons sont bien secs avant de refermer votre soutien-gorge.

Pour favoriser la cicatrisation, utilisez quelques gouttes de lait maternel que vous laissez sécher sur le mamelon. Vous pouvez aussi avoir recours à quelques gouttes d'huile de lin, ou au contenu d'une capsule de vitamine E, ou encore à un sachet de thé préinfusé refroidi, déposé sur le mamelon 5 à 10 minutes après un boire.

Josée est en larmes. Il est trois heures du matin. Elle a des gerçures qui saignent et qui font très mal. Son bébé de 5 jours a du sang dans sa couche. Josée n'a aucune réserve de lait maternel. Elle ne sait plus quoi faire. Donner l'échantillon de préparation pour nourrissons n'est pas la solution.

La solution: ne pas s'en faire pour le sang brun découvert dans la couche; ce sang provient des gerçures et est éliminé. Le lait lui-même n'est pas dangereux.

Prendre une douche chaude pour se détendre, prendre de l'acétaminophène (Atasol, Tylenol) si nécessaire, tirer un peu de lait pour désengorger les seins, puis reprendre l'allaitement.

Vous voulez sauter un boire de temps en temps

Vous pouvez sauter un boire de temps en temps lorsque votre production de lait est bien établie, ce qui arrive habituellement vers la 5e ou 6e semaine. Vous devez apprendre à tirer votre lait. Vous pouvez ensuite faire des provisions de votre lait et conserver des biberons de lait maternel au congélateur aussi longtemps que vous souhaitez allaiter (voir p. 84).

Donnez vos instructions au papa, aux grands-parents ou à la gardienne et quittez la maison pour ne pas que votre bébé sente que vous êtes dans l'entourage, ce qui facilite l'acceptation du biberon.

Vous voulez tirer votre lait

Vous pouvez développer votre habileté à tirer votre lait dès la première semaine, ce qui peut vous aider à éviter l'engorgement et à soulager la pression dans vos seins. Vous pouvez le faire manuellement ou avec un tire-lait: pompe manuelle ou pompe électrique.

Procurez-vous la liste des pompes, mais évitez la pompe qui fonctionne avec une poire (voir p. 267).

Pour tirer votre lait, suivez la technique décrite à la p. 83. Les premières fois, vous pouvez prendre jusqu'à 45 minutes pour produire une petite quantité de lait, mais, par la suite, vous réussirez en 30, puis en 20 minutes ou même plus rapidement encore.

Vous avez les seins durs et engorgés

Vos seins sont gonflés, chauds, durs, sensibles et se vident avec grande douleur. Ce problème survient surtout lorsque les boires sont trop espacés. Revoyez votre horaire d'allaitement et nourrissez votre bébé plus souvent, sur demande.

Si vos seins sont trop gonflés avant le boire, appliquez une serviette d'eau tiède sur les seins et tirez un peu de lait manuellement ou avec un tire-lait, juste pour soulager la pression. Pour favoriser l'écoulement du lait, massez délicatement vos seins pour faciliter la circulation du lait vers le mamelon.

À la fin du boire, tirez le surplus de lait, si nécessaire, et appliquez un sac de glace, 15 à 20 minutes après la tétée.

> *Carole, 27 ans, a un bébé de quelques jours. Ses seins sont tellement durs que le bébé ne réussit pas à bien prendre tout le mamelon dans sa bouche. Elle est inquiète et souffrante. En tirant un peu de lait avant chaque boire, elle réussit à amollir le sein et à faciliter la tâche au bébé.*

Vous êtes morte de fatigue et vous faites de la fièvre

Vos symptômes s'apparentent à une mastite qui peut commencer comme un engorgement et évoluer vers une infection qui s'accompagne de fièvre. Vos seins sont chauds et certaines parties sont rouges et sensibles.

Vous devez vous reposer davantage et nourrir votre bébé plus souvent, afin de décongestionner vos seins.

Assurez-vous cependant de réchauffer votre sein 5 à 10 minutes avant le boire avec une débarbouillette d'eau tiède. Si votre bébé ne boit pas suffisamment, tirez le surplus de lait manuellement ou à l'aide d'un tire-lait, seulement pour vous soulager et non pour créer une demande additionnelle. Si la douleur est trop vive, prenez un comprimé d'acétaminophène (un analgésique qui risque moins de causer des dérangements gastro-intestinaux), 20 minutes avant le boire. Si vous devez prendre un antibiotique pour enrayer l'infection, ne cessez pas d'allaiter.

Votre bébé a des coliques

Les bébés nourris au sein sont aussi vulnérables aux coliques que les bébés nourris à la préparation pour nourrissons.

Les coliques commencent en général quand votre bébé a 2 ou 3 semaines et disparaissent avant qu'il ait 4 mois. Le bébé a de soudaines attaques de douleur, un ventre dur et bombé, les jambes repliées, le dos cambré, les poings fermés et le visage rouge. Les symptômes s'intensifient souvent après seize heures, et les pleurs peuvent durer plusieurs heures.

Si votre bébé semble souffrir de coliques, la cause peut être difficile à cerner. Revoyez d'abord votre technique d'allaitement:

- assurez-vous que votre bébé allaite dans la bonne position, pour limiter l'air qu'il pourrait avaler;
- faites bien faire les rots après chaque boire, jour et nuit;
- allaitez-le aussi souvent qu'il le demande pour qu'il n'ait jamais trop faim;

- assurez-vous que votre bébé a bien bu au premier sein, afin qu'il soit rassasié du gras présent à la fin du boire, car un manque de gras peut susciter des pleurs de faim;
- n'hésitez pas à le bercer et à le cajoler souvent;
- ayez recours aux bons soins du papa ou de la grand-mère pour le calmer, à l'occasion.

Si toutes ces attentions n'améliorent pas la situation, éliminez de votre alimentation certains aliments allergènes. Commencez par éviter les produits laitiers (lait, yogourt, fromage et crème glacée). Si vous ne voyez pas d'amélioration après 72 heures, éliminez d'autres aliments riches en protéines, comme le bœuf et le poulet, pendant 4 à 5 jours. Si vous remarquez une différence, réintroduisez les produits laitiers quelques jours et observez le comportement de votre bébé. Si l'élimination des produits laitiers ou des aliments riches en protéines améliore la situation, modifiez votre menu, tout en vous assurant qu'il soit aussi nourrissant (voir menu sans produit laitier, p. 66).

Au cours des vingt dernières années, j'ai reçu de nombreux appels de mamans aux prises avec un bébé souffrant de coliques. Je leur ai d'abord suggéré toutes les mesures non alimentaires à prendre, puis l'élimination des produits laitiers a souvent donné de bons résultats. Parfois, l'élimination complète n'est pas nécessaire, mais une diminution de la consommation suffit pour obtenir des résultats. Parfois l'élimination d'autres aliments riches en protéines, comme le soya, le poulet et le bœuf, est nécessaire.

Ce qui ressort toutefois de mon expérience clinique, c'est que les bébés qui ont des coliques semblent réagir aux protéines consommées fréquemment par la maman en cours de grossesse et semblent bien tolérer des aliments riches en protéines qui ne faisaient pas partie de la routine alimentaire pendant la grossesse.

Bien entendu, il ne s'agit pas ici d'une vraie réaction allergique, mais d'une intolérance qui rentre habituellement dans l'ordre bien avant l'âge de 12 mois.

Une étude récente a souligné que les légumes de la famille des choux, les oignons et le chocolat pouvaient aussi être associés à des problèmes de coliques. Vérifiez tous ces éléments avant d'avoir recours aux médicaments et à d'autres solutions.

Vous n'avez pas trouvé de solution

Vous avez consulté les bonnes personnes et rien ne va plus. Malgré tous les efforts du monde, certains problèmes persistent et vous avez décidé de mettre fin à l'allaitement. C'est une question de survie.

Même si vous n'avez allaité que quelques semaines, vous avez transmis à votre bébé une protection immunitaire hors pair et vous avez vécu une expérience unique. Ce n'est pas un échec.

Vous prenez la meilleure décision dans les circonstances et vous continuez d'être une bonne mère. Consultez le chapitre 11 pour que le sevrage se fasse en douceur, pour vous et pour votre bébé.

Il y a une solution à la plupart des difficultés que l'on peut rencontrer lors de l'allaitement. Ne démissionnez pas trop vite!

Chapitre 6

Mieux manger
pour mieux allaiter

V otre bébé grandit à vue d'œil et vous réclame à toute heure du jour
et de la nuit. Certaines de vos amies ont cessé d'allaiter parce
qu'elles étaient trop fatiguées et vous craignez l'épuisement. Vous
avez plus faim et plus soif que jamais, c'est normal. Vos besoins nutritionnels n'ont jamais été aussi élevés, même si votre production de lait
provient en partie de vos réserves de tissus gras.

Vous n'avez pas besoin de manger des tonnes d'aliments par jour
pour produire suffisamment de lait. Et pour maintenir une alimentation saine, vous n'avez pas besoin d'aliments exceptionnels, de fruits
exotiques, d'avoir toujours quelque chose à grignoter, ni de préparer
des recettes compliquées. L'alimentation qui vous convient est géné-
reuse, mais n'impose aucune règle stricte.

Faites quelques provisions
avant l'accouchement

À la fin de votre grossesse, vous pouvez planifier cette période particulière et faire des provisions au congélateur: quiches aux épinards
ou au brocoli, pains de viande, macaronis au fromage ou sauces à
spaghetti, poulet ou dinde cuite, bases de pizza de blé entier, différents pains de grains entiers, muffins au son ou carré aux dattes, par
exemple.

Si vous n'y avez pas pensé avant l'accouchement, il n'est pas trop
tard pour acheter des repas tout préparés au rayon des surgelés ou

57

chez un traiteur. Vous pouvez même demander ce type de cadeau à votre entourage.

Faites aussi provision de quelques aliments d'urgence comme des amandes, des graines de tournesol ou de sésame, des fromages, des céréales de grains entiers, des haricots rouges ou des pois chiches en conserve, du lait concentré[1], du saumon, du thon ou des crevettes en conserve, du beurre d'arachide naturel et de la compote de pomme.

Grâce à ces réserves, vous pourrez survivre sans inquiétude au moins une semaine, sans cuisiner ou presque, en ajoutant lait, yogourt, fruits et légumes frais de la saison.

Des aliments gagnants, du matin au soir

Mangez plus souvent et donnez la priorité aux aliments faciles à préparer. Ne l'oubliez pas, vous êtes dans votre mois de récupération et d'adaptation à une nouvelle vie.

Choisissez les aliments gagnants, c'est-à-dire ceux qui fournissent à chaque bouchée beaucoup d'éléments nutritifs.

Protégez jalousement votre énergie et votre résistance globale en évitant de passer plus de 3 heures sans manger. Prévoyez au moins trois repas et trois collations par jour. En mangeant plus souvent, vous brûlez plus efficacement les calories et vous pouvez perdre du poids plus facilement.

Composez chaque repas et collation avec des aliments riches en protéines et en fibres. Ces deux éléments nutritifs préviennent les hauts et les bas, tant sur le plan énergétique que sur le plan émotif. Vous trouvez des protéines dans la viande, la volaille, le poisson, les fruits de mer, les œufs, le fromage, le yogourt, le lait, les légumineuses (haricots, lentilles et pois), le tofu, les noix et les graines. Vous trouvez des fibres dans les végétaux comme les produits céréaliers de grains entiers, les noix, les légumineuses, les fruits et les légumes. Chaque repas comportera:

- **une bonne source de protéines** (une viande, une volaille, un poisson, des légumineuses ou un produit laitier);
- **au moins quelques légumes et fruits** (un jus, une salade et un fruit frais);
- **quelques produits céréaliers de grains entiers** (du pain de blé entier, du riz brun ou des pâtes de blé entier).

Prenez des collations santé aussi souvent que nécessaire, la nuit et le jour, lorsque vous êtes fatiguée et que vous n'avez pas mangé depuis 3 heures.

Choisissez un aliment riche en protéines. Le verre de lait ou le yogourt sont tout indiqués.

Ne négligez pas les fibres: le fruits frais ou le muffin au son font merveille.

Changez de rythme et demandez de l'aide!

Ce n'est pas le moment d'essayer d'avoir la cuisine la plus propre en ville. Oubliez la visite et les petits repas entre amis pour un certain temps. Visez l'essentiel: maintenir votre énergie et le bien-être de votre bébé.

Demandez à votre partenaire, à votre mère ou à une amie de faire les achats. Préparez une liste de marché type (voir p. 70) qui peut être renouvelée pendant quelques semaines. Demandez de l'aide pour la préparation des repas. Personne ne peut vous refuser de préparer les crudités de la semaine, une trempette ou encore une douzaine de muffins.

Osez demander à une amie ou à une tante de vous offrir, comme cadeau de naissance, un de vos repas préférés, un pâté chinois, une lasagne ou une casserole au thon. Demandez la même faveur à d'autres amies ou collègues de travail, en promettant la réciprocité!

Vous pouvez perdre un peu de poids tout en douceur

Toutes les mères savent qu'elles doivent manger plus pendant l'allaitement. Elles savent aussi qu'un régime amaigrissant peut affecter négativement leur production de lait. Par contre, il n'est pas nécessaire d'avaler de très grandes quantités d'aliments par jour pour produire assez de lait.

Quatre semaines après l'accouchement, la majorité des femmes pèsent entre 5,5 et 7 kg (12 et 15 lb) de plus qu'avant la grossesse. Vous voulez allaiter, mais vous aimeriez bien perdre un peu de poids sans nuire à l'allaitement.

La première règle d'or est de manger le menu quotidien, tel que décrit à la p. 61 et de ne rien modifier à votre alimentation les 30 premiers jours après la naissance. Cela permet à la production de lait de bien s'établir.

Après ce temps, continuez de manger les mêmes quantités de produits laitiers, de produits céréaliers, d'aliments riches en protéines, et de fruits et légumes, mais apportez-y quelques modifications. Choisissez du lait moins gras qu'à l'habitude (1 % au lieu de 2 %), oubliez le beurre sur le pain, remplacez le muffin par un pain pita de blé entier, remplacez les biscuits à la farine d'avoine par une plus grande portion de riz brun, utilisez un peu moins d'huile dans la cuisson et choisissez des fromages avec moins de 15 % de gras.

Cette légère coupure de gras, sans calcul de calories, peut favoriser une perte d'environ 5 kg (env. 1 lb) par semaine sans nuire à la production de lait. Une étude faite sur une vingtaine de mères, suivies à la clinique pédiatrique de l'Université d'Iowa, a démontré l'efficacité de cette méthode.

Bien entendu, la croissance du bébé demeure votre priorité, et son gain de poids demeure le critère le plus valable pour l'évaluer.

Buvez raisonnablement

Une étude intéressante, faite auprès de 19 mères bien nourries, a mesuré l'impact d'une addition de liquide sur la quantité de lait produit pendant une période de 7 jours. Les résultats démontrent qu'une augmentation de 25 % de l'apport de liquides n'augmente pas la quantité de lait produit. Buvez assez d'eau pour combler votre soif. Une consommation quotidienne d'environ 8 verres d'eau, de jus ou autres boissons semble suffisante. Il n'y a donc pas lieu de vous forcer à boire exagérément.

La question du café

La caféine qui se trouve dans le café, le thé, le chocolat et plusieurs boissons gazeuses brunes ainsi que dans certains médicaments (voir tableau, p. 265) vous stimule, et une petite partie se rend jusqu'à votre bébé.

Si votre bébé est calme et qu'il dort bien, ne vous inquiétez pas trop, pourvu que vous aussi soyez calme et que vous dormiez bien. Par contre, si vous souhaitez voir votre bébé dormir plus longtemps ou s'il semble affecté par la caféine, essayez de réduire au minimum votre consommation d'aliments et de boissons riches en caféine. Remplacez-les par des infusions de tilleul, de camomille ou par des cafés de céréales.

VOTRE MENU QUOTIDIEN

- au moins **6 portions de produits céréaliers de grains entiers**
  une portion équivaut à
  une tranche de pain de blé entier
  ou 1 bol de céréales, chaudes ou froides
  ou 200 ml (env. ¾ tasse) de riz brun, cuit
  ou 250 ml (1 tasse) de pâtes alimentaires, cuites;

- au moins **6 portions de fruits et légumes**
  donnez la priorité à ceux qui contiennent
  beaucoup de vitamine C et de bêta-carotène
  et mangez au moins quelques fois par semaine
  des légumes feuillus, vert foncé
  une portion équivaut à
  125 ml (½ tasse) de légumes ou de fruits cuits
  ou 250 ml (1 tasse) de légumes crus
  ou 125 ml (½ tasse) de jus de fruits ou de légumes
  ou 1 fruit frais de grosseur moyenne;

- environ **4 portions de produits laitiers**
  une portion équivaut à
  250 ml (1 tasse) de lait entier, écrémé, à 1 ou 2 %
  ou 45 g (1½ oz) de fromage affiné
  ou 200 ml (env. ¾ tasse) de yogourt;

- environ **2 portions d'aliments riches en protéines**
  une portion équivaut à
  90 g (3 oz) de viande, de volaille ou de poisson*
  ou 250 ml (1 tasse) de légumineuses cuites
  ou 120 g (4 oz) de tofu
  ou 2 œufs.

*Évitez les poissons de pêche sportive ou de lacs pollués:
doré, brochet et perchaude;

Choisissez les poissons de pisciculture:
truite et saumon;

Choisissez des poissons de mer et des fruits de mer:
aiglefin, flétan, goberge, morue, plie, sole, homard, crevettes et pétoncles.

La question de l'alcool

L'alcool passe rapidement dans le lait maternel et affecte la saveur du lait en moins de 60 minutes. Quand vous prenez un peu d'alcool, votre bébé peut, au boire suivant, téter rapidement au début, mais il boit finalement moins de lait qu'en temps normal. De plus, l'alcool ne prolonge pas ses heures de sommeil, comme certains le laissent entendre. Au contraire, l'alcool fait que le bébé s'endort plus souvent, mais pour de plus courtes périodes. De grandes quantités d'alcool inhibent même le réflexe d'écoulement du lait et dérangent votre bébé. Par contre, un verre de bière ou de vin pris à l'occasion ne cause pas vraiment de problème; une petite quantité d'alcool peut contribuer à la détente, sans inhiber le réflexe d'écoulement du lait.

La question du gras

La qualité des gras que vous consommez depuis des années affecte le type de gras présent dans votre lait maternel. Mais comme toujours, il n'est pas trop tard pour modifier les matières grasses de votre menu et pour accorder une place particulière aux plus utiles que l'on trouve dans différentes huiles, poissons et fruits de mer.

Vous pouvez, par exemple, incorporer à votre menu quotidien de 15 à 30 ml (1 à 2 c. à soupe) d'une huile pressée à froid, en utilisant en alternance une huile de tournesol et une huile d'olive. Utilisez ces huiles dans vos vinaigrettes sur les salades et sur vos légumes cuits. Vous pouvez faire chauffer ces huiles, mais faites-le à feu doux.

Fuyez les gras hydrogénés dans la mesure du possible en mangeant moins de croustilles et de fritures, et en évitant la majorité des margarines, car ces gras passent dans le lait maternel et inquiètent les chercheurs.

Le lait maternel n'est pas à l'abri des polluants

Comme tous les aliments, même les plus nutritifs, le lait maternel subit les contrecoups de la pollution.

Plusieurs substances indésirables comme le DDT, les BPC, les dioxines et les pesticides font partie de notre environnement et de notre alimentation. Elles s'emmagasinent dans notre organisme à notre insu et peuvent se rendre dans le lait maternel. Comme elles sont mises en réserve dans nos tissus gras, une perte de poids rapide signifie que ces polluants sont remis en circulation et qu'une dose additionnelle passe dans le lait maternel.

Les concentrations de **DDT** ont diminué dans le lait maternel depuis leur interdiction en Amérique du Nord, en 1960. Les **BPC,** utilisés dans la peinture, l'encre et les transformateurs, interdits au Canada depuis 1977, sont encore présents, puisqu'ils s'accumulent dans les tissus gras des animaux. Les poissons des eaux contaminées comme celles des Grands Lacs constituent à l'heure actuelle la principale source de BPC. Les concentrations de BPC dans le lait maternel sont encore élevées, mais elles ne menacent pas la santé du bébé, puisque l'exposition à ces substances ne dure que quelques mois, et non toute une vie.

Comme la pollution a tendance à voyager vers les deux pôles du globe, le lait le plus contaminé qui soit est celui des mères inuites qui se nourrissent de grandes quantités de poissons provenant des eaux polluées de l'Arctique. Et même dans ces cas extrêmes, le lait maternel comporte plus d'avantages que de risques pour la santé globale des bébés inuits.

Les **pesticides** passent plus directement dans les aliments et s'accumulent plus facilement dans les aliments d'origine animale. Ainsi, les viandes, les volailles, les poissons, le beurre et les produits laitiers renferment plus de pesticides que les légumineuses (fèves, haricots et lentilles), les fruits et les légumes-racines. De fait, le lait des mères végétariennes strictes renferme moins de résidus de pesticides que le lait des autres mères.

Même si vous ne pouvez pas ignorer ce problème, les polluants ne devraient pas vous empêcher d'allaiter. Vous pouvez même en diminuer la concentration, si vous le désirez.

La question des polluants

Peut-être avez-vous déjà pris des précautions durant votre grossesse pour minimiser les polluants environnementaux (BPC, dioxines, pesticides) dans votre lait maternel. Sinon, il n'est jamais trop tard pour améliorer votre lait maternel. Voici quelques mesures en ce sens:

- Évitez les poissons de pêche sportive ou de lacs pollués: doré, brochet et perchaude. Choisissez les poissons de pisciculture: truite et saumon. Choisissez des poissons de mer et des fruits de mer: aiglefin, flétan, goberge, morue, plie, sole, homard, crevettes et pétoncles. Préférez les poissons plus petits et plus jeunes qui contiennent moins de résidus;
- Évitez les huiles de poissons (l'huile de foie de morue ou de flétan);

- Choisissez des coupes de viande maigres et enlevez tout gras visible, car les polluants se logent dans le tissu gras des animaux, tout comme chez les humains. Mangez le poulet sans la peau, même si vous le faites cuire avec la peau;
- Choisissez des fromages maigres aussi souvent que possible, c'est-à-dire ceux qui contiennent moins de 15 % de gras;
- Évitez les diètes sévères, car elles mobilisent les polluants mis en réserve dans vos tissus gras et en favorisent la sécrétion dans le lait maternel;
- Choisissez des aliments de culture biologique, lorsque c'est possible, particulièrement les céréales de grains entiers, les légumes feuillus, les fruits et les huiles pressées à froid. Si vous ne pouvez pas trouver de fruits et légumes biologiques, lavez et brossez les fruits et lavez soigneusement les verdures.

Les aliments problèmes?

En théorie, il n'y a aucun aliment problème, mais tous les aliments donnent un peu de saveur au lait maternel. Les légumes à saveur forte comme le chou, les oignons et l'ail modifient de façon plus prononcée le goût du lait maternel, mais peu de bébés s'y objectent. Une étude a même démontré que plusieurs bébés apprécient le goût de l'ail, qu'ils boivent plus longtemps et qu'ils consomment de plus grandes quantités de lait lorsque celui-ci a un goût d'ail. Mangez de tout et observez les réactions de votre bébé avant d'éliminer certains bons aliments.

> *Un bébé allaité de 10 jours n'avait eu aucun problème, jusqu'à ce qu'il se mette à refuser le lait maternel. Il tétait bien les 2 premières minutes, puis se dégageait brusquement du sein. Après avoir consulté une conseillère en allaitement et avoir fait vérifier sa position d'allaitement, la maman s'est aperçue qu'elle avait sucé plusieurs bonbons à la menthe poivrée depuis un certain nombre de jours. Quelques heures après que la maman eut cessé de manger ces bonbons, le bébé s'est remis à téter de plus belle.*
>
> Si votre bébé présente un tel comportement, vérifiez ce que vous avez mangé et faites les modifications nécessaires.

Bien entendu, les aliments très épicés ou salés ajoutent du goût au lait, mais ils ne font pas nécessairement partie des aliments gagnants.

Les aliments frits, les sucreries et les desserts riches peuvent, par contre, occasionner certains problèmes digestifs; vous n'avez aucun avantage à en consommer en abondance.

La question des allergies

Si votre bébé a des coliques et qu'il n'a pas répondu aux autres stratégies énumérées aux p. 53-54, il peut être temporairement intolérant aux produits laitiers présents dans votre menu. Éliminez-les tous pendant au moins trois jours et ajustez votre menu en conséquence.

Si vous ne voyez pas d'amélioration, essayez d'éliminer une autre source de protéines, comme le bœuf, et observez les changements (voir aussi l'encadré de la p. 54 et le chapitre 16).

S'il y a des allergies alimentaires dans votre histoire familiale et que votre bébé a certaines réactions, ajoutez à votre liste d'élimination les œufs, les noix, les poissons et les fruits de mer.

La question des médicaments

Portez une attention particulière aux médicaments, puisque toutes les drogues passent rapidement dans le lait maternel et se rendent jusqu'à votre bébé. La plupart ont peu d'effet sur le nourrisson, mais certains doivent être évités. Consultez votre médecin et votre pharmacien avant de prendre toute forme de médicament, même sans ordonnance.

Prenez l'analgésique le plus sûr, comme l'acétaminophène (Tylenol ou Atasol), plutôt que l'aspirine.

Ménagez votre bébé en prenant le médicament nécessaire juste après l'avoir nourri ou juste avant sa plus longue période de sommeil.

Observez le comportement de votre bébé. Tout changement peut supposer une réaction aux médicaments. Un bébé amorphe, qui dort beaucoup, qui ne boit pas bien, qui mouille moins de 6 couches par jour peut, entre autres, manifester une réaction à un médicament et doit être examiné le plus rapidement possible.

Les contraceptifs oraux pris en faible dose ne représentent pas un problème, une fois que la montée laiteuse est bien établie, mais certaines questions subsistent en ce qui concerne les effets à long terme de cette sécrétion de stéroïdes dans le lait maternel. D'autres méthodes de contraception sont recommandées, comme le condom utilisé avec une mousse contraceptive.

Un menu sans produit laitier

Mangez chaque jour les aliments suivants qui vous apportent tous les éléments nutritifs nécessaires, y compris le calcium.

• au moins **6 portions de produits céréaliers de grains entiers;**

• au moins **6 portions de fruits et légumes,** incluant
une portion par jour de brocoli, de chou cavalier
ou de bette à carde;

• au moins 750 ml (24 oz) de **boisson de soya**
enrichie de calcium et de vitamine D (SoyDream, SoGood...)
ou 750 ml (24 oz) d'Isomil,
de Nursoy ou de Prosobee;
prenez ce lait de soya avec vos céréales, dans les soupes, les
sauces, ou camouflé dans des desserts crémeux;

• environ **2 portions d'aliments riches en protéines,**
selon votre tolérance, comme la viande, la volaille, le poisson
et les substituts, incluant une portion par jour de tofu
ou de légumineuses
ou de poisson en conserve à manger avec les arêtes.

• au moins **30 ml (2 c. à soupe) par jour de** graines de sésame
entières, moulues que vous parsemez sur vos céréales,
soupes, légumes cuits ou que vous utilisez comme
trempette pour vos fruits frais.

Si vous n'arrivez pas à manger suffisamment d'aliments riches
en calcium comme les graines de sésame, le brocoli, le chou cavalier
et les préparations de soya enrichies, n'hésitez pas à prendre
un supplément de 1000 mg de calcium par jour.

La question des suppléments de vitamines

Certains suppléments peuvent vous rendre service pendant que vous allaitez. Continuez de prendre le supplément de vitamines et de minéraux que vous preniez durant votre grossesse. Vos besoins nutritifs sont importants et votre alimentation peut être déficiente dans certaines circonstances.

Si vous devez éliminer les produits laitiers de votre menu et que vous ne pouvez suivre les directives du menu de la p. 66, prenez un supplément de 1000 mg de calcium par jour et de 5 microgrammes (200 U.I.) de vitamine D.

Si vous êtes lacto-ovo-végétarienne et que vous planifiez vos menus avec des aliments gagnants, ne vous inquiétez pas. Cependant, vous avez avantage à prendre un supplément de multivitamines et de minéraux durant la période d'allaitement, le même que pendant votre grossesse.

Si vous êtes végétarienne stricte et que vous ne mangez aucun aliment d'origine animale, assurez-vous de boire au moins 4 verres, c'est-à-dire 1 litre (32 oz) de boisson de soya pour obtenir des protéines de bonne qualité et suffisamment de zinc. Choisissez une boisson de soya enrichie de calcium, vitamine D et vitamine B_{12}. Incorporez de 15 à 30 ml (1 à 2 c. à soupe) de mélasse verte (*blackstrap*) à votre menu pour un apport additionnel de fer. Grignotez des noix et des graines pour augmenter les calories. Afin de favoriser une croissance et un développement normal à votre bébé, assurez-vous de prendre suffisamment de vitamine B_{12} tous les jours dans une boisson de soya enrichie ou dans un supplément, car cette vitamine n'est pas biodisponible dans les aliments d'origine végétale. Vous devez avoir chaque jour:

- 1,5 mcg de vitamine B_{12};
- 1000 mg de calcium;
- 5 mcg (200 U.I.) de vitamine D.

Lorsque vous mangez mieux, vous allaitez mieux et vous prévenez les baisses importantes d'énergie.

---

1. Le lait concentré a longtemps été appelé lait évaporé, sous l'influence de l'anglais. Mais il ne faut pas confondre le lait concentré et le lait concentré sucré (Eagle Brand) qui est très riche et sucré.

Chapitre 7

Menus pour «vous» remettre en forme

Vous avez porté et nourri votre bébé pendant neuf mois. Vous avez accouché, ce qui n'est pas toujours facile. Vos heures de sommeil sont écourtées. Votre corps a travaillé et puisé dans ses réserves pour le bébé. Votre horaire est bousculé et l'aide domestique est limitée. C'est le temps de «vous» dorloter pour vivre pleinement vos premiers mois de maternage.

Soignez votre alimentation, que vous allaitiez ou non.

Les aliments ne peuvent jamais remplacer les heures de sommeil perdues, mais ils peuvent vous aider à refaire vos forces pendant les premières semaines critiques.

Vous voulez vous sentir en forme, mais vous ne voulez plus prendre de poids. Partez du bon pied. Inspirez-vous des sept menus quotidiens de ce chapitre. Demandez à votre entourage de collaborer. Confiez la liste d'épicerie à votre partenaire ou à une bonne amie. Procurez-vous des plats tout préparés chez le traiteur ou des repas congelés. L'important n'est pas de remonter votre cote culinaire, mais d'augmenter votre énergie.

Si vous allaitez, arrondissez les quantités indiquées au menu des p. 72-78, selon votre appétit et ajoutez autant de collations que vous le jugez nécessaire.

Si vous n'allaitez pas, mangez bien, mais oubliez les collations. Choisissez des produits laitiers allégés et réduisez votre consommation de gras pour retrouver plus rapidement votre taille.

Si vous êtes végétarienne, surveillez les protéines que vous absorbez à chaque repas et collation. Privilégiez le tofu ou les légumineuses; mangez-en une fois par jour ou plusieurs fois par semaine pour obtenir suffisamment de fer et de magnésium.

Si vous ne prenez aucun produit laitier, consultez les recommandations de la p. 67 ainsi que le menu de la p. 66.

Dans tous les cas, si vous voulez réduire la viande pour d'autres raisons, encouragez les aliments riches en fer et favorisez-en l'absorption en prenant un fruit ou un légume riche en vitamine C à chaque repas (voir p. 262 et 259).

Une liste de marché

Pour préparer un menu qui ressemble à celui qui est proposé dans ce chapitre, utilisez la liste de marché qui suit. Vous n'avez pas besoin de prendre un petit déjeuner différent tous les matins. Choisissez celui ou ceux qui vous plaisent le plus. L'important est d'y trouver assez de protéines pour vous soutenir trois ou quatre heures.

Achetez suffisamment d'aliments à grignoter pour la semaine. Il vaut mieux faire quelques réserves de fruits frais, de fruits secs et de noix, car il n'est pas toujours facile de sortir avec un jeune bébé.

Ne négligez pas les légumes crus ou cuits. Offrez-vous le luxe d'acheter des légumes lavés, prêts à manger ou à cuire, que vous trouvez dans des sacs ou au comptoir à salades. Achetez des petites salades toutes préparées (carottes, poivrons ou brocoli).

FAITES UN BON CHOIX DE PRODUITS CÉRÉALIERS:

- flocons d'avoine ou muesli en vrac, 250 g;
- céréales de blé filamenté ou autre grain entier, 450 g;
- muffins mélangés, 6 à 12 (son, carottes, son et raisins, avoine et pomme);
- spaghetti de blé entier, 1 boîte;
- riz brun, 1 boîte;
- 1 sac de pains pita de blé entier ou de muffins anglais de blé entier;
- 1 ou 2 pains (blé entier, six grains, huit grains);
- 1 pâte à pizza de blé entier, fraîche ou surgelée.

CHOISISSEZ DE BONNES SOURCES DE PROTÉINES POUR ENVIRON 14 REPAS:

- saumon, 1 boîte de 213 g (7,5 oz) ou thon en conserve, 1 boîte de 184 g (6,5 oz);
- lentilles, haricots rouges ou pois chiches en conserve, 1 boîte de 540 ml (19 oz);

- 1 ou 2 poitrines de poulet, désossées;
- bœuf haché, maigre, ou foie de veau tranché mince, 100 g (3½ oz);
- filets de poisson surgelés, 200 g (6 oz), ou quelques repas de poisson surgelés, à réchauffer à la dernière minute;
- beurre d'arachide naturel ou beurre d'amande naturel, 1 pot;
- œufs frais, une demi-douzaine;
- sauce à spaghetti déjà préparée, en conserve ou au comptoir traiteur;
- hummus (purée de pois chiches et sésame), 1 contenant de 150 g (5 oz) ou une brique de tofu de type japonais, 250 g (env. ½ lb).

N'OUBLIEZ PAS LES PRODUITS LAITIERS:

- fromage cottage ou ricotta, 250 g;
- yogourt, 500 g, nature ou aux fruits;
- quelques yop aux fruits;
- fromage mozzarella, 250 g;
- 4 litres de lait écrémé ou de lait à 1 %.

DONNEZ DE LA COULEUR ET AJOUTEZ DES VITAMINES À VOTRE MENU:

- oranges, à manger, 6;
- pamplemousses, 3;
- bananes, 5 à 7;
- clémentines, en saison, au moins une douzaine;
- cantaloup, 1;
- jus de fruits, surgelé;
- compote de pommes déjà préparée;
- chou lavé, prêt à manger, un sac;
- carottes lavées, prêtes à manger, un sac;
- mesclun (verdures prêtes à manger), un sac;
- épinards congelés, 1 boîte;
- poivron, rouge ou vert, 1;
- tomates fraîches ou en conserve, 450 g (1 lb);
- légumes prêts à manger, choisis au comptoir à salades: laitue, brocoli, chou-fleur, oignons verts.

FAITES-VOUS PLAISIR ET N'OUBLIEZ PAS LES COLLATIONS

- raisins secs, pruneaux ou dattes;
- amandes ou noix mélangées, non salées;
- graines de tournesol et graines de sésame;
- mélasse verte (*blackstrap*) pour ajouter du fer au menu;
- levure engevita, pour ajouter des vitamines B dans le lait de louve.

Menu pour une semaine

JOUR 1 **Menu avec viande**	JOUR 1 **Menu lacto-ovo-végétarien**
demi-pamplemousse 1 ou 2 muffins au son petit bol de cottage ou de ricotta lait ou café au lait	demi-pamplemousse 1 ou 2 muffins au son petit bol de cottage ou de ricotta lait ou café au lait
* * *	* * *
bâtonnets de carottes soupe aux lentilles pain de blé entier (2 tranches) yogourt nature et fruit frais	bâtonnets de carottes soupe aux lentilles pain de blé entier (2 tranches) yogourt nature et fruit frais
* * *	* * *
poitrine de poulet au four riz brun et brocoli salade verte pain pita de blé entier tranches d'ananas infusion	pâtes de blé entier et fromage brocoli vapeur salade verte pain pita de blé entier tranches d'ananas infusion
si vous allaitez, prenez plusieurs collations	**si vous allaitez, prenez plusieurs collations**
fruit et lait yogourt graines de tournesol	fruit et lait yogourt graines de tournesol

JOUR 2 **Menu avec viande**	JOUR 2 **Menu lacto-ovo-végétarien**
jus d'orange gruau avec raisins secs et lait pain de blé entier, grillé lait ou café au lait	jus d'orange gruau avec raisins secs et lait pain de blé entier, grillé lait ou café au lait
* * *	* * *
rondelles de poivron rouge ou vert sandwich au saumon grillé ou pain pita farci au saumon banane verre de lait	rondelles de poivron rouge ou vert muffin anglais grillé beurre d'arachide ou fromage banane verre de lait
* * *	* * *
casserole de poulet et riz brun carottes et courgettes vapeur pain de blé entier yogourt à l'orange infusion	casserole de lentilles et riz brun carottes et courgettes vapeur pain de blé entier yogourt à l'orange infusion
si vous allaitez, prenez plusieurs collations	**si vous allaitez, prenez plusieurs collations**
muffin au son yogourt ou lait lait de louve*	muffin au son yogourt ou lait lait de louve*

* Pour trouver cette recette, voir l'index des recettes.

JOUR 3	JOUR 3
Menu avec viande	**Menu lacto-ovo-végétarien**
quartiers d'orange	quartiers d'orange
céréales de type muesli et lait	céréales de type muesli et lait
pain de blé entier, grillé	pain de blé entier, grillé
lait ou café au lait	lait ou café au lait
* * *	* * *
crudités ou jus de légumes	crudités ou jus de légumes
cubes de fromage et noix	cubes de fromage et noix
muffin au son	muffin au son
quartier de cantaloup	quartier de cantaloup
lait	lait
* * *	* * *
hamburger grillé	croquettes de haricots rouges
salade de chou et pommes	salade de chou et pommes
pain de blé entier	pain de blé entier
salade de fruits	salade de fruits
infusion	infusion
si vous allaitez, **prenez plusieurs collations**	**si vous allaitez,** **prenez plusieurs collations**
lait et fruits secs	lait et fruits secs
yogourt	yogourt
muffin aux carottes	muffin aux carottes

JOUR 4 Menu avec viande	JOUR 4 Menu lacto-ovo-végétarien
jus de pamplemousse blé filamenté avec lait, noix et germe de blé pain de blé entier, grillé lait ou café au lait	jus de pamplemousse blé filamenté avec lait, noix et germe de blé pain de blé entier, grillé lait ou café au lait
* * *	* * *
jus de légumes œufs brouillés pain de blé entier kiwi lait	jus de légumes œufs brouillés pain de blé entier kiwi lait
* * *	* * *
filet de poisson au four brocoli vapeur tomate en tranches pain de blé entier banane et yogourt infusion	pâtes de blé entier sauce tomate et lentilles salade verte pain de blé entier banane et yogourt infusion
si vous allaitez, prenez plusieurs collations	**si vous allaitez, prenez plusieurs collations**
lait de louve* fromage et pomme fruits secs et noix	lait de louve* fromage et pomme fruits secs et noix

* Pour trouver cette recette, voir l'index des recettes.

JOUR 5 **Menu avec viande**	JOUR 5 **Menu lacto-ovo-végétarien**
jus d'orange œuf à la coque ou poché pain de blé entier, grillé lait ou café au lait	jus d'orange œuf à la coque ou poché pain de blé entier, grillé lait ou café au lait
* * *	* * *
soupe minestrone (haricots rouges) pain de blé entier yop au jus de fruits* lait	soupe minestrone (haricots rouges) pain de blé entier yop au jus de fruits* lait
* * *	* * *
jus de tomate pizza aux fruits de mer salade verte compote de pommes infusion	jus de tomate pizza végétarienne au fromage salade verte compote de pommes infusion
si vous allaitez, prenez plusieurs collations	**si vous allaitez, prenez plusieurs collations**
pomme et beurre d'arachide naturel yogourt lait de louve*	pomme et beurre d'arachide naturel yogourt lait de louve*

* Pour trouver cette recette, voir l'index des recettes.

76

JOUR 6 Menu avec viande	JOUR 6 Menu lacto-ovo-végétarien
jus de pamplemousse et orange blé filamenté avec lait, noix et germe de blé muffin au son lait ou café au lait	jus de pamplemousse et orange blé filamenté avec lait, noix et germe de blé muffin au son lait ou café au lait
* * *	* * *
rondelles de poivron vert sandwich grillé au fromage et tomate poire fraîche lait	rondelles de poivron vert sandwich grillé au fromage et tomate poire fraîche lait
* * *	* * *
quiche au brocoli salade de laitue et d'épinards pain de blé entier tranche de melon d'eau infusion	quiche au brocoli salade de laitue et d'épinards pain de blé entier tranche de melon d'eau infusion
si vous allaitez, prenez plusieurs collations	**si vous allaitez, prenez plusieurs collations**
yop au jus de fruits* lait amandes et figues séchées ou fruits secs	yop au jus de fruits* lait amandes et figues séchées ou fruits secs

* Pour trouver cette recette, voir l'index des recettes.

JOUR 7 **Menu avec viande**	JOUR 7 **Menu lacto-ovo-végétarien**
quartiers d'orange bol de yogourt muffin au son lait ou café au lait	quartiers d'orange bol de yogourt muffin au son lait ou café au lait
* * *	* * *
jus de légumes salade de thon et riz brun pain de blé entier cantaloup lait	carottes râpées soupe à l'orge et aux pois cassés pain de blé entier cantaloup lait
* * *	* * *
poulet et légumes sautés salade de chou chinois pain de blé entier compote de pommes et de poires infusion	tofu et légumes sautés salade de chou chinois pain de blé entier compote de pommes et de poires infusion
si vous allaitez, prenez plusieurs collations	**si vous allaitez, prenez plusieurs collations**
lait de louve* yogourt muffin au son	lait de louve* yogourt muffin au son

* Pour trouver cette recette, voir l'index des recettes.

COLLATIONS MINUTE POUR LA MAMAN

LAIT DE LOUVE

250 ml (1 tasse) de lait écrémé ou de lait à 1 %
15 ml (1 c. à soupe) de levure torula ou engevita
10 ml (2 c. à thé) de son de blé
10 ml (2 c. à thé) de miel ou de sirop d'érable

Bien mélanger le tout et servir très froid.

Si vous souhaitez en faire des réserves, préparez un litre (4 tasses) de lait en multipliant toutes les quantités par 4. Bien agiter et conserver dans un pichet au frigo. Ce lait se conserve 2 à 3 jours, au frigo. Agiter avant de servir.

Valeur nutritive pour 250 ml (1 tasse): beaucoup plus de protéines, de vitamines du complexe B, de fer et de magnésium qu'un simple verre de lait

YOP AU JUS DE FRUITS

250 ml (1 tasse) de yogourt nature, allégé
30 ml (2 c. à soupe) de jus de fruits, surgelé

Choisir du jus d'orange, du jus de raisin ou du jus d'un autre fruit, surgelé.

Bien mélanger le tout et servir très froid.

Valeur nutritive pour 250 ml (1 tasse): fournit 14 g de protéines et
50 mg de vitamine C (si on le prépare avec du jus d'orange)

Après avoir porté et nourri votre bébé pendant 9 mois, il est normal que vous soyez fatiguée. C'est donc le moment de «vous» dorloter. Une des bonnes façons de le faire est de soigner votre alimentation.

Chapitre 8

Le retour au travail et l'allaitement

Vous devez retourner au travail d'ici quelques semaines ou quelques mois. Vous êtes malheureuse à l'idée de vous séparer de votre bébé. Vous aimeriez continuer à l'allaiter. Votre souhait peut se réaliser, car plusieurs mamans réussissent ce défi. De fait, parmi les mères au travail qui ont allaité leur bébé, la moitié d'entre elles continuent d'allaiter, une fois revenues au travail. Parmi ces dernières, 6 sur 10 réussissent à allaiter environ 18 semaines après leur retour au travail.

Ce n'est pas toujours facile d'allaiter tout en travaillant, mais l'expérience en vaut la peine. Elle vous fournit une dose additionnelle d'intimité avec votre bébé et elle adoucit les heures d'absence pour vous deux.

Marie doit retourner au travail 4 mois après la naissance de Nadine. Elle veut continuer d'allaiter, car elle sait qu'un bébé allaité résiste mieux aux infections qui courent à la garderie, à cause de tous les anticorps contenus dans le lait maternel. Elle s'est organisée pour tout combiner.

Planifiez votre retour au travail

Préparez-vous mentalement et physiquement à votre nouvelle vie durant les dernières semaines de votre congé de maternité. Complétez les démarches avec la gardienne ou la garderie et recherchez la solution la moins compliquée. Votre plus grand défi est de conserver votre énergie. Apprenez à couper les coins ronds. Reposez-vous et dormez lorsque c'est possible. Ne conservez à votre agenda que les sorties essentielles. Vous aurez besoin de toutes les pauses pour faire face à la surcharge de travail.

Choisissez la formule d'allaitement qui vous convient

- **l'allaitement complet** consiste à ne donner que du lait maternel, au sein ou au biberon. Vous continuez d'allaiter votre bébé, le matin et le soir sur demande, et vous lui donnez des biberons de lait maternel aux autres boires. Votre bébé peut avoir besoin de 2 à 3 biberons par jour, selon son âge;

> *Julie est enseignante. Lorsqu'elle est retournée au travail en septembre, son bébé avait 9 mois. Elle a continué de le nourrir au sein, le matin; la gardienne lui donnait un biberon de lait maternel, le midi, et Julie prenait la relève, après l'école et le soir. Le week-end, elle allaitait normalement. Pour maintenir sa production de lait, Julie tirait son lait chaque midi dans la salle des professeurs et le conservait jusqu'à la fin de l'école. Elle transportait le biberon dans un sac isolé et le conservait au congélateur ou au frigo, à la maison, selon le moment où elle voulait s'en servir.*

- **l'allaitement mixte** consiste à allaiter votre bébé au réveil, au retour du bureau le soir et la nuit, sur demande; le reste du temps, la gardienne lui donne des biberons de préparation pour nourrissons enrichie de fer;
- **l'allaitement minimum** consiste à allaiter seulement une fois ou deux par jour, au réveil et au coucher de votre bébé. Aux autres boires, vous ou votre gardienne lui donnez des biberons de préparation pour nourrissons enrichie de fer.

La meilleure formule est celle qui vous convient le mieux. Vous adaptez votre allaitement à votre type de travail et à votre style de vie. L'important est que vous vous sentiez à l'aise par rapport à votre choix.

Surveillez votre alimentation

La consigne de base pour réussir ce tour de force est de vous traiter aux petits oignons, de ne sauter aucun repas et d'encourager les pauses santé aussi souvent que possible. Confiez la tâche du marché et du repas du soir à la gardienne ou au papa, lorsque c'est possible. Continuez de prendre un supplément de multivitamines et minéraux pour protéger vos réserves. Revoyez les menus du chapitre 7 et faites le plein de bons aliments tous les jours!

Apprenez à tirer votre lait

Avant de retourner au travail, apprenez à bien tirer votre lait, manuellement ou à l'aide d'une pompe ou tire-lait. Certaines mamans se sentent mieux lorsqu'elles tirent leur lait manuellement. Même si vos premiers essais sont décourageants, ne désespérez pas, car c'est la méthode la plus simple. Par contre, si cette méthode ne vous convient pas, vous pouvez choisir un tire-lait manuel ou électrique.

La Ligue La Leche ou les autres groupes d'entraide peuvent vous recommander toute une gamme de pompes manuelles ou électriques. Commencez par une pompe manuelle parce que c'est moins cher. Si ce type de pompe ne vous convient pas, vous pouvez louer une pompe électrique — informez-vous auprès de votre CLSC —, et la ranger au bureau dans un endroit calme et sûr.

> *Plusieurs mamans résistent psychologiquement à l'idée de tirer leur lait. Elles ont l'impression de devenir des vaches laitières. Elles ont du mal à se détendre et attendent impatiemment le réflexe d'éjection du lait. En pensant à leur bébé ou en regardant une de ses photos, elles retrouvent, d'une certaine façon, le plaisir d'avoir leur bébé tout près d'elles et parviennent à tirer leur lait.*

Au début, vous pouvez avoir besoin de 45 minutes pour tirer votre lait des deux seins, mais plus vous répétez l'opération, plus vous devenez efficace; vous pourrez réussir en 20 ou 30 minutes, ou même moins. Ça s'apprend comme un nouveau sport; c'est la répétition de l'exercice qui vous rend habile!

Si vous devez tirer du lait au travail, portez des vêtements amples qui ouvrent ou qui boutonnent devant. Trouvez un coin calme. Tirez votre lait dans un biberon rincé à l'eau bouillante ou dans tout autre contenant préalablement rincé à l'eau bouillante. Évitez les récipients en verre, car certaines substances intéressantes du lait maternel semblent y adhérer. Si nécessaire, transvidez le lait dans un thermos bien propre ou dans un sac pour biberon jetable, double. Conservez au frais, dans un sac à lunch avec un Ice-Pak, si nécessaire. N'oubliez pas d'écrire la date sur le contenant.

Au départ, Joelle trouvait tout ce rituel bien compliqué, mais une fois qu'elle l'a intégré à son quotidien, il lui est apparu anodin, comparativement aux bénéfices qu'elle en a retiré pendant trois mois avec son bébé.

Faites des réserves de lait maternel

Si vous avez l'intention de nourrir votre bébé exclusivement au lait maternel, commencez à tirer votre lait au moins quelques semaines avant votre retour au travail et faites des réserves. Le lait se conserve dans des biberons stérilisés ou dans les sacs jetables pour biberon.

Le lait maternel frais se conserve:

- 6 à 10 heures à la température de la pièce;
- 8 jours au frigo;
- 3 à 4 mois au congélateur du frigo;
- 6 mois et plus dans un congélateur coffre.

Nathalie, 31 ans, est retournée au travail, lorsque son bébé avait 6 mois. Tous les midis, elle tire l'équivalent d'un biberon de lait qu'elle conserve au froid jusqu'à ce qu'elle le remette à sa gardienne pour le boire du lendemain. Un jour, elle a négligé d'apporter un Ice-Pak et, en l'absence d'un frigo, elle s'est sentie obligée de jeter son lait.

Maintenant qu'elle connaît les nouvelles normes de conservation du lait maternel, elle se fait moins de souci et ne perd plus une goutte!

Si votre bébé a entre 3 et 6 mois, tirez environ 90 ml (3 oz) pour chaque boire. N'en tirez pas davantage pour ne pas gaspiller cette précieuse boisson. Si votre bébé a plus de 6 mois, augmentez la quantité selon les besoins de l'enfant. Il vaut mieux que la gardienne donne un deuxième biberon certains jours, plutôt que vous jetiez un peu de lait maternel à chaque biberon.

Dites à votre gardienne que le lait maternel ne ressemble pas au lait de vache

Le lait maternel n'a pas l'apparence du lait de vache; il est plus *liquide, parfois bleuâtre*. Prévenez votre gardienne pour qu'elle se sente bien à l'aise en voyant ce lait différent.

Réchauffez le biberon

Insistez pour que la gardienne ne réchauffe pas le lait maternel au four à micro-ondes ou dans l'eau bouillante, car ce n'est pas nécessaire. Elle n'a qu'à déposer le biberon ou le sac dans un bol d'eau chaude ou à le mettre sous un filet d'eau chaude et à bien agiter le tout.

Habituez votre bébé au biberon

Votre bébé a l'habitude de téter votre sein et peut résister au biberon les premières fois, surtout si vous tardez à l'introduire.

Apprivoisez-le doucement dès le deuxième mois pour qu'il devienne à l'aise et qu'il accepte facilement un biberon pendant votre absence. Pour le premier biberon, confiez l'heure du boire avec biberon au papa ou à une gardienne et préparez cette transition quelques semaines avant le grand départ. Si votre bébé refuse le biberon, vérifiez la tétine, son débit, sa forme et si elle a un arrière-goût. Faites des essais avec d'autres tétines.

Soyez patiente et persévérante, car plusieurs bébés résistent. N'attendez surtout pas la veille de votre rentrée au travail.

> *Sylvie a présenté le biberon à son bébé dès la 4ᵉ semaine et a dû persister jusqu'à la 8ᵉ semaine avant que son bébé l'accepte.*

Planifiez un modus vivendi avec votre gardienne

Plusieurs possibilités s'offrent à vous pour favoriser la poursuite de l'allaitement:

- la gardienne peut amener votre bébé au travail;
- vous pouvez prendre votre repas du midi à la maison;
- vous pouvez retourner à la garderie le midi, si c'est tout près;
- vous pouvez travailler à temps partiel;
- vous pouvez travailler à la maison;
- vous pouvez tirer votre lait au travail, puis l'offrir à votre bébé, au biberon, au gobelet ou au verre.

Prévoyez une journée complète pour revoir tranquillement votre stratégie avec la gardienne ou la garderie. Planifiez même une sortie pour vérifier si tout se passe bien en votre absence.

Lors de votre retour au travail, mettez votre stratégie à l'essai et voyez comment ça va. N'hésitez pas à faire les ajustements qui s'imposent.

Planifiez avec soin le boire du retour à la maison

Consacrez vos premières 45 minutes à votre bébé. Assurez-vous qu'il ne mange rien environ deux heures avant votre retour à la maison pour éviter d'avoir un bébé rassasié et des seins engorgés.

Relaxez-vous en allaitant votre bébé. Décrochez le téléphone, si nécessaire, et demandez au papa de vous aider aux autres tâches domestiques. La collaboration du père semble la moindre des choses...

Un bel exemple de réussite en milieu de travail

Il y a quelques années, les administrateurs d'un hôpital américain ont décidé de promouvoir l'allaitement auprès de leurs employées. L'administration a donc loué un tire-lait électrique et a pris les mesures nécessaires pour que les mères qui allaitaient puissent tirer leur lait dans une salle appropriée et accessible pendant les heures de travail. Cette initiative toute simple s'est révélée très efficace et a aidé plusieurs mères à poursuivre plus longtemps leur allaitement.

Votre succès à allaiter après votre retour au travail dépend de votre habileté à recruter du soutien autour de vous.

Tirer votre lait peut vous sembler compliqué au début, mais lorsque vous aurez intégré cette routine dans votre quotidien, vous trouverez la chose bien anodine, comparativement aux bénéfices que votre bébé en retire.

Bonne chance dans cette belle expérience de vie.

Chapitre 9

Les autres laits

L e lait maternel n'a pas vraiment d'équivalent, mais il existe d'autres laits qui peuvent faire partie de l'alimentation de votre bébé.

Certains de ces laits, maintenant appelés *préparations pour nourrissons,* sont conçus pour les nouveau-nés et tentent d'imiter le lait maternel. Ainsi, lorsqu'un chercheur découvre un nouvel élément intéressant dans le lait maternel, les sociétés pharmaceutiques modifient la composition de leurs *préparations pour nourrissons* en conséquence. Les préparations pour nourrissons peuvent ainsi être modifiées plus d'une fois par année. Certains scientifiques prévoient même utiliser la biotechnologie pour incorporer des anticorps à ces préparations et tenter de mieux imiter le lait maternel.

Les autres laits comme le lait de vache entier, partiellement ou totalement écrémé, le lait de chèvre ou le lait de soya ne sont ni conçus ni indiqués dans le cas des nouveau-nés.

Quel lait choisir dès la naissance?

Si vous allaitez et si vous donnez aussi le biberon ou si vous ne voulez pas allaiter du tout, ou encore si vous avez décidé de n'allaiter que quelques mois, vous devez choisir le lait qui convient le mieux à votre bébé en fonction de son âge, de son poids et de sa condition.

LES PRÉPARATIONS POUR NOURRISSONS À BASE DE LAIT DE VACHE:

- **Bonamil;**
- **Enfalac, <u>enrichi de</u> fer ou <u>sans</u> fer;**
- **Bon départ, <u>enrichi de</u> fer;**
- **Similac Advance, <u>enrichi de</u> fer ou <u>sans</u> fer;**

- SMA, enrichi de fer ou sans fer;
- Unilac, enrichi de fer ou sans fer.

Ces préparations sont indiquées dans le cas des bébés en santé, nés à terme, qui sont partiellement allaités ou qui ne sont pas allaités du tout.

Elles sont à base de lait de vache qui est dilué et modifié afin d'imiter la composition du lait maternel.

Les **protéines** contenues dans Bonamil, Similac et Unilac ressemblent plutôt à celles du lait de vache, car elles renferment 82 % de caséine et 18 % de lactosérum. Celles contenues dans Enfalac et SMA s'apparentent un peu plus à celles du lait maternel, car elles renferment moins de caséine et plus de lactosérum que les préparations précédentes. Celles de Bon départ ne sont que du lactosérum. Malgré ces dernières modifications, les protéines des préparations pour nourrissons sont plus allergènes que celles du lait maternel et ne possèdent aucune propriété anti-infectieuse.

Dans ces préparations, la **principale source de glucides** (sucres) est le lactose, comme dans le cas du lait maternel. Bon départ renferme aussi des maltodextrines.

Le **contenu en gras** des préparations est généralement un mélange d'huile de palme, de soya, de coco, de carthame et de tournesol. À l'heure actuelle, ce mélange fait l'objet de plusieurs modifications pour tenter de mieux imiter la composition des gras du lait maternel et fournir les bonnes doses de tous les acides gras essentiels.

Le **contenu en minéraux** est adapté aux besoins des bébés.

Le **contenu en fer** varie selon les préparations. *La Société canadienne de pédiatrie recommande cependant d'utiliser les préparations enrichies de fer dès la naissance,* afin de diminuer l'incidence d'anémie chez les nourrissons. En choisissant la préparation enrichie de fer, on peut prévenir la carence en fer qui peut entraîner des séquelles à long terme sur le développement de l'enfant.

Selon les études, les bébés nourris aux préparations enrichies de fer ne souffrent pas plus souvent de constipation ou de dérangements gastro-intestinaux que les bébés nourris aux préparations sans fer. Ils ont toutefois des selles beaucoup plus foncées.

Toutes les préparations à base de lait de vache sont enrichies de fer. On trouve aussi Enfalac, SMA et Similac Advance sans fer.

Le **contenu en vitamines** des préparations tente d'imiter celui du lait maternel, à l'exception de la vitamine D qui est ajoutée aux préparations afin de prévenir les risques de rachitisme (voir p. 98-99).

On peut se procurer ces préparations dans les pharmacies et les épiceries; certaines se trouvent sous trois formes différentes:

- **la forme liquide concentrée** doit être diluée avec une part équivalente d'eau. Vous pouvez utiliser l'eau du robinet ou une eau de source: faites bouillir l'une ou l'autre 5 minutes et laissez refroidir. Cette forme assure une plus grande stabilité de la valeur nutritive que la poudre ou les granules.

- **la poudre ou les granules** doit être préparée selon les indications du fabricant. Utilisez toujours la bonne mesure pour la poudre et la quantité d'eau recommandée. Une étude récente a souligné plusieurs difficultés rencontrées lors de la dilution de ces préparations: difficultés à mesurer, indications difficiles à lire, informations incomplètes, mesures difficiles à manipuler ou poudre collante.

- **la préparation prête à servir** est plus chère, mais elle ne requiert aucune dilution. Elle peut être très pratique lorsque vous voyagez avec votre bébé.

LES PRÉPARATIONS POUR NOURRISSONS À BASE DE SOYA:

- **Isomil;**
- **Enfalac soja;**
- **Nursoy;**
- **Prosobee.**
- **Alsoy**

Ces préparations sont indiquées dans le cas d'un bébé de famille végétarienne stricte, d'un bébé intolérant aux protéines de lait de vache ou au lactose, ou encore dans le cas d'un bébé qui est partiellement allaité ou qui n'est pas allaité.

Elles sont faites de soya et sont conçues pour les nouveau-nés. Contrairement aux laits de soya comme Edensoy, Vitasoy ou Westsoy, vendus dans les magasins d'aliments naturels, ces préparations pour nourrissons sont modifiées et enrichies de vitamines et de minéraux afin de respecter les besoins des bébés.

Un bébé qui souffre d'allergie réelle au lait de vache ne se portera pas nécessairement mieux s'il boit une préparation à base de soya, puisque certains bébés allergiques au lait de vache développent aussi une intolérance au soya. Vous pouvez toutefois en faire l'essai avant d'avoir recours à une *préparation thérapeutique pour nourrissons.*

Le contenu nutritionnel global de ces préparations à base de soya tente d'imiter le lait maternel. Les **protéines** proviennent de la farine de soya et sont enrichies d'une petite quantité de L-méthionine, un acide aminé que l'on trouve dans le lait maternel et les autres préparations pour nourrissons.

Quant au **contenu en sucres**, les formules varient. Isomil et Nursoy ne contiennent pas de lactose, mais sont faites d'un mélange de sucrose et de polymères de glucose (un sous-produit du maïs qui est plus facile à absorber), Prosobee contient seulement des polymères de glucose alors que Alsoy renferme un mélange de sucrose et de maltodextrine de maïs. Dans le cas d'un bébé intolérant au lactose, à la suite d'une diarrhée aiguë ou à cause d'une anomalie métabolique, appelée galactosémie, le fait de remplacer le lactose par d'autres sucres est bénéfique. Il existe également deux préparations sans lactose: Similac LF et Enfalac sans lactose.

Le **contenu en gras** résulte d'un mélange d'huiles de soya, de carthame, de coco, de tournesol et d'oléine d'huile de palme. Encore une fois, ce mélange est appelé à évoluer à mesure que de nouvelles recherches sont effectuées.

Le **contenu en vitamines et en minéraux** est adapté aux besoins du bébé et elles sont toutes enrichies de fer.

On trouve les préparations à base de soya pour nourrissons en pharmacies sous forme de liquide concentré, en poudre ou en granules prêtes à servir.

LES PRÉPARATIONS THÉRAPEUTIQUES:

- **Alimentum;**
- **Enfalac Nutramigen;**
- **Enfalac Pregestimil.**

Ces préparations sont conçues pour répondre aux besoins particuliers de bébés très sensibles qui ne tolèrent ni les protéines du lait de vache ni celles du soya, et qui sont partiellement allaités ou pas allaités du tout.

Afin de réduire l'exposition de ces bébés à des protéines entières, les protéines du lait de vache sont prédigérées, filtrées, purifiées en laboratoire et deviennent ce qu'on appelle des hydrolysats de caséine. Elles sont alors plus faciles à digérer et à absorber, et souvent moins allergènes.

Ces préparations sont classées dans la catégorie des hypoallergéniques par l'Académie américaine de pédiatrie et sont efficaces dans la plupart des cas d'allergies et de coliques. Elles sont toutefois très transformées et très chères, et sont indiquées seulement dans le cas des bébés qui ont des allergies dans leur histoire familiale et des symptômes réels d'allergies. Elles renferment les vitamines et minéraux nécessaires aux bébés, et sont enrichies de fer. On les trouve dans les pharmacies.

Les préparations pour nourrissons prématurés

- Enfalac pour prématurés;
- Enfalac spécial pour prématurés;
- Similac Special Care, <u>enrichi de</u> fer ou <u>sans</u> fer;
- SMA Preemie.

Ces préparations sont indiquées dans le cas de bébés prématurés qui pèsent moins de 2 kg (4½ lb) et qui sont partiellement allaités ou pas allaités du tout.

Elles renferment plus de calories que les préparations ordinaires. Elles contiennent aussi des sucres et des matières grasses plus faciles à assimiler. On ne trouve ces préparations que dans les hôpitaux.

Le lait de vache concentré[1]

Le lait de vache concentré n'est pas recommandé dans le cas des nouveau-nés.

Ce type de lait renferme trop de protéines et ne respecte pas les besoins des bébés, même lorsqu'il est dilué et sucré. Toutefois, si vous ne pouvez pas vous permettre l'achat d'une préparation pour nourrissons à base de lait de vache ou de soya, vous pouvez considérer le lait concentré comme un troisième choix, après le lait maternel. Comparativement au lait de vache entier, les protéines du lait concentré ont subi un traitement à la chaleur, ce qui les rend plus faciles à digérer par le bébé.

Si vous optez quand même pour ce type de lait, vous devez toujours le diluer. Avant l'âge de 6 mois, vous devez diluer le lait concentré pour en réduire la teneur trop élevée en protéines et en sodium qui peut nuire aux reins du bébé. Diluez le lait avec l'eau bouillie 5 minutes, puis refroidie. Ajoutez du sucre blanc ou du dextrose afin de combler les besoins en énergie de votre bébé. Le miel et le sirop de maïs ne sont pas recommandés avant l'âge de 12 mois.

Lorsque votre bébé a 3 mois, ajoutez à ce type de lait un supplément de fer, sous forme de gouttes de Fer-In-Sol, pour réduire les risques d'anémie. Donnez chaque jour au bébé 0,5 ml de Fer-In-Sol dans un peu d'eau ou dans un biberon de préparation. *Continuez ce supplément de fer jusqu'à l'âge de 12 mois* (voir p. 99-100).

Proportions suggérées de lait entier concentré, selon l'âge de votre bébé

Âge (mois)	Lait entier concentré		Eau bouillie, refroidie		Sucre blanc		Volume total
1 et 2	300 ml (10 oz)	+	600 ml (20 oz)	+	30 ml (2 c. à soupe)	=	900 ml (30 oz)
3 à 5	420 ml (14 oz)	+	630 ml (21 oz)	+	30 ml (2 c. à soupe)	=	1050 ml (35 oz)
6	480 ml (16 oz)	+	480 ml (16 oz)	+	pas de sucre	=	960 ml (32 oz)

Le lait de chèvre concentré[1]

Celui-ci devient comparable au lait de vache concentré et peuvent constituer un troisième choix, après le lait maternel et les préparations pour nourrissons, lorsqu'ils sont bien dilués.

Si, pour différentes raisons, vous souhaitez offrir à votre bébé du lait de chèvre concentré, choisissez-en un qui est enrichi d'acide folique et de vitamine D et suivez les mêmes directives de dilution que pour le lait de vache concentré (voir tableau plus haut).

À partir de l'âge de 3 mois, donnez chaque jour à votre bébé 0,3 ml de Fer-In-Sol, comme dans le cas du lait de vache concentré.

Comment offrir le lait au bébé et en quelle quantité?

L'appétit des bébés varie autant que celui des adultes. C'est donc un défi de prévoir la quantité exacte de préparation à verser dans chaque biberon. Il existe toutefois quelques lignes directrices.

Au cours des premières semaines, un bébé a faim plus souvent, mais il n'avale que de petites quantités de lait à la fois. En général, les besoins du nourrisson sont satisfaits s'il boit environ 60 à 90 ml (2 à 3 oz) de préparation par 450 g (1 lb) de poids par jour. Il n'y a vraiment pas de limite supérieure de lait à donner avant l'âge de 4 à 5 mois et il n'y a aucune urgence à introduire les aliments solides, même si votre bébé vous demande plus de lait.

D'autre part, ne forcez jamais votre bébé à terminer son biberon, même s'il s'endort en cours de route. Laissez-lui le droit de vous dire *j'en ai assez*.

Le tableau qui suit vous donne un exemple de quantités à offrir à votre bébé, mais il ne constitue pas une règle fixe. Soyez flexible et adaptez la quantité aux messages de satiété de votre bébé.

Le poids du bébé	Ses besoins par jour	Un biberon peut contenir	Nombre de boires par jour
4,5 kg (10 lb)	600 à 900 ml (20 à 30 oz)	150 à 180 ml (5 à 6 oz)	5 à 7 boires

À quelle fréquence donner les boires?

Durant la première semaine, vous pouvez nourrir votre bébé jusqu'à 10 fois par jour et même plus. Au cours de la deuxième et de la troisième semaine, 6 à 8 boires peuvent le combler. Si votre bébé pèse moins de 2,7 kg (6 lb), nourrissez-le aux 3 heures, environ 7 ou 8 fois par jour. Un bébé nourri avec une préparation pour nourrissons a faim un peu moins souvent qu'un bébé allaité. Cela dit, votre bébé peut avoir des poussées de croissance et vouloir plus de lait, certains jours.

À mesure que votre bébé grossit, il n'a plus besoin d'un boire de nuit et il prend environ 5 boires par jour.

À quelle température servir le lait?

La température peut varier. Certains bébés préfèrent le lait froid, l'été et tiède, l'hiver. Si votre bébé préfère le lait chaud, placez le biberon sous l'eau chaude du robinet et réchauffez-le pendant quelques minutes. Évitez de réchauffer le lait au four à micro-ondes, car la température ne se distribue pas uniformément et vous risquez d'avoir du lait brûlant par endroits. L'important est de toujours offrir le lait à la même température pour la sécurité et le confort de votre bébé.

Comment conserver le lait

Conservez tout biberon de préparation pour nourrissons non utilisé au réfrigérateur et utilisez-le dans les 24 heures.

Quel lait choisir après 6 mois?

LES PRÉPARATIONS DE TRANSITION:

- **Transition;**
- **Enfalac prochaine étape;**
- **Transition au soya.**

Ces préparations, dites de transition, sont offertes en Europe depuis plusieurs années et font maintenant leur entrée sur les marchés américains et canadiens. Elles sont conçues pour des bébés de plus de 6 mois qui ne peuvent pas encore boire du lait de vache entier. Elles renferment un peu plus de protéines, de glucides, de calcium et de fer qu'une préparation pour nourrissons, mais un peu moins de gras. Elles sont particulièrement riches en fer, pour compléter les besoins du bébé qui mange peu d'aliments solides.

Elles permettent de faire la transition, après 6 mois, entre le lait maternel ou la préparation pour nourrissons et le lait de vache entier.

Quand doit-on introduire le lait de vache?

Certains laits, dont la composition tente d'imiter le lait maternel, conviennent bien au nouveau-né. D'autres laits conviennent mieux après 9 mois, alors que d'autres ne conviennent pas du tout avant l'âge de 2 ans. En lisant ce qui suit, vous comprendrez mieux les recommandations actuelles.

LE LAIT DE VACHE ENTIER, À 3,25 %, NON MODIFIÉ

Le lait de vache entier n'est pas recommandé avant 9 mois.
Le lait de vache entier ne convient vraiment pas au nouveau-né, car les protéines excèdent grandement ses besoins, sont difficiles à digérer, peuvent provoquer des saignements gastro-intestinaux et causer des déficiences en fer. Son contenu en acides gras essentiels est faible, son gras est mal absorbé par le bébé et sa teneur en lactose est insuffisante. Le contenu en minéraux de ce lait est excessif et surcharge les reins immatures du bébé.

Lorsque votre bébé a 9 mois et qu'il mange environ 200 ml (env. ¾ tasse) d'aliments solides et variés dans la journée, dont une certaine quantité de céréales enrichies de fer, il peut commencer à boire du lait de vache entier parce que les aliments solides contrebalancent l'effet du lait.

LE LAIT PARTIELLEMENT ÉCRÉMÉ, À 1 OU 2 %, OU TOTALEMENT ÉCRÉMÉ, À 0 %

Ces laits allégés ne sont pas recommandés avant l'âge de 2 ans.
Pourquoi? Parce que le lait totalement écrémé fournit trop de protéines et de minéraux qui surchargent le système rénal immature des bébés. De plus, il ne renferme aucun acide gras essentiel, ce qui met en danger le développement normal du système nerveux.

Au cours des années 70, dans le but de prévenir les maladies cardiovasculaires ou l'obésité, plusieurs bébés ont commencé à boire du lait partiellement ou totalement écrémé avant l'âge de 6 mois. Les chercheurs qui ont vérifié l'impact d'une telle habitude ont noté que les bébés de 4 mois, qui buvaient du lait écrémé, en buvaient beaucoup et mangeaient beaucoup d'aliments solides pour compenser la perte de calories. Ils prenaient du poids moins rapidement que la norme, mais ils perdaient beaucoup de tissus gras. Même s'ils ont survécu à cette diète sévère, ils ont amoindri leur résistance et leur habileté à combattre l'infection. Le lait totalement écrémé, le lait à 1 % et à 2 % ne conviennent donc pas au bébé avant l'âge de 2 ans parce que ces laits stimulent le bébé à se gaver pour satisfaire ses besoins, réflexe qui comporte d'autres risques à long terme.

LE LAIT DE CHÈVRE ENTIER, À 3,25 %, NON MODIFIÉ

Le lait de chèvre frais n'est pas recommandé avant l'âge de 9 mois. Après cet âge, il peut être intégré à l'alimentation tout comme le lait de vache lorsque le bébé mange suffisamment d'aliments solides riches en fer. Ce lait est maintenant enrichi d'acide folique et de vitamine D et peut répondre aux besoins nitritionnels du bébé. Il peut même s'avérer plus facile à digérer pour certains bébés.

LES BOISSONS DE SOYA VENDUES POUR LES ADULTES

Plusieurs boissons de soya de type SoGood, SoyDream sont maintement enrichies de calcium et de vitamine D. Elles ne conviennent toutefois pas au jeune bébé avant l'âge de 2 ans, car elles ne renferment pas suffisamment de calories pour supporter une croissance normale (voir p. 238).

Le bon lait au bon moment

Le bon lait au bon moment permet de bien respecter les besoins de votre bébé, car le lait demeure l'aliment principal jusqu'à l'âge de 12 mois.

De la naissance à 6 mois, par ordre de préférence:
• le lait maternel;
• une préparation pour nourrissons, enrichie de fer.

De 6 à 9 mois, par ordre de préférence:
- le lait maternel;
- une préparation de transition;
- une préparation pour nourrissons, enrichie de fer.

De 9 à 12 mois, par ordre de préférence:
- le lait maternel;
- une préparation de transition;
- le lait de vache ou de chèvre entier, à 3,25 %, à partir du moment où votre bébé mange environ 200 ml (env. ¾ tasse) d'aliments solides dans une journée, dont une certaine quantité de céréales enrichies de fer.

Après 12 mois:
- le lait maternel, si désiré;
- le lait de vache ou de chèvre entier, à 3,25 %;
- le lait partiellement écrémé, à 2 %, n'est pas recommandé avant 2 ans;
- le lait à 1 % ou totalement écrémé n'est également pas recommandé avant 2 ans, sauf dans des cas bien particuliers.

Quand changer de lait?

Avant de changer de lait, assurez-vous d'avoir de bonnes raisons pour le faire. Plusieurs mères interprètent les petits problèmes normaux comme étant des symptômes d'allergies et essaient tous les laits qui existent sur le marché pour tenter de résoudre le problème. Cette stratégie coûte cher et n'aide pas à trouver la solution.

Relisez ce chapitre pour être bien certaine de faire le bon choix ou encore consultez votre médecin ou votre diététiste.

Le bon lait au bon moment permet de bien respecter les besoins nutritionnels de votre bébé.

---

1. Le lait concentré a longtemps été appelé lait évaporé, sous l'influence de l'anglais. Mais il ne faut pas confondre le lait concentré et le lait concentré sucré (Eagle Brand) qui est très riche et sucré.

Chapitre 10

Les suppléments de vitamines et de minéraux

Vous avez sans doute pris des suppléments pendant votre grossesse pour combler vos besoins en fer, en acide folique et peut-être même en calcium. Vous prenez peut-être d'autres vitamines pendant les mois d'hiver. De fait, vous n'êtes pas la seule, puisqu'un adulte sur deux avale chaque jour un supplément quelconque. Toutefois, je constate à ma clinique de nutrition que très peu de personnes savent vraiment ce dont elles ont besoin ou ce en quoi leur alimentation fait défaut.

Dans le cas de la majorité des bébés, les besoins en suppléments sont clairement établis.

Votre bébé est né avec des réserves

Si vous avez bien mangé pendant votre grossesse et si vous avez accouché à terme d'un bébé de poids normal, votre bébé est venu au monde avec des réserves de vitamines et de minéraux qu'il a accumulées pendant la grossesse et à la naissance. Par ailleurs, si vous avez mal mangé pendant votre grossesse, si votre bébé est né prématurément et s'il est de petit poids, il a moins de réserves.

Le rôle des suppléments

Le rôle d'un supplément de vitamines ou de minéraux est d'aider votre bébé à combler tous ses besoins nutritionnels, s'il y a lieu. Selon le type de lait qu'il boit au cours des premiers mois ou selon vos habitudes alimentaires si vous allaitez, votre bébé peut avoir besoin d'un supplément. Selon ce qu'il mange ou ce qu'il ne mange pas au cours de sa deuxième année, votre bébé peut aussi avoir besoin d'un supplément.

Mais attention, il ne s'agit pas de n'importe quel supplément donné n'importe comment. La masse corporelle du bébé est relativement petite. Un bébé peut s'intoxiquer s'il prend de trop fortes doses de vitamines ou de minéraux.

Les vitamines et minéraux qui peuvent manquer

LA VITAMINE D

Contrairement aux autres vitamines, la vitamine D est rarement présente dans les aliments, sauf dans les huiles de poisson et dans quelques autres aliments. Elle est toutefois essentielle, car elle favorise l'absorption du calcium et permet une croissance normale des os. Par contre, cette vitamine peut être produite sous la peau, à la suite d'une exposition adéquate au soleil. Or, l'angle avec lequel les rayons solaires traversent la couche d'ozone affecte la production de vitamine D et cet angle varie selon les saisons. L'angle des rayons du soleil d'hiver (d'octobre à mars), dans les régions comme celle du Québec, ne permet pas la production de vitamine D. Le fait d'appliquer un écran ou une crème solaire de force 15 empêche aussi la production de vitamine D.

Chez les jeunes enfants, un manque de vitamine D peut causer le rachitisme. Cette maladie laisse plusieurs séquelles, dont la déformation des os des jambes, qui deviennent arquées. Le problème est particulièrement apparent lorsque le bébé commence à marcher.

Au Canada, le rachitisme était un problème courant. Grâce à l'addition de vitamine D dans le lait, devenue obligatoire au milieu des années 60, le problème a presque disparu. Mais il persiste encore, puisque 48 cas de rachitisme ont été diagnostiqués chez des bébés allaités et nés entre 1972 et 1984, dans le nord du Manitoba.

Parmi les bébés les plus vulnérables, il y a ceux qui naissent à la fin de l'été, ceux qui sont allaités de mères végétariennes strictes (voir p. 67), ceux qui ne sont pas exposés au soleil ou ceux qui ont une peau foncée qui absorbe moins bien les rayons du soleil.

Un bébé, né au printemps et allaité, doit être régulièrement exposé aux rayons du soleil d'été (avril à septembre), pour ne pas manquer de vitamine D. Par exemple, un bébé qui prend un bain de soleil de 30 minutes par semaine (juste en couche) ou qui a la tête exposée au soleil environ 2 heures par semaine peut combler ses besoins. Encouragez l'ensoleillement avant dix heures ou après quatorze heures, car il n'est pas nécessaire de bronzer pour produire suffisamment de vitamine D.

Un bébé, né à la fin de l'été et allaité, doit recevoir un supplément de vitamine D, à l'âge de 3 ou 4 semaines. Donnez-lui 10 microgrammes (400 U.I.) par jour de vitamine D dès l'âge de 3 semaines. Dans le Grand Nord, on recommande 20 microgrammes (800 U.I.) par jour.

Les principaux suppléments:

- **D-Vi-Sol, vitamine D, en gouttes;**
- **Tri-Vi-Sol, vitamines D, C et A, en gouttes;**
- **Life, vitamines D, C et A, en gouttes.**

Un bébé qui boit une préparation pour nourrissons à base de lait de vache, de soya ou une préparation thérapeutique pour nourrissons comble ses besoins, puisque toutes ces préparations sont enrichies de vitamine D. Le lait entier concentré[1] est aussi enrichi de vitamine D. Ces bébés n'ont donc pas besoin de supplément de vitamine D.

Lorsque le bébé est sevré

Lorsque le bébé est passé du lait maternel à une préparation pour nourrissons ou à du lait ordinaire, il n'a plus besoin de supplément de vitamine D. Par ailleurs, un bébé qui ne boit que du lait de soya (voir p. 95) doit recevoir un supplément de vitamine D.

Le fer

En Amérique du Nord, la carence en fer est la déficience la plus fréquente chez les bébés, jusqu'à l'âge de 2 ans. Au départ, un manque de fer peut passer presque inaperçu, mais le problème dégénère rapidement. Il s'accompagne alors d'une pâleur extrême, d'une perte d'appétit, d'un manque de résistance à l'exercice, d'une irritabilité, d'un manque de résistance à l'infection et de certains troubles de comportement. Il se développe avant la fin de la première année et il résulte d'un manque de fer accumulé au cours des mois précédents.

Les réserves de fer du nourrisson font partie d'un héritage reçu à la naissance. Cet héritage dépend de votre santé, de votre état nutritionnel et de la durée de la grossesse. Un bébé de poids normal, né à terme, a, en général, des réserves de fer pour environ quatre mois.

Un bébé né prématurément et de petit poids — moins de 2,5 kg (5½ lb) — a des réserves de fer qui ne durent que deux mois.

SELON LE TYPE DE LAIT

Les bébés nés à terme et nourris exclusivement au lait maternel n'ont pas besoin de supplément de fer avant 6 mois. Le lait maternel renferme peu de fer, mais ce fer est exceptionnellement bien absorbé.

Les bébés prématurés ou de très petits poids à la naissance, nourris exclusivement au lait maternel, doivent recevoir un supplément de fer, dès l'âge de 2 mois. Choisissez un supplément de sulfate ferreux parce qu'il est bien absorbé, mais ne dépassez jamais la dose de 15 mg par jour.

Un bébé qui reçoit une préparation pour nourrissons, enrichie de fer (voir p. 87-88), à base de lait de vache ou de soya, n'a pas besoin de supplément de fer. Un litre (4 tasses) de ces préparations fournit entre 7 et 12 mg de fer sous la forme de sulfate ferreux. Chez les bébés non allaités, l'utilisation de ces préparations a doublé en Amérique du Nord depuis 20 ans et semble avoir réduit de façon importante l'incidence d'anémie chez les bébés.

Un bébé qui reçoit une préparation pour nourrissons, qui n'est pas enrichie de fer (voir p. 88), doit recevoir du fer additionnel vers l'âge de 4 mois. À ce moment-là, vous pouvez lui donner une préparation pour nourrissons, enrichie de fer ou des céréales enrichies de fer (voir p. 153-154) ou un supplément de fer sous forme de sulfate ferreux.

Le bébé qui reçoit du lait concentré[1], dilué et sucré (voir p. 92) doit recevoir un supplément de fer, dès l'âge de 3 mois.

LES PRINCIPAUX SUPPLÉMENTS DE FER:

• **les gouttes Fer-In-Sol (sulfate ferreux).**

Le fer ajouté aux préparations pour nourrissons ou les gouttes de sulfate ferreux (Fer-In-Sol) peuvent causer des effets secondaires comme des crampes, de la constipation et des gaz, mais ce n'est pas fréquent. Par contre, le fer colore les selles qui deviennent brunâtres, verdâtres ou noires.

Toutefois, si votre bébé développe certains de ces problèmes gastro-intestinaux lors de l'introduction de la préparation enrichie de fer, donnez-lui en alternance un biberon de préparation enrichie de fer et un biberon de préparation sans fer, jusqu'à ce que les signes d'inconfort disparaissent.

LORSQUE LE BÉBÉ MANGE

Lorsque votre bébé mange chaque jour suffisamment d'aliments riches en fer, il n'a plus besoin de supplément de fer. Une quantité de 90 ml (6 c. à soupe) de céréales pour bébés enrichies de fer suffisent pour répondre à ses besoins.

LA VITAMINE B_{12}

La littérature scientifique rapporte quelques cas tragiques de bébés qui ont souffert de problèmes neurologiques graves, dus à une déficience en vitamine B_{12}, avant l'âge de 12 mois. Il s'agissait de bébés allaités par des mères végétariennes strictes ou végétaliennes.

Ces mères n'avaient mangé aucun aliment de source animale (ni viande, ni œufs, ni poisson, ni produits laitiers) pendant leur grossesse et l'allaitement. Leur lait maternel manquait de vitamine B_{12} et ne pouvait plus répondre aux besoins du nourrisson.

Les mères lacto-végétariennes et lacto-ovo-végétariennes n'ont pas à s'inquiéter de ce type de problème.

DÈS LES PREMIÈRES SEMAINES

Si vous êtes végétarienne stricte et que vous n'avez pris aucun supplément de vitamine B_{12} pendant votre grossesse, donnez-en un à votre bébé dès l'âge de 2 semaines, soit l'équivalent de 0,3 microgramme par jour.

LES PRINCIPAUX SUPPLÉMENTS QUI CONTIENNENT DE LA VITAMINE B_{12}:

• **Nuborn de NuLife (multivitamine liquide);**
• **Floradix Kindervital (multivitamine et minéraux liquide).**

LE FLUOR

De nombreuses recherches ont démontré que le fluor pouvait réduire de moitié l'incidence des caries dentaires. Le fluor agit avant l'apparition des dents et améliore la qualité de l'émail. Après l'apparition des dents, il limite la dégradation de l'émail.

Le lait maternel renferme très peu de fluor, même si la mère prend un supplément ou boit de l'eau fluorée. Les préparations pour nourrissons, prêtes à servir, sont préparées avec de l'eau non fluorée et leur contenu en fluor est moins de 3 parties par million.

Si vous habitez une localité où l'eau n'est pas fluorurée, la Société canadienne de pédiatrie recommande de donner un supplément liquide de fluorures (0,25 mg de fluorures ou 2 gouttes de Karidium par jour) à votre enfant à partir de l'âge de 6 mois et jusqu'à 3 ans.

Vous pouvez aussi prévenir les caries dès les premiers mois en ne laissant jamais votre bébé s'endormir au lit avec un biberon de lait ou de jus dans la bouche. Lorsque votre bébé a quelques dents, établissez un rituel autour du brossage des dents, à l'heure du coucher.

Différents laits entraînent l'utilisation de différents suppléments

Le lait maternel renferme ce qu'il y a de mieux pour le bébé, mais dans certains cas, vous devrez lui ajouter certains suppléments.

Si votre bébé n'est pas exposé régulièrement au soleil (voir p. 99), s'il a la peau foncée, s'il vient au monde entre le mois d'août et le mois de mars ou si vous êtes végétarienne stricte, vous devez lui fournir 10 microgrammes (400 U.I.) de vitamine D, à l'âge de 3 ou 4 semaines.

Si vous êtes végétarienne stricte et si vous ne prenez aucun supplément de vitamine B_{12}, votre bébé doit recevoir 0,3 microgrammes de vitamine B_{12} par jour, dès l'âge de 2 semaines (voir p. 101).

Si votre bébé est né prématurément et/ou s'il est de petit poids et s'il est exclusivement allaité, il doit recevoir, dès l'âge de 2 mois, un supplément de fer sous forme de sulfate ferreux dans une dose qui ne dépasse pas 15 mg par jour.

Les préparations pour nourrissons, enrichies de fer, renferment toutes les vitamines et tous les minéraux nécessaires à votre bébé. Il n'est donc pas utile de leur ajouter de supplément. Par contre, vous devez donner du fer à votre bébé s'il boit une préparation pour nourrissons qui n'est pas enrichie de fer, lorsqu'il a 4 mois. Ce fer peut provenir d'un supplément de sulfate ferreux (Fer-In-Sol).

Le lait concentré[1], dilué et sucré est faible en fer. Vous devez donner un supplément de fer sous forme de sulfate ferreux (Fer-In-Sol), dès que votre bébé a 3 mois.

Lorsque votre bébé mange de tout

Même si votre bébé mange des aliments solides, sa principale source d'éléments nutritifs au cours des douze premiers mois demeure le lait, quel qu'il soit.

S'il mange des céréales pour bébés, de la viande ou des légumineuses, il augmente lentement le contenu en fer de son menu. Sa consommation de fruits et de légumes lui fournit d'autres vitamines et minéraux. Si son appétit est bon et qu'il mange quotidiennement tous les aliments de base, il n'a besoin d'aucun supplément (dans le cas d'un enfant végétarien, voir chapitre 19).

Après 12 mois, lorsque votre bébé mange moins, sa consommation de fruits, de légumes et de viande peut diminuer de façon importante. Il peut même faire la grève de la faim. Dans les cas de grèves chroniques, un supplément de vitamines et de minéraux pour enfants peut devenir un complément utile. La forme liquide est facile à donner et à absorber.

LES PRINCIPAUX SUPPLÉMENTS LIQUIDES DE VITAMINES ET/OU DE MINÉRAUX:

- **Poly-Vi-Sol (Mead Johnson);**
- **Infantol;**
- **Tender Age (Jamieson);**
- **Floradix Kindervital;**
- **Pediatri-Vite.**

Attention aux excès

Un excès de vitamines ou de minéraux peut se produire si vous n'y prenez garde. Un jeune enfant peut s'intoxiquer avec de fortes doses de vitamines.

Par exemple, la vitamine D qui prévient le rachitisme à une dose de 10 microgrammes (400 U.I.) par jour peut retarder la croissance à des doses de 35 microgrammes (1 400 U.I.) par jour.

Un excès de vitamine A, prise sous forme de rétinol, à des doses de 10 000 à 40 000 microgrammes (50 000 à 200 000 U.I.) par jour, peut causer de la confusion, des douleurs aux jambes, des vomissements et de la déshydratation. La dose normale recommandée est de 400 microgrammes (1 400 U.I.) par jour. La bêta-carotène, qui est le précurseur de la vitamine A, est moins toxique, mais peut donner une coloration orangée à la peau des bébés, lorsqu'elle est prise en excès. Par exemple, un bébé qui mange beaucoup de carottes ou qui boit beaucoup de jus de carotte peut devenir orangé; ce symptôme ne présente aucun danger et disparaît graduellement lorsque la consommation de carottes diminue.

Le fluor, pris en grande quantité, peut tacher de façon irréversible les dents. Avant de donner un supplément de fluor à votre enfant, consultez votre dentiste et votre CLSC: assurez-vous que l'eau de votre région n'en renferme pas.

Suppléments pour enfants

	D-Vi-Sol[1]	Tri-Vi-Sol[1]	Poly-Vi-Sol[1]	Fer-In-Sol[1]	Tender Age[2] (liquide)	Multivitamines[2] (à croquer ou à dissoudre)	Pediatri-Vite[3]	Floradix Kindervital[4]	Nuborn[5] (liquide)
Quantité	1 ml	1 ml	1 ml	1 ml	0,6 ml	1 comprimé	5 ml	5 ml	1 ml
Vitamine A	—	1500 U.I.	1500 U.I.	—	1500 U.I.	5000 U.I.	1666 U.I.	1250 U.I.	—
Bêta-carotène	—	—	—	—	—	—	—	—	1000 U.I.
Vitamine D	400 U.I.	400 U.I.	400 U.I.	—	400 U.I.	400 U.I.	—	100 U.I.	—
Vitamine D_3	—	—	—	—	—	—	166 U.I.	—	50 U.I.
Vitamine E	—	—	—	—	—	5 U.I.	10 U.I.	6,25 U.I.	4 U.I.
Vitamine C	—	30 mg	30 mg	—	30 mg	100 mg	50 mg	—	35 mg
Vitamine B_1	—	—	0,5 mg	—	0,5 mg	1,5 mg	0,8 mg	0,375 mg	0,3 mg
Vitamine B_2	—	—	0,6 mg	—	0,6 mg	1,2 mg	0,8 mg	0,375 mg	0,4 mg
Vitamine B_3	—	—	4 mg	—	4 mg	10 mg	3,3 mg	—	6 mg
Vitamine B_6	—	—	—	—	—	1,0 mg	1,0 mg	0,375 mg	0,4 mg
Vitamine B_{12}	—	—	—	—	—	6 mcg	8,3 mcg	1,5 mcg	0,5 mcg
Fer	—	—	—	15 mg de fer élémentaire	—	5 mg	3,3 mg	—	—
Acide folique	—	—	—	—	—	—	66 mcg	—	0,2 mg
Acide pantothénique	—	—	—	—	—	—	1,65 mg	—	2 mg
Biotine	—	—	—	—	—	—	66,5 mg	—	—
Calcium	—	—	—	—	—	—	25 mg	50,1 mg	—

	D-Vi-Sol[1]	Tri-Vi-Sol[1]	Poly-Vi-Sol[1]	Fer-In-Sol[1]	Tender Age[2] (liquide)	Multivitamines[2] (à croquer ou à dissoudre)	Pediatri-Vite[3]	Floradix Kindervital[4]	Nuborn[5] (liquide)
Quantité	1 ml	1 ml	1 ml	1 ml	0,6 ml	1 comprimé	5 ml	5 ml	1 ml
Choline	—	—	—	—	—	—	10 mg	—	4,5 mg
Chrome	—	—	—	—	—	—	33 mcg	—	—
Cuivre	—	—	—	—	—	—	0,5 mg	—	—
Inositol	—	—	—	—	—	—	0,8 mg	—	5 mg
Iode	—	—	—	—	—	—	25 mcg	—	—
Magnésium	—	—	—	—	—	—	4,17 mg	7,25 mg	—
Manganèse	—	—	—	—	—	—	0,8 mg	—	—
Molybdène	—	—	—	—	—	—	83 mcg	—	—
PABA	—	—	—	—	—	—	—	—	1 mg
Potassium	—	—	—	—	—	—	8,3 mg	—	—
Sélénium	—	—	—	—	—	—	33 mcg	—	—
Vanadium	—	—	—	—	—	—	83 mcg	—	—
Zinc	—	—	—	—	—	—	3,3 mg	—	—

1. Ces suppléments sont fabriqués par Mead Johnson.
2. Ces suppléments sont fabriqués par C.E. Jamieson and Company Limited.
3. Ces suppléments sont fabriqués par Seroyal.
4. Ces suppléments sont fabriqués par Status Hans.
5. Ces suppléments sont fabriqués par Nu-Life.

Attention aux comprimés de fer

De juin 1992 à janvier 1993, 5 bébés de 11 à 18 mois sont décédés dans la seule région de Los Angeles, à la suite de l'ingestion d'une trentaine de comprimés de fer pour adultes. Dans la plupart des cas, la bouteille était mal fermée et traînait sur la table. Selon les centres anti-poisons des États-Unis, les suppléments de fer sont la cause la plus fréquente de décès par empoisonnement chez les enfants.

Pour éviter de tels désastres, ne laissez jamais des comprimés de vitamines ou de fer à la portée des enfants. Cachez-les dans des armoires non accessibles.

Le bon supplément au bon moment peut faire la différence, selon le lait consommé par votre bébé et son appétit.

---

1. Le lait concentré a longtemps été appelé lait évaporé, sous l'influence de l'anglais. Mais il ne faut pas confondre le lait concentré et le lait concentré sucré (Eagle Brand) qui est très riche et sucré.

Chapitre 11

Comment
sevrer votre bébé

L e sevrage constitue une étape importante dans votre vie et dans celle de votre bébé. C'est un processus tout à fait normal qui survient tôt ou tard dans la vie d'un bébé, mais ce n'est pas toujours une étape facile. Il ne s'agit pas simplement d'un passage du lait maternel au biberon ou au gobelet. Il s'agit d'une transition qui peut vous déchirer sur le plan émotif, tout en dérangeant la belle routine de votre bébé.

Dites-vous que lorsque vous sevrez votre bébé, vous vous détachez de lui d'une certaine façon, mais vous lui permettez de vivre toute une gamme d'aventures alimentaires nouvelles.

Votre bébé vit d'autres types de changements alimentaires au cours des douze premiers mois. Chacun de ces changements constitue, en quelque sorte, un sevrage ou un passage vers de nouveaux aliments, de nouvelles textures et de nouvelles expériences.

Il existe plusieurs façons de sevrer votre bébé

Vous devez partir en voyage de façon inattendue ou encore vous tombez malade et vous devez mettre un terme à l'allaitement assez rapidement. C'est possible, mais ce sera plus difficile à vivre sur les plans physique et émotif que si vous échelonnez le sevrage sur plusieurs semaines.

Vous vous êtes fixé un échéancier dès la naissance de votre bébé et vous avez planifié le sevrage pour une période bien déterminée. Vous pouvez planifier le début du sevrage et l'étirer dans le temps pour adoucir la transition.

Vous aimez de plus en plus allaiter votre bébé ou vous vous sentez presque coupable de couper ce lien avec lui. Vous reportez le sevrage de semaine en semaine et vous n'êtes pas capable de dire non à votre bébé.

Ce sont trois situations fort différentes qui vous font entreprendre l'étape du sevrage, mais qui ne mettent pas en danger la santé de votre bébé. La meilleure approche sera celle qui respecte vos possibilités et votre état de santé.

Le bon moment

Il n'existe pas de moment idéal.

D'un point de vue nutritionnel, un bébé né à terme et de poids normal peut se développer tout à fait normalement en ne buvant que du lait maternel jusqu'à l'âge de 6 mois. Après 6 mois, le lait maternel ne suffit plus, car il ne contient plus assez de fer. Vers l'âge de 12 mois, il ne contient plus assez de protéines. L'addition d'aliments ou de suppléments devient donc nécessaire à partir de 6 mois.

Du côté maternel, les éléments qui jouent en faveur du sevrage sont la fatigue qui peut même aller jusqu'à l'épuisement, la douleur causée par un bébé qui mord ou par des seins devenus très lourds, l'appétit excessif du bébé ou l'obligation de retourner au travail. Toutes ces raisons vont vous aider à prendre la décision et à amorcer votre démarche. Par ailleurs, certains bébés se désintéressent graduellement du sein et trouvent le biberon plus facile à manœuvrer.

La décision peut donc venir de vous, de votre bébé ou de circonstances extérieures. Attendez d'être prête mentalement et allez-y en douceur.

L'initiation au biberon

Si vous allaitez votre bébé, mais que vous prévoyez retourner au travail d'ici quelques mois, ou si vous souhaitez simplement une plus grande pause entre deux boires certains jours, introduisez le biberon ou le gobelet assez tôt dans la vie de votre bébé pour le familiariser avec cette autre façon de boire.

Dès que vos montées de lait sont bien établies, lorsque votre bébé a environ 5 ou 6 semaines ou encore avant qu'il ait 3 mois, initiez-le au biberon. Si vous attendez 3 ou 4 mois, votre bébé risque de faire la grève, ce qui rendra la période de transition plus difficile.

À l'aide d'un tire-lait ou manuellement, tirez votre lait et offrez-lui ce lait au biberon ou au gobelet. De cette façon, votre bébé reconnaît la saveur de votre lait et vous pouvez maintenir une bonne production de lait. Choisissez une tétine qui imite bien la forme des mamelons et dont le débit se rapproche du débit de votre sein, quitte à lui ajouter quelques trous.

Lorsque votre bébé sent votre présence, il ne s'attend pas à recevoir un biberon et peut très bien le refuser. Pour faciliter l'adaptation, quittez la pièce durant le boire. Demandez au père, à la gardienne ou à une autre personne de donner les premiers biberons, car, dans vos bras, le bébé peut facilement le refuser.

> *Nathalie, 35 ans, a un bébé de 4 mois. Elle doit subir une chirurgie importante d'ici deux mois. Pour sevrer son bébé en douceur, elle a décidé d'introduire graduellement un biberon, dès le 4ᵉ mois. Son bébé a d'abord refusé le biberon, mais il a fini par l'accepter. Nathalie n'avait pas le choix; elle était vraiment décidée.*

Un biberon peut faciliter la transition

Si vous désirez alterner entre le lait maternel et une préparation pour nourrissons enrichie de fer, assurez-vous que vos montées de lait soient bien établies. N'oubliez jamais que vos réserves de lait s'ajustent en fonction de la demande de votre bébé et que plus vous allaitez souvent, plus vous produisez de lait. Si vous éliminez un boire au sein trop rapidement, vous aggravez le problème de production de lait au lieu de l'aider.

> *Voici quelques règles de base:*
>
> *• si votre bébé ne prend pas assez de poids (voir p. 50) allaitez-le plus souvent pendant 2 ou 3 jours;*
> *• si le fait de donner des boires au sein plus fréquemment ne semble pas aider, offrez un peu de préparation pour nourrissons immédiatement après que votre bébé a bu aux deux seins.*

Un sevrage en douceur

Si vous planifiez alterner entre le lait maternel et la préparation pour nourrissons avant l'âge de 6 mois, offrez toujours le sein aux boires du matin et du soir, pour éviter l'engorgement et parce que ce sont des temps forts pour votre relation avec votre bébé.

Remplacez graduellement un boire au sein par un biberon de préparation pour nourrissons.

Lorsque votre bébé semble bien s'adapter à la substitution et que votre production de lait semble s'adapter également, remplacez un autre boire au sein par un biberon de préparation pour nourrissons, ce qui diminuera graduellement votre production de lait.

Plus vous sevrez lentement, mieux vous vous sentirez, vous et votre bébé. Mais malgré toute la bonne volonté du monde, le sevrage ne se fait pas toujours en douceur.

Marie, 36 ans, a un bébé de 9 mois qui a voyagé avec elle dans de nombreux pays et qui s'est habitué à dormir tout près d'elle. Le bébé est devenu un oiseau de nuit et boit 75 % de sa ration quotidienne pendant la nuit. La valeur nutritive de son menu n'est pas en danger, mais les réserves d'énergie de la maman sont épuisées.

Au bout de plusieurs semaines d'essai, Marie a finalement accepté d'entendre son bébé pleurer quelques nuits. Elle a développé de nouveaux rituels et le bébé a appris à s'endormir tout seul. Le processus a été long, mais tout le monde s'en est finalement bien sorti.

Un sevrage précoce ou précipité

Si vous devez arrêter subitement d'allaiter, votre corps s'adaptera lentement au changement, car vous continuez de produire du lait pendant plus d'un mois. Vous pouvez vous soulager temporairement en tirant un peu de lait, mais pas trop, car en tirant du lait, vous maintenez votre production de lait. Vous avez donc intérêt à ne pas tirer de lait trop souvent afin de réduire votre production de lait.

Lorsque vous cessez brusquement d'allaiter, vous pouvez avoir certains inconforts, avoir les seins engorgés, avoir des frissons et même de la fièvre. Ne vous inquiétez pas outre mesure, puisque la réaction peut durer 3 ou 4 jours. Vous pouvez aussi vous sentir dépressive, mais ce n'est que passager. Un sevrage précoce n'est pas un échec, mais une séparation précipitée.

Qui décide du moment où il faut commencer le sevrage?

Dans la plupart des cas, c'est vous qui décidez du moment où vous voulez commencer à sevrer votre bébé pour toutes sortes de raisons. C'est naturel et tout à fait acceptable. Les professionnels de la santé des quatre coins du monde encouragent les mères à allaiter au moins 6 mois, mais personne n'émet de limite maximum. Vous êtes la personne la mieux placée pour décider. Si vous allaitez 3 mois, félicitez-vous pour cette réussite. Vous décidez de poursuivre jusqu'à 12 mois, ce choix vous appartient. Chaque jour d'allaitement rapporte beaucoup.

Certains bébés prennent d'eux-mêmes l'initiative du sevrage et démontrent de moins en moins d'intérêt pour le sein. Cela peut arriver durant la première année, entre 6 et 12 mois. Pour répondre aux messages de votre bébé, vous pouvez planifier un sevrage en douceur.

D'autres bébés peuvent refuser temporairement le sein lors de vos premières menstruations, lorsque vous mangez des aliments qui changent le goût du lait, lorsque vous adoptez un nouveau savon ou un nouveau parfum ou lorsque vous êtes tendue. Des bébés peuvent aussi refuser le sein quand ils percent leurs dents. Vous pouvez désamorcer ces grèves en améliorant votre stratégie d'allaitement, mais n'insistez surtout pas. Si les messages de votre bébé persistent, commencez à introduire les biberons de préparation pour nourrissons enrichie de fer.

L'introduction du gobelet ou de la tasse

L'introduction de la tasse peut se faire assez facilement. Certains bébés passent directement du sein à la tasse vers l'âge de 7 à 8 mois, parfois même avant. Une fois que bébé a commencé à manger des aliments solides, offrez-lui une tasse munie d'un bec spécial. À la fin du repas ou dans l'après-midi, offrez-lui du lait à la tasse. Les bébés aiment entendre le son de leurs nouvelles dents qui dansent sur le bord de la tasse et, avec le temps, ils prennent plaisir à avaler de plus en plus de liquide.

Le biberon n'est pas un compagnon de vie

L'Académie américaine de pédiatrie recommande aux parents d'entreprendre le processus de sevrage du biberon vers l'âge de 9 mois et de le compléter vers le premier anniversaire. L'utilisation prolongée du biberon entre 1 et 2 ans n'est pas recommandée. Un biberon à l'heure du coucher peut causer des problèmes importants de caries lorsqu'on laisse le bébé s'endormir, le biberon dans la bouche. Une solution compromis est d'abandonner graduellement le biberon le jour et de maintenir un biberon au coucher pour compléter la quantité de lait. Par contre, ne laissez jamais votre bébé s'endormir avec son biberon.

Chapitre 12

L'introduction des aliments solides

Vous avez hâte de donner des solides à votre bébé. Vous voulez tout savoir: quand commencer, comment, pourquoi et combien en donner. Votre bébé a toujours faim. Il ne fait pas encore ses nuits. Votre voisine a donné des solides à son bébé de 2 mois et elle a vu une différence. Vous n'êtes plus certaine. De grâce, ne précipitez rien avant l'âge de 4 à 6 mois.

Au début du siècle, les bébés ne mangeaient aucun aliment solide avant 12 mois. Dans les années 50, quelques chercheurs ont donné de la viande à des bébés de 6 semaines. Certains livres parlent des solides vers la 4e semaine. Qui a raison?

À la suite de nombreuses recherches, les experts en nutrition recommandent maintenant l'introduction des solides entre l'âge de 4 à 6 mois. Avant de succomber à la pression de votre entourage, lisez attentivement les raisons qui supportent cette recommandation.

Les aliments solides ne remplacent pas le lait

Les aliments solides sont introduits dans l'alimentation du bébé pour combler des besoins grandissants, et non pour remplacer le lait maternel ou la préparation pour nourrissons, enrichie de fer. Ils sont ajoutés au menu du bébé pour lui fournir des éléments nutritifs qui commencent à faire défaut dans son menu lacté.

Lorsque vous introduisez des solides trop tôt, votre bébé diminue sa consommation de lait maternel ou de préparation pour nourrissons.

Pour en avoir le cœur net, quelques chercheurs ont comparé la valeur nutritive des deux types d'alimentation; le lait en exclusivité et le lait accompagné d'aliments solides. Ils n'ont décelé aucun avantage nutritionnel à l'addition des aliments solides avant l'âge de 4 mois. De fait, les aliments solides fournissent moins d'éléments nutritifs que le lait, pour la même quantité de calories.

> *Michel a été allaité pendant 7 semaines. Comme il avait toujours faim, le médecin a recommandé l'addition de céréales à 3 semaines, l'abandon du lait maternel et l'adoption d'une préparation pour nourrissons à 8 semaines ainsi que des biberons d'eau sucrée entre les boires pour ne pas lui donner trop de lait. À 10 semaines, le bébé semble affamé tout le temps, pleure une partie de la nuit, a des crampes et doit même prendre un laxatif pour soulager une constipation très douloureuse.*
>
> *Après m'avoir consultée, la maman abandonne les biberons d'eau sucrée et les céréales. Elle ne donne que la préparation pour nourrissons, mais sur demande. La consommation du bébé passe rapidement de 700 ml à 1 litre (23 à 32 oz) par jour. Le bébé commence à mieux dormir et à avoir moins de problèmes de constipation.*
>
> L'arrêt de l'allaitement, les biberons d'eau sucrée et l'addition des solides n'ont sûrement pas aidé ce bébé à bien dormir et à être mieux nourri.

Une quantité maximale de lait par jour?

Pour satisfaire un bébé affamé de moins de 4 mois, il vaut mieux augmenter le nombre de boires, plutôt que de donner des aliments solides. Jusqu'à l'âge de 4 mois, il est normal de donner au moins 5 boires par jour. Vous pouvez donner jusqu'à 1,2 litre (40 oz) par jour de préparation pour nourrissons, sans aucune crainte de suralimenter votre bébé; il se développera normalement sans manger d'aliments solides. En d'autres mots, vous ne pouvez jamais donner trop de lait avant 4 mois, qu'il s'agisse de lait maternel ou de préparation pour nourrissons.

Les aliments solides ne font pas dormir

Plusieurs parents pensent que les céréales données le soir peuvent apporter une bonne nuit de sommeil. Dommage, car les aliments solides n'allongent pas les heures continues de sommeil. Cette hypothèse tient du rêve! Une étude effectuée à Cleveland a, en effet, démontré que des bébés qui mangeaient des céréales dès l'âge de 5 semaines ne dormaient pas plus longtemps que les bébés nourris exclusivement au lait jusqu'à 4 mois.

Les chercheurs ont noté qu'à 12 semaines, un bébé dormait environ 6 heures de suite et qu'à 20 semaines, il dormait 8 heures de suite, peu importe son alimentation. Une autre étude, menée en Angleterre, arrive à des observations semblables. Cette étude précise toutefois que 10 % des bébés ne font pas leurs nuits à 6 mois, quelle que soit leur alimentation.

Le sommeil prolongé dépend avant tout du développement neurologique du bébé et semble peu relié au type d'aliments consommés.

Le bébé doit pouvoir avaler les aliments solides

Avant l'âge de 3 ou 4 mois, un bébé a très peu de salive et sa langue n'arrive pas à pousser les aliments au fond de sa bouche. Il peut téter très facilement, mais il n'est pas capable d'avaler des solides.

Lorsque vous lui donnez des aliments solides avant 4 mois, vous le gavez, en quelque sorte, forçant les aliments à descendre au fond de sa bouche. Vers la 16e ou 18e semaine, même s'il réussit difficilement à avaler les solides, sa capacité augmente graduellement et sa coordination neuromusculaire est meilleure.

Les aliments solides doivent être digérés adéquatement

À la naissance, le bébé a la capacité de digérer très peu d'aliments, sauf le lait maternel ou les préparations pour nourrissons. Il ne possède pas encore toute la gamme des enzymes digestives.

Avant l'âge de 3 mois, il n'a pas ce qu'il faut pour digérer efficacement les céréales et les autres féculents. Avant l'âge de 6 mois, il absorbe très difficilement les différents gras. Un bébé gavé trop tôt d'aliments solides éprouve beaucoup de difficultés à digérer et ne peut les assimiler correctement. C'est pourquoi l'on retrouve dans ses selles une grande quantité d'aliments non digérés.

Les aliments solides surchargent le système rénal

Les reins immatures d'un bébé naissant supportent très mal les excès de protéines et de minéraux. Certains aliments comme le lait de vache entier (à 3,25 %), la viande et les jaunes d'œufs, offerts trop tôt, peuvent surcharger les reins très sensibles des bébés.

Les aliments solides augmentent les risques d'allergies

Le système immunitaire des jeunes bébés est très fragile. La production normale d'anticorps augmente graduellement au cours de la première année et atteint un sommet vers l'âge de 7 mois. Dès que votre bébé possède une certaine quantité d'anticorps pour protéger sa paroi intestinale, il court moins de risques de souffrir d'allergies alimentaires. Pour les bébés qui ont des allergies dans leur histoire familiale, l'introduction lente et graduelle des aliments solides après 6 mois demeure une des bonnes mesures préventives.

L'introduction lente des solides respecte les besoins du bébé

Avant l'âge de 4 ou 6 mois, le lait maternel ou la préparation pour nourrissons fournit tous les éléments nutritifs nécessaires à un bébé né à terme et en santé. Après cet âge, les besoins en zinc, en fer, en protéines et en énergie augmentent à un point tel que le lait seul ne suffit plus. C'est alors que les aliments solides commencent à jouer un rôle dans son alimentation.

Le bébé est capable de vous dire *j'en ai assez*

Un bébé de 5 ou 6 mois maîtrise beaucoup mieux les mouvements de sa tête et de son cou qu'un bébé de 3 ou 4 mois. Il peut manifester sa faim en penchant sa tête vers l'avant. Il peut aussi vous dire qu'il en a assez en penchant sa tête vers l'arrière. Ses gestes deviennent des messages clairs qui vous permettent de respecter son appétit.

L'équilibre qui s'installe graduellement entre ses besoins alimentaires et votre façon de le nourrir devient la base de bonnes habitudes alimentaires.

Votre bébé est prêt pour les aliments solides

Même si plusieurs s'entendent sur une période idéale entre 4 et 6 mois, il n'y a pas de règle absolue. Chaque bébé a son propre rythme de croissance et ses propres besoins. Vos meilleurs indices sont le comportement et la croissance de votre bébé à vous.

Assurez-vous que les pleurs et les cris de votre bébé sont vraiment reliés à son appétit, et non à l'ennui ou à un autre problème de parcours. Éliminez toutes les autres causes d'inconfort comme une couche souillée, une mauvaise position, la soif ou un besoin d'affection avant d'avoir recours aux premiers aliments solides.

Les conditions suivantes coïncident habituellement avec le moment propice pour intégrer des aliments solides:

- votre bébé est allaité sur demande; il boit 8 à 10 boires en 24 heures; il semble vider les deux seins à chaque boire et il est toujours affamé;

ou

- votre bébé est nourri avec une préparation pour nourrissons; il en boit au moins 1,2 litre (40 oz) par jour, vide tous ses biberons et semble encore affamé;

ou

- votre bébé a doublé son poids à la naissance et semble toujours affamé.

N'attendez pas après 7 mois

Même si votre bébé de 6 mois n'a pas encore de dents, il est quand même prêt à mastiquer des aliments solides. Si vous attendez que votre bébé ait 9 ou 10 mois, il peut refuser les aliments plus consistants et résister aux nouvelles textures. Pour les mêmes raisons, ne servez des aliments en purée que pendant quelques semaines. Selon l'âge de l'introduction des premiers solides, vous pouvez introduire des aliments avec texture dès l'âge de 6 ou 7 mois. Certains bébés sont prêts, d'autres pas.

Par quel aliment solide commencer?

Lorsque votre bébé a 5 ou 6 mois, il peut digérer et absorber une gamme d'aliments, contrairement à ce qu'il pouvait faire à 2 ou 3 mois.

Le premier aliment solide à offrir à votre bébé pourrait être la viande, le tofu ou les céréales, à condition que cet aliment soit riche en fer, en calories et en protéines. Les recommandations varient.

Pour ma part, j'opte pour les mêmes consignes que la Société canadienne de pédiatrie et je recommande les céréales pour bébés parce qu'elles sont plus faciles à aimer et à digérer que la viande et parce qu'elles fournissent des calories, des protéines et souvent du fer.

Le rituel à respecter

Tout au long de l'introduction des solides, il est important de respecter certaines règles d'or:

- *offrez toujours l'aliment solide <u>après un boire</u> jusqu'à l'âge de 9 mois pour ne pas nuire à la consommation de lait maternel ou de préparation pour nourrissons;*
- *offrez toujours l'aliment <u>à la cuillère,</u> et non au biberon pour apprendre au bébé à utiliser ses mâchoires et à mastiquer;*
- *commencez par 5 ml (1 c. à thé) la première journée et augmentez graduellement;*
- *introduisez toujours <u>un seul aliment à la fois</u> et évitez les aliments mélangés, au début;*
- *<u>redonnez le même aliment nouveau, 3, 5 ou même 7 jours de suite,</u> avant d'en introduire un autre, pour mieux détecter les causes d'allergies, s'il y a lieu;*
- *ne forcez jamais votre bébé à tout manger, même si vous devez jeter un peu de nourriture après le repas;*
- *ne laissez jamais votre bébé manger seul;*
- *nourrissez votre bébé dans un siège légèrement incliné, de façon qu'il ait la tête assez droite;*
- *évitez de nourrir votre bébé en voiture, car il risque de s'étouffer.*

Commencez par les céréales

Les céréales spécialement préparées pour bébés sont faciles à digérer et à assimiler. Certaines sont particulièrement riches en fer. Les céréales pour adultes, de grains entiers ou enrichies, ne fournissent pas autant de fer (voir chapitre 14).

Lorsque votre bébé a entre 4 et 6 mois:

- commencez par une céréale à un grain unique comme le riz, puisqu'elle comporte peu de risques d'allergies;
- mélangez 5 ml (1 c. à thé) de céréales pour bébés avec du lait maternel ou de la préparation pour nourrissons, afin d'obtenir la consistance d'une soupe épaisse;
- offrez les céréales à la cuillère <u>après le boire;</u> cette stratégie aide à maintenir une consommation suffisante de lait;
- commencez par offrir les céréales au repas du matin, après le boire. Au bout de quelques jours, offrez la même céréale au souper, après le boire;
- <u>nourrissez toujours votre bébé à la cuillère, et non dans le biberon,</u> afin qu'il apprenne à mastiquer;
- <u>conservez la même céréale 3, 5 ou même 7 jours;</u> après ce délai, introduisez-en une nouvelle, telle que l'orge ou l'avoine. S'il y a des intolérances alimentaires dans votre histoire familiale, n'introduisez le blé qu'après 12 mois;
- n'ajoutez jamais de sucre, ni de miel, ni de sirop;

- lorsque vous avez essayé la plupart des céréales à grain unique, vous pouvez introduire les céréales mixtes;
- augmentez graduellement les quantités de céréales sèches pour atteindre environ 200 ml (¾ tasse) par jour vers l'âge de 1 an. Ne vous inquiétez pas si votre bébé n'en mange pas autant;
- observez les réactions de votre bébé et faites des modifications, au besoin;
- jetez les céréales qui restent dans le plat et qui ont été en contact avec la cuillère et la salive de votre bébé.

Choisissez d'abord des céréales sans fruit ajouté. Elles sont moins chères, moins sucrées et renferment plus de protéines. Elles vous permettent de mieux déceler les sources possibles d'allergies.

L'horaire des repas entre 4 et 5 mois (si votre bébé a commencé les aliments solides)	
au lever	lait maternel ou préparation pour nourrissons enrichie de fer
déjeuner	lait maternel ou préparation pour nourrissons enrichie de fer céréales pour bébés
dîner	lait maternel ou préparation pour nourrissons enrichie de fer
souper	lait maternel ou préparation pour nourrissons enrichie de fer céréales pour bébés
en soirée	lait maternel ou préparation pour nourrissons
dans la nuit	si nécessaire, lait maternel ou préparation pour nourrissons enrichie de fer

N'arrêtez pas trop tôt de donner des céréales à votre enfant. Même si la texture et le goût vous paraissent monotones, continuez à donner des céréales à votre enfant après l'âge de 1 an pour maintenir une consommation adéquate de fer. Vous pouvez varier les céréales (voir chapitre 14), les incorporer dans des recettes de muffins ou de crêpes, ou encore les mélanger à des purées de fruits ou à du yogourt.

Les légumes arrivent en deuxième

Deux à trois semaines après l'introduction des céréales, ajoutez des purées de légumes au menu. Les bébés les apprécient plus facilement lorsqu'ils goûtent aux légumes avant de goûter aux fruits. Ils y trouvent des vitamines, des minéraux, des fibres, mais très peu de calories. Ils en apprécient les couleurs dans leur assiette.

- introduisez un légume à la fois et attendez 3, 5 ou 7 jours avant d'en offrir un nouveau;
- commencez par les légumes jaunes: courges, carottes et patate sucrée; continuez avec les légumes verts, comme les courgettes, les asperges et les pois verts; offrez le brocoli et le chou-fleur en dernier parce qu'ils peuvent donner des gaz;
- offrez la betterave, le navet et les épinards après 9 mois, à cause de leur contenu en nitrates;
- vérifiez la température des aliments avec le bout des lèvres, afin de vous assurer que la chaleur n'est pas trop intense;
- offrez un légume unique avant d'offrir des légumes mélangés;
- offrez les légumes cuits, en purée maison ou en petits pots;
- utilisez toujours la petite cuillère pour que le bébé apprenne à mastiquer;
- servez les légumes au repas du midi, après le boire jusqu'à 9 mois, pour ne pas nuire à la consommation de lait;
- n'ajoutez ni sel, ni sucre, ni gras;
- réchauffez une petite quantité de légumes dans un bol en verre, au bain-marie ou au four à micro-ondes; mélangez bien et vérifiez la température avant de servir (les aliments réchauffés au four à micro-ondes n'ont pas une température uniforme et peuvent avoir des parties brûlantes et des parties tièdes);
- jetez ce qui reste dans le plat du bébé;
- commencez par 5 ml (1 c. à thé) le premier jour; augmentez graduellement jusqu'à 150 ml (10 c. à soupe) vers l'âge de 1 an: ce n'est pas une quantité maximale, mais cela représente une consommation moyenne par jour.

Les fruits arrivent en troisième

Deux à trois semaines après l'introduction des légumes, vous pouvez commencer à donner des fruits à votre bébé. Ceux-ci ajoutent une saveur sucrée, en plus de fournir des vitamines, des minéraux et des fibres.

- offrez un fruit à la fois avant d'introduire les fruits mélangés;
- n'ajoutez jamais de sucre et attendez plus tard avant d'ajouter des épices;
- utilisez toujours la cuillère;
- préparez des purées de fruits maison ou offrez des fruits en petits pots (voir p. 142-145 et p. 161);
- faites cuire les fruits, à l'exception de l'avocat, de la banane, de la mangue, de la papaye, du cantaloup, du melon d'eau ou de l'ananas que vous pouvez réduire en purée au mélangeur et servir sans cuisson;

- évitez les petits fruits avec des graines ou des pépins, comme les framboises, les fraises et les raisins, jusqu'à ce que votre bébé ait 2 ans; vous pouvez quand même réduire les fraises ou les framboises en purée, les tamiser et les offrir avec d'autres fruits ou du yogourt, vers l'âge de 1 an;
- s'il y a des allergies dans votre histoire familiale, évitez les jus d'agrumes (citron, orange et pamplemousse), certains fruits tropicaux, comme la mangue et l'ananas, ou encore l'acide citrique ajouté à certaines purées de fruits, jusqu'à l'âge de 1 an;
- évitez les desserts pleins de sucre, que l'on trouve sur le marché.

Les jus de fruits au gobelet

Les bébés raffolent du jus de fruits; ils peuvent facilement en boire à l'excès et ruiner le reste du menu.

- introduisez les jus de fruits lorsque votre bébé peut boire au gobelet ou au verre;
- n'offrez pas le jus dans un biberon, car vous ne voulez pas que votre bébé s'amuse et conserve longtemps de petites quantités de jus dans sa bouche, ce qui peut stimuler la formation de caries, même si l'enfant n'a pas de dents;
- diluez le jus avec une part égale d'eau de source ou d'eau du robinet;
- servez les jus frais, plutôt que très froids;
- limitez la consommation de jus de fruits à 125 ml (4 oz) par jour, en vous rappelant que 60 ml (2 oz) comblent les besoins en vitamine C jusqu'à l'âge de 3 ans;
- commencez par le jus de pomme ou le jus de raisin, afin de réduire les risques d'allergies; offrez ensuite de l'orange ou du pamplemousse fraîchement pressé ou du jus surgelé, reconstitué et tamisé;
- évitez les cristaux à saveur de fruits, les boissons et les punchs, qui renferment peu ou pas de fruits, mais trop de sucre, de colorants et autres additifs.

Les aliments riches en protéines arrivent en quatrième

La viande, la volaille, le poisson, le tofu et les légumineuses en purée peuvent être introduits graduellement deux à trois semaines après les fruits, lorsque votre bébé a environ 6 mois. Ce groupe d'aliments fournit des protéines, du fer, du zinc et des quantités variables de gras, selon l'aliment. Une portion par jour suffit.

L'horaire des repas entre 5 et 6 mois
(ou un mois après l'introduction du premier aliment solide)

au lever	lait maternel ou préparation pour nourrissons enrichie de fer
déjeuner	lait maternel ou préparation pour nourrissons enrichie de fer céréales pour bébés
dîner	lait maternel ou préparation pour nourrissons enrichie de fer purée de légumes
souper	lait maternel ou préparation pour nourrissons enrichie de fer céréales pour bébés purée de fruits
en soirée	lait maternel ou préparation pour nourrissons enrichie de fer

- commencez par le poulet, la dinde, le poisson ou le tofu mou, écrasé;
- offrez ensuite du bœuf, du veau, du foie ou de l'agneau;
- évitez les viandes fumées et transformées, comme le jambon et le bacon, qui renferment du sel et des nitrites;
- choisissez les poissons de pisciculture (truite ou saumon) ou les poissons de mer (aiglefin, flétan, morue, plie et sole) qui contiennent moins de polluants que les autres;
- introduisez un nouvel aliment tous les 3, 5 ou 7 jours;
- vérifiez la température des aliments avec le bout des lèvres, afin de vous assurer que la chaleur n'est pas trop intense;
- offrez ces aliments sous forme de purées maison ou de petits pots que l'on trouve sur le marché (voir chapitres 13 et 15);
- au début, servez 5 ml (1 c. à thé) de ces aliments sans les mélanger aux légumes;
- offrez ces aliments au repas du midi, de préférence parce qu'ils peuvent nécessiter une digestion plus longue;
- n'ajoutez ni sel ni épices;
- augmentez graduellement la quantité jusqu'à 90 ml (6 c. à soupe) par jour à l'âge de 1 an;
- évitez les fruits de mer comme les crevettes, le homard, les huîtres, les moules et les pétoncles, parce qu'ils peuvent occasionner des réactions allergiques avant l'âge de 1 an;
- s'il y a des allergies dans votre famille immédiate, retardez l'introduction de tous les poissons jusqu'à l'âge de 1 an, ou même plus tard.
- ne forcez jamais votre bébé à manger!

Mon petit-fils s'est initié aux protéines en commençant par le tofu mou. Il a mangé cet aliment avec grand appétit pendant plusieurs mois, d'abord nature, puis mélangé avec une purée de légumes. Le tofu est un aliment prêt à servir, qui ne requiert aucune cuisson, qui s'écrase facilement à la fourchette et qui a une saveur très douce. C'est beau, bon, pas cher, très vite préparé, et les bébés n'ont pas encore de préjugés défavorables!

L'horaire des repas entre 6 et 9 mois

au lever	lait maternel ou préparation pour nourrissons
déjeuner	lait maternel ou préparation pour nourrissons[1] céréales pour bébés purée de fruits
dîner	lait maternel ou préparation pour nourrissons purée de viande ou tofu ou légumineuses avec jaune d'œuf purée de légumes fruit écrasé à la fourchette ou en purée
collation	croûtes de pain ou morceaux de fruits[2] eau
souper	lait maternel ou préparation pour nourrissons céréales pour bébés purée de fruits ou de légumes fromage cottage ou yogourt
la nuit	lait maternel ou préparation pour nourrissons[3]

Note: Le lait entier, à 3,25 %, est incorporé au menu lorsque le bébé a plus de 9 mois et qu'il mange environ 200 ml (env. ¾ tasse) d'aliments variés par jour.

1. Donné après les solides, lorsque le bébé a 9 mois.
2. Si le bébé a faim.
3. Au besoin, si le bébé a faim.

Le jaune d'œuf et l'œuf complet

Une fois que votre enfant mange régulièrement des céréales, des légumes, des fruits et des aliments riches en protéines, vous pouvez intégrer d'autres aliments comme le jaune d'œuf. Celui-ci fournit des protéines, des vitamines, des minéraux et des acides gras essentiels, mais il n'est plus considéré comme une bonne source de fer. Ce n'est pas un aliment irremplaçable au menu de votre bébé, mais il peut faire partie du repas du midi, quelques fois par semaine.

- servez le jaune d'œuf <u>cuit dur et tamisé,</u> en petite quantité, 10 à 15 ml (2 à 3 c. à thé) pour commencer dans une purée de légumes ou de viande;
- commencez par 5 ml (1 c. à thé) par jour et augmentez graduellement jusqu'à 3 jaunes d'œufs par semaine;
- conservez les restes au réfrigérateur environ 3 jours; servez-les aux autres membres de la famille dans des salades ou des sandwiches;
- n'offrez jamais le jaune d'œuf cru ni l'œuf complet cru pour éviter les problèmes d'intoxication à la salmonelle.

Ne donnez jamais à votre enfant des œufs entiers avant l'âge de 11 mois, car le blanc d'œuf peut causer des allergies. Lorsque le système immunitaire de votre bébé est mieux développé, vous pouvez lui donner un œuf poché ou cuit dur, 3 à 4 fois par semaine. L'œuf est facile à digérer et se sert très bien au repas du soir, au milieu de légumes colorés. Quand l'œuf entier fait partie du menu, il n'y a plus de raison de servir le jaune d'œuf seul.

Le yogourt et les fromages frais

Le yogourt fournit des quantités intéressantes de calcium et de vitamines, des protéines et des cultures lactiques qui sont utiles au bon fonctionnement de l'intestin. Vous pouvez l'ajouter au menu de votre bébé lorsqu'il mange des céréales, des légumes, des fruits et des aliments riches en protéines.

- commencez par le yogourt nature, fait de lait entier;
- si vous en avez envie, préparez un yogourt maison, dont la saveur est moins acide;
- évitez les yogourts aux fruits ou les yogourts glacés, qui contiennent beaucoup de sucre, mais peu de fruits;

- lorsque votre bébé apprécie le goût du yogourt, vous pouvez y ajouter de la purée de fruits ou un peu de banane écrasée, pour lui donner une nouvelle saveur;
- 125 ml (4 oz) de yogourt peuvent remplacer 125 ml (4 oz) de lait entier, à 3,25 %;
- les fromages frais, préparés avec du lait entier (comme le cottage ou la ricotta), renferment de bonnes quantités de protéines et peuvent être incorporés au menu du bébé à la même époque que le yogourt. Mélangés avec une purée de légumes ou de fruits, ils peuvent constituer une base de repas;
- les fromages frais sucrés (du genre Minigo ou Petit Danone) ne contiennent pas les bactéries lactiques d'un vrai yogourt, mais renferment plus de sucre. Ils peuvent servir de desserts, à l'occasion.

Les aliments à éviter

Les aliments qui renferment de grandes quantités de gras cuit, de sel, de sucre, de colorants ou d'additifs ne sont pas recommandés pour personne, mais encore moins pour un bébé:

- les viandes transformées comme le bacon, les saucisses fumées, les pâtés, les viandes fumées, les charcuteries et les viandes en conserve;
- les crèmes-desserts (puddings), les gelées que l'on trouve sur le marché (jell-o), les gâteaux, les biscuits sucrés, les bonbons et le chocolat;
- les aliments frits et les pommes de terre frites;
- les boissons gazeuses, riches en sucre;
- les boissons aux fruits et les popsicles que l'on trouve sur le marché;
- les aliments diètes, sucrés avec des substituts de sucre, car votre bébé a besoin de calories, et nous connaissons mal l'impact de telles substances sur la santé de l'enfant;
- les aliments réduits en gras ou allégés, préparés avec des substituts de gras, car votre bébé a besoin de gras pour se développer normalement;
- le miel et le sirop de maïs, à cause des risques de botulisme jusqu'à l'âge de 12 mois.

Les aliments avec lesquels votre bébé peut s'étouffer

Les aliments avec lesquels un jeune enfant peut s'étouffer, soit à cause de leur forme ou de leur texture, sont à éviter, sauf si vous prenez certaines précautions:

- les fruits crus avec la pelure: pelez-les et taillez-les en petits morceaux;
- les légumes crus: pelez-les et faites-les cuire quelques minutes pour les amollir;
- les raisins frais sans pépins; coupez-les en deux ou trois morceaux dans le sens de la longueur;
- le maïs éclaté et les petits bonbons sont à éviter;
- quant aux noix et aux graines, vous pouvez les réduire en poudre et les mettre, par exemple, dans du yogourt avant de les offrir à votre bébé;
- les saucisses fumées (de tofu): coupez-les en deux dans le sens de la longueur, puis en petits morceaux.

Les aliments de dentition

Les aliments qui soulagent la percée des dents peuvent être utiles dès l'âge de 4 mois. Choisissez les aliments appropriés à cette période:

- un morceau de toast Melba, de pain de blé entier grillé et coupé en lanières ou une croûte de pain;
- des glaçons d'eau ou une sucette d'eau glacée, tout simplement;
- un anneau de dentition, refroidi au congélateur;
- des bâtonnets de légumes précuits quelques minutes.

Par contre, évitez les crudités (carottes ou céleri, par exemple) avec lesquelles votre bébé peut s'étouffer.

Évitez les biscuits de dentition qui renferment trop de sucre.

L'introduction des aliments solides est une étape très agréable pour votre bébé. Elle lui permet de découvrir toute une gamme de saveurs et de textures différentes.

Chapitre 13

Les purées maison

Vous désirez offrir à votre bébé ce qu'il y a de mieux. Vous voulez lui donner des aliments frais, non additionnés de sucre, de tapioca ou d'autre féculent ou autre additif. Vous avez entendu parler de la méthode des purées au congélateur. Alors, voilà une solution simple et savoureuse. Vos purées maison, faites d'aliments frais du marché, ont toujours meilleur goût et fournissent plus d'éléments nutritifs qu'un petit pot que l'on achète.

Pour la préparation, il existe plusieurs options: choisissez celle qui convient mieux à votre horaire de travail. Vous pouvez utiliser la méthode du mélangeur-congélateur, faire des réserves et éliminer la préparation de dernière minute. Vous pouvez faire cuire des aliments pour la journée et les réduire en purée ou encore préparer de petites quantités juste avant le repas, pour plus de saveur. Dans les trois cas, vous devez suivre les mêmes règles en ce qui concerne le choix des aliments et les grandes règles de préparation. Vous pouvez aussi servir en alternance des purées maison et des petits pots.

Les atouts des purées maison

Avec les purées maison, vous augmentez la valeur nutritive du menu de votre bébé et vous avez le contrôle de la qualité. Vous pouvez faire connaître à votre bébé toute une gamme d'aliments encore absents des petits pots.

Du côté des légumes, vous n'avez pas besoin de vous limiter aux carottes, aux patates douces ou aux haricots verts. Faites goûter à votre bébé les courgettes, les asperges et même la laitue. Préparez du brocoli et du chou-fleur en purée, si riches en vitamine C, en calcium et en acide folique. Vous avez même la possibilité de préparer des purées avec des légumes de culture biologique, si vous voulez minimiser la présence de résidus de pesticides.

Les purées de fruits se préparent en un rien de temps. Certains fruits doivent être précuits, comme la pomme et la poire. Vous pouvez aussi préparer des purées de fruits crus avec l'ananas frais, le melon, la papaye et la mangue, ou simplement écraser à la fourchette la banane ou l'avocat.

Les purées de volaille sont simples à préparer avec des poitrines de poulet (de grains, si désiré), désossées et sans la peau. Les purées de poisson se font comme par magie avec des filets de poisson frais; elles regorgent de protéines faciles à digérer et d'acides gras oméga-3, que l'on appelle les bons gras.

Les purées maison ont une saveur incomparable. Le temps de cuisson étant limité, le goût très frais de ces purées varie même selon les saisons. La majorité des bébés les adorent.

Les purées maison ont aussi une couleur plus attrayante, non seulement pour votre bébé, mais pour vous, qui le nourrissez. Le vert tendre des asperges et des courgettes ainsi que l'orangé des carottes ou des papayes sont des plaisirs pour les yeux.

Les purées maison ne contiennent que l'aliment, sans agent épaisissant, et vous donnent la possibilité d'offrir des textures variées.

Les purées maison sont moins chères

Les purées maison permettent d'économiser, car elles coûtent environ la moitié du prix des petits pots que l'on peut acheter. En saison, vous faites des économies encore plus remarquables en utilisant les primeurs du marché.

C'est vous qui contrôlez la qualité des purées

Si vous respectez les directives qui suivent, vos purées maison seront meilleures que les petits pots, à tout point de vue. Choisissez des aliments de première qualité, car la qualité finale des purées dépend largement de la qualité des aliments choisis. Cette règle s'applique à toutes les recettes, mais demeure encore plus importante pour les aliments d'un bébé.

Le choix des aliments est plus grand

Choisissez de préférence des fruits et des légumes en saison, mûris à point, mais encore fermes. N'achetez que les fruits et les légumes qui ont l'air très frais. Comme solution de remplacement, utilisez des fruits congelés sans sucre ou des légumes congelés sans sel, sans sauce ni assaisonnement.

Si vous voulez minimiser la présence de résidus de pesticides, vous pouvez choisir des fruits et des légumes de culture biologique. Les bébés sont plus sensibles aux polluants et aux contaminants de l'environnement, à cause de leur très petite taille. Comparativement aux adultes, ils emmagasinent plus d'aliments par kilogramme de poids et donc plus de contaminants par kilogramme de poids. Si vous ne pouvez pas vous procurer d'aliments de culture biologique ou s'ils sont trop chers, lavez très soigneusement les fruits et les légumes frais et pelez-les avant la cuisson.

Oubliez les fruits et les légumes en conserve, car ils ne conviennent pas pour faire des purées. Bien que certains fruits et légumes soient offerts sans sucre ni sel ajouté, le traitement thermique qu'ils ont subi lors de la mise en conserve a réduit leur contenu en vitamines et en minéraux. Lorsqu'on prépare des purées maison, le principal objectif est d'obtenir un produit plus sain et plus nutritif, et non le contraire.

Les viandes fraîches ou surgelées, plus particulièrement les coupes maigres, les volailles fraîches ou surgelées, de grains ou ordinaires, conviennent aux bébés. Aucune viande fumée et transformée ne leur convient.

Le poisson frais ou surgelé sans sel, ni sauce, ni panure est également un bon choix. Pour minimiser la présence de polluants, évitez les poissons de pêche sportive ou de lacs pollués: doré, brochet et perchaude. Choisissez des poissons de mer et des fruits de mer, de pisciculture, si c'est possible: truite, saumon, aiglefin, flétan, goberge, morue, plie, sole, homard, crevettes et pétoncles. Plus les poissons sont jeunes et petits, moins ils renferment de contaminants. Les poissons en conserve renferment trop de sodium et ne sont pas recommandés avant l'âge de 12 mois.

Une méthode qui a fait ses preuves

Depuis plus de vingt ans, des milliers de parents utilisent cette méthode simple pour préparer leurs purées maison.

Quelques règles d'hygiène

Pour réduire les risques de contamination des aliments et pour protéger votre bébé contre des infections inutiles, vous devez prendre certaines mesures bien simples:

- lavez vos mains avant de manipuler les aliments qui servent à la préparation des purées;
- utilisez des ustensiles et des contenants bien propres;
- lorsque les aliments sont cuits et réduits en purée, couvrez-les avec un papier ciré et réfrigérez-les immédiatement. Ne laissez jamais les aliments cuits à la température de la pièce;
- lorsque vous préparez de petites quantités à la fois, conservez-les au réfrigérateur pendant 3 jours, au maximum;
- ne recongelez pas une purée décongelée.

Procurez-vous les ustensiles nécessaires

Un mélangeur ou un robot culinaire facilite le travail, mais vous pouvez utiliser un mélangeur manuel pour préparer de petites quantités à la fois.

Vous avez aussi besoin de casseroles, de tasses et de cuillères à mesurer, de bacs à glaçons, de sacs à congélation avec attaches, d'étiquettes et de petits moules à muffins.

Faites cuire les aliments rapidement

Les aliments cuits sont plus faciles à digérer, mais les aliments trop cuits perdent leur contenu en vitamines et en minéraux. Faites cuire les légumes frais à la vapeur ou au four à micro-ondes. Ces deux méthodes n'exigent qu'une petite quantité d'eau et qu'une cuisson de courte durée; elles sont reconnues pour minimiser les pertes d'éléments nutritifs. Faites cuire les légumes congelés sans les décongeler. Faites bien cuire la viande, le poisson et la volaille dans très peu de liquide. Faites pocher les fruits pelés quelques minutes dans une petite quantité d'eau ou de jus de fruits, sur la cuisinière ou au four à micro-ondes. La papaye, la mangue, l'ananas frais et les melons peuvent être réduits en purée sans cuisson. La banane et l'avocat peuvent simplement être écrasés à la fourchette.

Préparez de petites quantités à la fois, car de grandes quantités surchargent le mélangeur et nuisent à la qualité du produit fini. Limitezvous à 375 à 500 ml (1½ à 2 tasses) d'aliments à la fois. Pour la viande et la volaille, limitez la quantité à 250 ml (1 tasse).

N'ajoutez ni sel ni sucre

Jusqu'à l'âge de 12 mois, les bébés n'ont pas besoin d'assaisonnements pour être heureux! Ils apprécient le goût naturel des légumes et ne refusent aucun fruit nature. L'ajout de sel au cours des premiers mois peut surcharger les reins du bébé, alors que l'ajout du sucre cultive le besoin de sucreries.

Ni le miel ni le sirop de maïs ne sont recommandés avant l'âge de 12 mois, à cause des risques d'intoxication, qui peut causer le botulisme, maladie grave, due à la toxine *clostridium botulinum*.

N'ajoutez donc aucun sel dans l'eau de cuisson des légumes et n'ajoutez aucun sucre aux fruits avant de les mettre en purée. Si vous désirez offrir les mêmes aliments aux autres membres de la famille, ajoutez le sel ou le sucre après avoir mis de côté la portion de votre bébé.

Versez la purée dans des bacs à glaçons

Versez la purée dans des bacs à glaçons et réfrigérez immédiatement. Chaque glaçon renferme environ 30 ml (2 c. à soupe) de purée. Congelez les purées après les avoir fait refroidir au réfrigérateur.

> *Une maman m'a suggéré de remplir les glaçons à moitié, lors de l'introduction d'un nouvel aliment, afin de minimiser les pertes. Excellente idée!*

Couvrez les bacs à glaçons de papier ciré et placez-les dans la partie la plus froide du congélateur, loin de la porte. Laissez-les ainsi de 8 à 12 heures.

Lorsque les purées sont bien congelées, retirez les purées des bacs à glaçons et déposez-les dans des sacs à congélation, un seul type d'aliments par sac. À l'aide d'une paille, retirez l'air du sac et scellez. Identifiez chaque sac en inscrivant le type d'aliment et la date de préparation. Rangez rapidement les sacs au congélateur.

Si vous ne préparez que de petites quantités à la fois, conservez-les au réfrigérateur dans un contenant bien fermé, 2 à 3 jours.

Conservation des purées au congélateur[1]

légumes	6 à 8 mois
fruits	6 à 8 mois
viande et volaille cuite	1 à 2 mois
poisson cuit	1 à 2 mois
repas de viande et de légumes	1 à 2 mois
purées préparées avec du lait	4 à 6 semaines
légumineuses ou tofu	2 à 3 mois

1. Le premier chiffre correspond au temps de congélation maximum recommandé, si on met les purées au congélateur du réfrigérateur et le deuxième, si on met les purées au congélateur-coffre.

Réchauffez les purées à la dernière minute

Juste avant le repas, retirez du congélateur le nombre de glaçons nécessaires et déposez-les dans un contenant ou un bol en verre. Réchauffez les glaçons quelques minutes dans l'eau bouillante ou 30 secondes au four à micro-ondes.

Évitez de surchauffer. Mélangez bien avec une cuillère pour distribuer la chaleur. Avant de servir, vérifiez toujours la température en versant quelques gouttes du mélange sur le bout de votre langue ou sur le dessus de votre main.

Prévoyez des réserves pour 4 à 6 semaines seulement

Vous n'avez pas besoin de remplir votre congélateur pour 6 mois de purée de carottes ou de pommes. Vous introduisez les purées de légumes et de fruits au menu de votre bébé vers l'âge de 5 ou 6 mois, mais vous n'avez besoin de cette consistance très lisse que pendant 4 à 6 semaines. Vers l'âge de 7 à 8 mois, dès qu'il a goûté à la majorité des légumes et des fruits, votre bébé peut mastiquer plus facilement et accepter les aliments écrasés à la fourchette ou en purée plus consistante, même s'il n'a pas de dents.

Si vous n'y prenez garde, votre bébé peut s'abonner aux purées. Or, dès l'âge de 9 mois, il est prêt à manger des aliments mélangés et des aliments écrasés à la fourchette, et à goûter à des saveurs plus relevées.

RECETTES

LES LÉGUMES

LA PURÉE D'ASPERGES

Un délice du printemps

**0,5 kg (env. 1 lb) d'asperges fraîches en saison
eau**

Casser les bouts coriaces des asperges. Laver les tiges et les pointes d'asperges. Les tailler en morceaux de 5 cm (2 po).

Les faire cuire à la vapeur 10 à 15 minutes ou jusqu'à ce qu'elles soient tendres.

Ou, au four à micro-ondes, placer les morceaux d'asperges dans un contenant en verre, ajouter 60 ml (¼ tasse) d'eau et couvrir. Faire cuire à haute intensité 6 à 9 minutes. Remuer avec une fourchette, à mi-cuisson.

Laisser refroidir 3 minutes.

Placer la moitié des asperges dans le mélangeur avec un peu d'eau de cuisson. Réduire en purée. Répéter l'opération avec le reste des asperges.

Verser dans un bac à glaçons et congeler.

Rendement: *325 ml (1½ tasse)*
Conservation: *6 à 8 mois*

LA PURÉE DE BETTERAVES

Attendez que votre bébé ait au moins 9 mois pour lui offrir des betteraves, à cause du contenu élevé en nitrates. La même recommandation s'applique aux épinards et au navet. Servez les betteraves avec deux bavettes: une pour bébé et une pour vous!

0,5 kg (env. 1 lb) de jeunes betteraves
eau

Brosser les betteraves avec une brosse à légumes. Couper les tiges à 5 cm (2 po) de la betterave. Ne pas peler les betteraves et les laisser entières.

Les faire cuire dans l'eau bouillante environ 45 minutes.

Ou les faire cuire au four à micro-ondes, dans un plat en pyrex avec 30 ml (2 c. à soupe) d'eau et couvrir. Laisser cuire environ 12 minutes à haute intensité.

Laisser refroidir 3 minutes avant de manipuler.

Peler les betteraves cuites et les trancher.

Les déposer dans le mélangeur avec 60 à 80 ml (¼ à ⅓ tasse) d'eau fraîche comme dans le cas des carottes, réduire en purée.

Verser dans un bac à glaçons et congeler.

Rendement: 325 ml (1½ tasse)
Conservation: 6 à 8 mois

LA PURÉE DE BROCOLI

Le brocoli bien frais a une saveur presque sucrée. Il est particulièrement riche en vitamine C, en bêta-carotène, en fer, en calcium et en acide folique. Vous pouvez aussi acheter du brocoli pourpre que l'on trouve l'été et qui donne une purée d'un vert plus tendre.

1 pied de brocoli frais, environ 750 g (1½ lb)
eau

Couper les tiges et les mettre de côté. Conserver seulement les fleurs pour la purée du bébé. Utiliser les queues pour un repas au wok, sautées à la chinoise, ou pour le reste de la famille.

Faire cuire le brocoli à la vapeur 10 à 15 minutes ou jusqu'à ce qu'il soit tendre et d'un vert éclatant.

Ou faire cuire au four à micro-ondes, dans un plat en pyrex; verser 30 ml (2 c. à soupe) d'eau et couvrir. Faire cuire à puissance maximale pendant 7 à 10 minutes. Remuer avec une fourchette, à mi-cuisson.

Laisser refroidir 3 minutes avant de verser le brocoli au mélangeur.

Placer la moitié des fleurs de brocoli dans le mélangeur et ajouter 60 ml (¼ tasse) d'eau de cuisson ou autre. Réduire en purée. Répéter l'opération avec le reste du brocoli.

Verser dans un bac à glaçons et congeler.

Rendement: *325 ml (1½ tasse)*
Conservation: *6 à 8 mois*

LA PURÉE DE CAROTTES

Les bébés adorent la couleur et la saveur des carottes. Choisissez, si possible, des carottes de culture biologique, pour réduire le contenu en nitrates.
Jetez l'eau de cuisson et utilisez de l'eau fraîche pour la mise en purée.

1 kg (2 lb) de carottes fraîches
eau

Couper les bouts des carottes. Bien brosser les carottes et les peler. Les couper en morceaux de 2,5 cm (1 po).

Les faire cuire à la vapeur 15 à 20 minutes ou jusqu'à ce qu'elles soient tendres.

Ou les faire cuire au four à micro-ondes, dans un plat en pyrex, en ajoutant 15 à 30 ml (1 à 2 c. à soupe) d'eau. Faire cuire à puissance maximale 15 à 18 minutes. Remuer avec une fourchette, à mi-cuisson.

Les laisser refroidir légèrement pendant 3 minutes avant de les verser dans le mélangeur.

Placer 375 ml (1½ tasse) de carottes dans le mélangeur et ajouter 80 ml (⅓ tasse) d'eau fraîche. Réduire en purée. Répéter l'opération avec le reste des carottes.

Verser dans 2 bacs à glaçons et congeler.

Rendement: 750 ml (3 tasses)
Conservation: 6 à 8 mois

LA PURÉE DE CHOU-FLEUR

Le chou-fleur est très riche en vitamine C, comme les autres membres de la famille des choux. Il apporte une nouvelle saveur au menu de votre bébé et il ajoute une couleur différente dans son assiette.

1 petit chou-fleur
eau
125 ml (½ tasse) de lait maternel ou de préparation pour nourrissons

Séparer le chou-fleur en petites fleurs. Retirer toutes les parties vertes. Bien laver. Le faire cuire à la vapeur 15 à 20 minutes ou jusqu'à ce qu'il soit tendre.

Ou faire cuire au four à micro-ondes, dans un plat en pyrex couvert. Faire cuire à puissance maximale, 9 à 11 minutes. Remuer avec une fourchette, à mi-cuisson.

Laisser refroidir légèrement pendant 3 minutes avant de mettre dans le mélangeur. Placer 375 ml (1½ tasse) de fleurettes dans le mélangeur et ajouter 250 ml (1 tasse) d'eau et 60 ml (¼ tasse) de lait.

Réduire en purée. Répéter l'opération avec le reste des ingrédients.

Verser dans 2 bacs à glaçons et congeler.

Rendement: 500 à 750 ml (2 à 3 tasses)
(selon la grosseur du chou-fleur)
Conservation: *4 à 6 semaines*

LA PURÉE DE COURGE D'HIVER

Les courges d'hiver (courgeron, courge musquée ou citrouille) contiennent beaucoup de bêta-carotène et on peut se les procurer de l'automne au printemps. La courge spaghetti n'est pas aussi riche en bêta-carotène, mais peut ajouter au menu une saveur différente.

1 courge d'hiver (courgeron ou courge musquée)
eau

Brosser et laver la courge.

Couper la courge en deux, puis retirer les graines. Déposer les deux moitiés sur une tôle à biscuits, la surface coupée sur la tôle. Faire cuire au four à 180°C (350°F) environ 45 minutes ou jusqu'à ce que la courge soit très tendre.

Ou, au four à micro-ondes, couper la courge en deux et en retirer les graines. Déposer la surface coupée dans un plat en verre peu profond. Faire cuire à haute intensité, 12 à 16 minutes, ou jusqu'à ce que la courge soit tendre.

Laisser refroidir légèrement pendant 3 minutes avant de mettre dans le mélangeur.

Placer la chair dans le mélangeur avec 60 ml (¼ tasse) d'eau.

Réduire en purée.

Verser dans un bac à glaçons et congeler.

Rendement: 325 ml (1½ tasse)
(ou plus selon la grosseur de la courge)
Conservation: *6 à 8 mois*

LA PURÉE DE COURGETTES

La courgette (zucchini) a une saveur douce et sucrée. On peut la trouver en été et en automne, et elle donne une purée d'un vert très tendre.
Les bébés en raffolent!

7 à 8 petites courgettes, environ 750 g (1½ lb)
eau

Laver la courgette et bien la brosser, mais ne pas la peler. En tailler les extrémités. Couper en morceaux de 1,5 cm (½ po).

Les faire cuire à la vapeur, 10 à 12 minutes, ou jusqu'à ce qu'ils soient tendres.

Ou, au four à micro-ondes, placer les courgettes dans un plat en pyrex avec quelques cuillères d'eau. Couvrir. Faire cuire à haute intensité, 11 à 13 minutes. Faire pivoter le plat, à mi-cuisson.

Laisser refroidir légèrement pendant 3 minutes avant de mettre dans le mélangeur.

Placer la moitié des courgettes dans le mélangeur sans ajouter d'eau. Réduire en purée. Répéter l'opération avec le reste des courgettes. Verser dans 2 bacs à glaçons et congeler.

Rendement: 500 à 750 ml (2 à 3 tasses)
Conservation: 6 à 8 mois

LA PURÉE DE HARICOTS VERTS

Plus jeunes sont les haricots, plus savoureuse est la purée. Les petits haricots jaunes ou verts surgelés peuvent aussi être utilisés.

750 g (1½ lb) de jeunes et tendres haricots verts
eau

Casser le bout des fèves. Tailler les fèves en trois.

Les faire cuire à la vapeur, 10 à 15 minutes, ou jusqu'à ce qu'elles soient bien tendres.

Ou les faire cuire au four à micro-ondes, en plaçant les fèves dans un plat en pyrex, ajouter 60 ml (¼ tasse) d'eau et couvrir. Cuire à haute intensité pendant 15 à 19 minutes. Remuer avec une fourchette, à mi-cuisson.

Laisser refroidir légèrement pendant 3 minutes avant de mettre dans le mélangeur.

Placer la moitié des fèves dans le mélangeur avec 80 ml (⅓ tasse) d'eau. Réduire en purée. Répéter l'opération avec le reste des fèves.

Verser dans 2 bacs à glaçons et congeler.

Rendement: 500 à 750 ml (2 à 3 tasses)
Conservation: 6 à 8 mois

LA PURÉE DE POIS VERTS

Très verte, très riche en fer et bien sucrée.

500 ml (2 tasses) de pois verts frais,
soit 1 kg (2¼ lb) de pois dans leur gousse, à l'achat
ou
500 ml (2 tasses) de pois verts, surgelés
eau

Écosser et laver les pois.

Les faire cuire à la vapeur pendant 12 à 15 minutes ou jusqu'à ce qu'ils soient bien tendres.

Ou, au four à micro-ondes, placer les pois dans plat en pyrex; ajouter 60 ml (¼ tasse) d'eau et couvrir. Faire cuire à haute intensité, 8 à 11 minutes. Remuer avec une fourchette, à mi-cuisson.

Laisser refroidir légèrement pendant 3 minutes avant de mettre dans le mélangeur.

Placer dans le mélangeur avec 60 ml (¼ tasse) d'eau de cuisson. Réduire en purée.

Verser dans un bac à glaçons et congeler.

Rendement: 325 ml (1½ tasse)
Conservation: 6 à 8 mois

LES FRUITS

LA COMPOTE DE POMMES

Si vous cuisez les pommes avec la pelure, les pommes de culture biologique sont un meilleur choix. Le temps de cuisson varie, selon le type de pomme utilisé. Les pommes McIntosh, en saison, donnent une purée rosée et sucrée, et prennent moins de temps à cuire que les pommes d'hiver. Lorsque votre bébé a plus de 12 mois, assaisonnez d'un peu de cannelle.

8 à 10 pommes
eau

Laver les pommes et bien les brosser, mais ne pas les peler. En retirer le cœur.

Les couper en quartiers et les trancher.

Faire cuire dans 125 ml (½ tasse) d'eau. Amener à ébullition, réduire la température et laisser mijoter 20 minutes ou jusqu'à ce que les pommes soient tendres.

Ou, au four à micro-ondes, placer les pommes dans un plat en pyrex, ajouter 125 ml (½ tasse) d'eau et couvrir. Faire cuire à haute intensité, 12 à 15 minutes, ou jusqu'à ce qu'elles soient tendres.

Laisser refroidir 5 minutes.

Placer 500 ml (2 tasses) de pommes dans le mélangeur. Les réduire en purée jusqu'à ce que la pelure ait complètement disparu. Si le mélangeur n'est pas assez puissant pour réduire la pelure en purée, passer le mélange au tamis ou peler les pommes avant de les cuire. Répéter l'opération avec le reste des pommes.

Verser dans 2 bacs à glaçons et congeler.

Rendement: 500 à 750 ml (2 à 3 tasses)
Conservation: 6 à 8 mois

LA PURÉE DE PÊCHES

Les pêches fraîches sont un luxe saisonnier. Les nectarines sont plus faciles à trouver et peuvent les remplacer, tout au cours de l'année.
Lorsque votre bébé a plus de 8 mois, écrasez les pêches fraîches, crues, à la fourchette, tout simplement.

1 litre (4 tasses) de pêches fraîches,
pelées, dénoyautées et tranchées
eau

Faire cuire les pêches dans environ 125 ml (½ tasse) d'eau. Amener à ébullition, réduire la chaleur et laisser mijoter, 15 à 20 minutes, ou jusqu'à ce qu'elles soient tendres.

Ou, au four à micro-ondes, placer les pêches dans un plat en pyrex, ajouter 125 ml (½ tasse) d'eau et couvrir. Faire cuire à intensité moyenne, 7 à 8 minutes.

Laisser refroidir 5 minutes avant de mettre dans le mélangeur.

Placer la moitié des pêches dans le mélangeur et ajouter 15 ml (1 c. à soupe) d'eau de cuisson. Réduire en purée. Répéter l'opération avec le reste des pêches.

Verser dans 2 bacs à glaçons et congeler.

Rendement: 325 à 500 ml (1½ à 2 tasses)
Conservation: 6 à 8 mois

LA PURÉE DE POIRES

Chaque type de poires a une saveur propre. Vous pouvez décider de préparer la moitié de la recette avec des poires Bartlett et l'autre moitié avec des poires rouges Anjou. Lorsque votre bébé aura goûté à tous les fruits, faites cuire les poires dans du jus de pomme ou préparez une purée de pommes-poires en utilisant les deux fruits dans la même recette. Les poires pochées peuvent être écrasées à la fourchette, un peu plus tard.

9 à 11 poires moyennes
eau

Peler les poires, les couper en quartiers et en retirer le cœur.

Faire cuire dans 125 ml (½ tasse) d'eau. Laisser mijoter 20 à 30 minutes ou jusqu'à ce qu'elles soient tendres.

Ou, au four à micro-ondes, placer les poires dans un plat en pyrex, ajouter 125 ml (½ tasse) d'eau et couvrir. Faire cuire à intensité moyenne, 10 à 15 minutes.

Laisser refroidir 5 minutes avant de mettre dans le mélangeur.

Placer la moitié des poires dans le mélangeur et ajouter 30 ml (2 c. à soupe) d'eau de cuisson. Réduire en purée. Répéter l'opération avec le reste des poires.

Verser dans 2 bacs à glaçons et congeler.

Rendement: 500 à 750 ml (2 à 3 tasses)
Conservation: 6 à 8 mois

LA PURÉE DE PRUNEAUX

Les pruneaux sont sucrés, riches en fer et riches en fibres. Ils sont très appréciés des bébés! Lorsque votre bébé a goûté à tous les fruits, variez son menu en mélangeant une part de purée de pruneaux avec une part de compote de pommes ou de poires. La purée de pruneaux peut aussi réduire les problèmes de constipation du bébé.

375 ml (1½ tasse) de pruneaux secs, dénoyautés
500 ml (2 tasses) d'eau chaude
250 ml (1 tasse) d'eau froide

Faire tremper les pruneaux dans l'eau chaude pendant 5 à 15 minutes, puis les égoutter. Placer les pruneaux et l'eau froide dans une casserole, puis amener à ébullition. Réduire le feu et laisser mijoter 20 minutes.

Retirer du feu et laisser refroidir 5 minutes.

Placer la moitié des pruneaux dans le mélangeur et ajouter 80 ml (⅓ tasse) d'eau de cuisson. Réduire en purée. Répéter l'opération avec le reste des pruneaux.

Verser dans un bac à glaçons et congeler.

Rendement: 500 ml (2 tasses)
Conservation: 6 à 8 mois

VIANDE, VOLAILLE, POISSON, LÉGUMINEUSES ET TOFU

LA PURÉE DE BŒUF

Vous pouvez remplacer le boeuf par du veau et faire une purée de veau.
Les légumes ajoutés pendant la cuisson jouent un rôle sur le plan de la saveur.

0,5 kg (env. 1 lb) de bœuf tendre, maigre, taillé en morceaux de 2,5 cm (1 po)
eau
1 branche de céleri, hachée
3 carottes, pelées et coupées en morceaux
2 pommes de terre moyennes, pelées et coupées en quartiers
15 ml (1 c. à soupe) d'oignon émincé

Placer le bœuf et 560 ml (2¼ tasses) d'eau dans une casserole, puis laisser mijoter pendant 45 minutes.

Ajouter le céleri, les carottes, les pommes de terre et l'oignon. Laisser cuire environ 35 minutes ou jusqu'à ce que les légumes soient tendres.

Retirer du feu et laisser refroidir quelques minutes.

Séparer les légumes de la viande. Placer 200 ml (env. ¾ tasse) de viande dans le mélangeur et ajouter 80 ml (⅓ tasse) d'eau de cuisson. Réduire en purée jusqu'à consistance lisse. Répéter l'opération avec le reste du bœuf.

Verser dans un bac à glaçons et congeler.

Un conseil: Réduire les légumes en purée avec le reste de l'eau de cuisson et les incorporer dans un potage ou une sauce pour les autres membres de la famille.

Rendement: 300 ml (1¼ tasse)
Conservation: 1 à 2 mois

LA PURÉE DE FOIE

Le foie est un aliment très riche en fer. Vous pouvez utiliser différentes sortes de foie, mais le foie de veau et les foies de poulet ont une saveur plus délicate que les autres foies. Choisissez des foies de poulet de grains, de préférence.

5 à 6 foies de poulet de grains

ou

150 g (5 oz) de foie de veau
bouillon de poulet maison, non salé

ou

bouillon de légumes, non salé

Tailler les foies et en retirer les membranes blanches. Les faire cuire dans une casserole avec 250 ml (1 tasse) de bouillon. Faire mijoter doucement environ 10 minutes ou jusqu'à ce que les foies soient gris-brun à l'intérieur.

Placer les foies dans le mélangeur et ajouter un peu d'eau de cuisson. Réduire en purée jusqu'à consistance lisse. Répéter l'opération avec le reste des foies.

Verser dans un bac à glaçons et congeler.

Rendement: *170 ml (⅔ tasse)*
Conservation: *1 à 2 mois*

LA PURÉE DE POULET

On recommande d'utiliser le poulet de grains. Si vous souhaitez varier le menu et faire quelques économies, surveillez les spéciaux de la semaine et utilisez des poitrines de dinde, plutôt que des poitrines de poulet. Si vous avez du lapin ou un autre gibier d'élevage, vous pouvez également en préparer pour votre bébé.

**2 poitrines de poulet désossées, sans la peau
eau ou bouillon de légumes, non salé**

Faire cuire les poitrines de poulet à la vapeur pendant environ 10 à 12 minutes ou jusqu'à ce que la chair du poulet soit bien blanche, sans être dure. Les retirer du feu et les tailler en gros morceaux.

Placer 125 ml (½ tasse) de poulet dans le mélangeur et ajouter 80 ml (⅓ tasse) d'eau de cuisson. Réduire en purée jusqu'à consistance très lisse. Ajouter du liquide, si nécessaire. Répéter avec le reste du poulet.

Verser dans un bac à glaçons et congeler.

Rendement: 250 à 300 ml (1 à 1¼ tasse)
Conservation: 1 à 2 mois

LA PURÉE DE POISSON

Les bébés aiment le goût et la texture du poisson, et les parents en apprécient la rapidité de la préparation! Le poisson est une excellente source de protéines et d'acides gras oméga-3. Évitez les poissons de pêche sportive ou de lacs pollués: doré, brochet et perchaude. Choisissez des filets de poisson de pisciculture, truite ou saumon, ou des poissons de mer comme l'aiglefin, le flétan, la goberge, la morue, la plie et la sole, pour minimiser la quantité de polluants.

250 g (env. ½ lb) de filets de poisson
125 ml (½ tasse) de préparation pour nourrissons ou de lait entier
(ne pas utiliser de lait à 2 %, à 1 % ou écrémé avant l'âge de 2 ans)

Il faut s'assurer qu'il ne reste aucune arête, en glissant les doigts sur le filet de poisson cru.

Placer 60 ml (¼ tasse) de lait dans une casserole et le faire chauffer doucement. Ajouter les filets. Les couvrir et les faire pocher à basse température, 5 à 10 minutes, ou jusqu'à ce que les filets se défassent facilement avec une fourchette.

Les retirer du feu et les laisser refroidir légèrement.

Placer la moitié du poisson et du lait de cuisson dans le mélangeur. Réduire en purée jusqu'à consistance lisse. Répéter l'opération avec le reste du poisson.

Verser dans un bac à glaçons et congeler.

Un conseil: Lorsque votre bébé a goûté à tous les aliments de base, vous pouvez assaisonner l'eau de cuisson avec 30 ml (2 c. à soupe) d'oignon émincé.

Rendement: 250 ml (1 tasse)
Conservation: 4 à 6 semaines

LA PURÉE DE LÉGUMINEUSES

Les légumineuses sont faciles à digérer, mais elles peuvent donner des gaz. Faites quelques essais avec de petites quantités, avant d'en offrir tout un plat.

250 ml (1 tasse) de lentilles ou de pois cassés

ou

250 ml (1 tasse) de haricots rouges ou blancs, préalablement trempés

eau

Dans une casserole, recouvrir les légumineuses d'une bonne quantité d'eau et les faire cuire environ une heure. Lorsque les légumineuses sont très tendres et qu'elles s'écrasent à la fourchette, les retirer du feu, les laisser refroidir quelques minutes, puis les égoutter.

Verser la moitié des légumineuses cuites dans le mélangeur avec environ 500 ml (2 tasses) d'eau fraîche. Réduire le tout en purée. Recommencer l'opération avec le reste des légumineuses et d'autre eau.

Verser la purée dans des bacs à glaçons.

Rendement: 500 à 750 ml (2 à 3 tasses)
Conservation: 2 à 3 mois

LA PURÉE DE TOFU

C'est la plus simple de toutes les purées, puisque le tofu ne requiert aucune préparation ni cuisson! Le tofu a fait le bonheur de mon petit-fils pendant quelques mois, à cause de sa saveur douce et de sa texture si facile à avaler. Vous pouvez graduellement mélanger le tofu écrasé avec une purée de légumes ou même de fruits.

30 à 60 ml (1 à 2 oz) de tofu mou de type japonais (Kikkoman ou Mori-Nu), si vous pouvez vous le procurer, parce que la texture est plus veloutée et la saveur, plus douce

Écraser le morceau de tofu dans un plat et servir.

Rendement: un repas
Conservation: *se mange à mesure (le tofu dont le contenant est ouvert se conserve dans l'eau, au frigo, pendant 7 à 10 jours)*

Chapitre 14

Les céréales

L es céréales peuvent fournir à votre bébé des éléments nutritifs importants, comme le fer par exemple. Elles sont fréquemment offertes comme premier aliment solide. Certaines sont adaptées aux besoins du bébé, d'autres pas.

Vous êtes un peu confus face à toutes les sortes disponibles sur le marché. Pour vous aider à y voir plus clair et à choisir la bonne sorte au bon moment, voici regroupées toutes les céréales que l'on peut offrir à un bébé avant ou après 12 mois, selon leurs caractéristiques principales.

Le groupe des céréales précuites et enrichies de fer

Celles-ci sont appelées «céréales pour bébés» et constituent en quelque sorte les céréalcs classiques adaptées aux besoins du bébé. Certaines sont faites à partir de grains entiers, d'autres sont raffinées. Elles sont toutes précuites pour gélatiniser les amidons et faciliter la digestion. Elles sont aussi enrichies de fer, de vitamines du complexe B, de calcium et de phosphore (voir p. 118 pour savoir comment les introduire).

Dans ce type de céréales, vous trouvez:

- la céréale de riz brun (Bienfaits de la terre)
- des céréales à grain unique (riz ou orge), avec ou sans fruit, (Heinz, Pablum);
- des céréales multigrains entiers (Bienfaits de la terre, Kashi de Baby&Me)

- des céréales raffinées mélangées (Heinz, Pablum);
- la céréale mélangée avec du soya: Infantsoy (Heinz).

À l'automne 1998, certaines céréales Heinz, (orge, riz, riz avec pommes, riz avec bananes et vanille, riz avec poire et orange) contenaient toujours du shortening d'huile végétale, un gras hydrogéné non souhaitable pour personne mais encore moins pour un bébé.

> Ce type de céréales fournit entre 8 et 14 mg de fer, selon les marques, dans 100 ml (6½ c. à soupe).

Le groupe des céréales prémélangées avec préparation pour nourrissons enrichies de fer

Ces céréales sont raffinées, précuites et prémélangées à une certaine quantité de préparation pour nourrissons. Elles sont enrichies de fer, autres minéraux et vitamines mais contiennent moins de fer que les céréales du premier groupe. Elles se préparent en y ajoutant simplement de l'eau plutôt que du lait ou de la préparation pour nourrissons. Dans cette catégorie, vous trouvez:

- les céréales à grain unique (riz, orge, avoine), avec ou sans fruit ajouté (Bébérepas de Milupa);
- une céréale à grain unique (maïs) avec légumes (Bébérepas de Milupa);
- les céréales mélangées avec fruit (Bébérepas de Milupa).

Cette catégorie de céréales renferme aucun gras hydrogéné:

> Ces céréales prémélangées avec de la préparation pour nourrissons fournissent environ 4 mg de fer dans 100 ml (6½ c. à soupe).

Quelques céréales de grains entiers, non enrichies de fer

Ces céréales sont composées d'un ou de plusieurs grains entiers germés ou écrasés et mélangés avec d'autres ingrédients.

- céréales au riz brun (Healthy Times)
- mélangées avec fruits secs et germe de blé (Familia)
- céréales d'avoine avec purée de banane et jus de pomme (Healthy Times)

Ces céréales ne renferment aucune huile ni autre matière grasse et sont habituellement disponibles dans les magasins d'aliments naturels.

> Les céréales de type Healthy Times contiennent environ
> 0,25 mg de fer dans 100 ml (6½ c. à soupe).

Les biscuits de céréales

Certains de ces biscuits existent depuis plusieurs années, d'autres sont tout nouvellement arrivés sur le marché.

- les biscuits de type Farley contiennent de la farine blanche enrichie, du sucre, de l'huile de palme, des vitamines et de la poudre de banane dans le cas des biscuits à la banane. Ils sont enrichis de fer, de vitamines du complexe B et du calcium. Un biscuit fournit 2,7 mg de fer.
- les biscuits de type Healthy Times contiennent trois farines biologiques (blé entier, avoine et soya), de la mélasse non sulfureuse, de la poudre de lait et des saveurs naturelles. Le contenu en fer n'est pas indiqué.

Lesquelles choisir avant 12 mois?

Vous choisissez une céréale en fonction des besoins nutritifs de votre bébé et en fonction du lait qu'il boit. Vous introduisez les céréales au menu lorsque votre bébé de 4 à 6 mois a des besoins particulièrement élevés en fer. *Vous devez lui donner dans son alimentation au moins 7 mg de fer par jour.*

Si votre bébé est allaité, le fer du lait maternel ne suffit plus. La première céréale à offrir est donc une céréale pour bébé, à grain unique et enrichie de fer. La céréale de riz brun (Bienfaits de la terre) est très intéressante puisqu'elle ne renferme aucun shortening d'huile végétale et fournit 6 fois plus de fibres que la céréale de riz blanc (Heinz).

Lorsque votre bébé a goûté aux trois céréales à grain unique (riz, orge, avoine) et qu'il a plus de 6 mois, choisissez parmi les autres céréales enrichies en fer.

Si vous préparez une céréale qui n'est pas enrichie de fer, assurez-vous que votre bébé reçoive le fer nécessaire avec d'autres aliments ou avec une supplément de fer (0,5 ml de Fer-In-Sol fournit 7,5 mg de fer).

Si votre bébé boit une préparation pour nourrissons enrichie de fer (voir p. 87) ou une préparation de transition (voir p. 87), vous pouvez choisir n'importe quelle céréale, enrichie ou non de fer, puisque votre bébé reçoit une bonne dose fer dans son lait. Commencez toutefois par une céréale à grain unique.

Si votre bébé boit une préparation pour nourrissons qui n'est pas enrichie de fer (voir p. 87), vous devez choisir parmi les céréales pour bébés enrichies de fer (voir p. 153) ou avoir recours à un supplément de fer (0,5 ml de Fer-In-Sol fournit 7,5 mg de fer). Commencez par une céréale à grain unique.

Si votre bébé boit du lait de vache ou de chèvre entier ou du lait concentré[1], vous devez choisir parmi les céréales pour bébés enrichies de fer ou avoir recours à un supplément de fer (0,5 ml de Fer-In-Sol fournit 7,5 mg). Commencez par une céréale à grain unique.

D'autres céréales

Il existe une vaste gamme de céréales pour enfants ou pour adultes, prêtes à manger, à cuire ou encore à moudre. Certaines ont été pensées en fonction des besoins nutritifs du jeune enfant, d'autres pas.

QUELQUES CÉRÉALES POUR BÉBÉS DE 12 MOIS ET PLUS

Parmi cette nouvelle gamme de céréales, vous trouvez:

- des céréales sèches à base de farine d'avoine et de maïs légèrement sucrées avec du sucre (Nutrios de Heinz) et enrichies de fer, de vitamines B et de calcium.
- des céréales croustillantes faites de flocons d'avoine, de mais et de riz, de sucre et de poudre de lait (les Tout-petits de Heinz). Elles sont enrichies de fer, de vitamines B et de calcium. Ces dernières renferment toutefois 4 fois plus de sucre que les Nutrios.

Les Nutrios fournissent 6 mg de fer dans 30 g (250 ml).
Les Tout-petits fournissent 6 mg de fer dans 28 g (45 ml).

• Repas Bambins de Milupa: le contenu en fer n'est pas indiqué.

Des céréales sèches prêtes à servir

Parmi une vaste gamme, les céréales d'avoine (Cheerios), de maïs (Corn Flakes) ou de riz (Rice Krispies) sont raffinées, sucrées et enrichies d'une certaine quantité de fer et de vitamines B. Par contre, les céréales de son (Bran Flakes) sont faites de blé entier, additionnées de son de blé et enrichies de fer, alors que le blé filamenté (Shredded Wheat) n'est ni raffiné ni enrichi de fer. Lisez toujours les étiquettes pour connaître la valeur nutritive de la céréale choisie:

Corn Flakes, Rice Krispies	100 ml (6½ c. à soupe)	1,3 et 2 mg de fer
Bran Flakes, Raisin Bran	100 ml (6½ c. à soupe)	2,7 mg de fer
Shredded Wheat	100 ml (6½ c. à soupe)	0,8 mg de fer
Grape Nuts	100 ml (6½ c. à soupe)	6,4 mg de fer
Grape Nuts en flocons	100 ml (6½ c. à soupe)	1,8 mg de fer

Des céréales à cuire

La crème de blé est une céréale raffinée, fortement enrichie de fer, alors que le gruau et la crème de riz brun sont des grains entiers qui ne sont pas enrichis de fer. Lisez toujours les étiquettes pour connaître la valeur nutritive de la céréale choisie:

crème de blé enrichie de fer	100 ml (6½ c. à soupe)	7 mg de fer
crème de riz brun	100 ml (6½ c. à soupe)	3 mg de fer
gruau d'avoine	100 ml (6½ c. à soupe)	1,8 mg de fer

Les céréales entières, fraîchement moulues

Les adeptes de la fameuse crème Budwig du Dr Kousmine savent qu'il est possible d'acheter du millet, du quinoa ou de l'amarante et de les moudre dans un petit moulin, afin d'en obtenir une farine. La céréale fraîchement moulue peut ensuite être incorporée dans une crème Budwig ou peut être cuite de 5 à 10 minutes dans un peu d'eau. Ces trois céréales entières sont particulièrement riches en fer:

quinoa fraîchement moulu	100 ml (6½ c. à soupe)	5,4 mg de fer
millet fraîchement moulu	100 ml (6½ c. à soupe)	7,9 mg de fer
amarante fraîchement moulue	100 ml (6½ c. à soupe)	6,4 mg de fer

Lesquelles choisir après 1 an?

Lorsque votre bébé a plus d'un an, il peut encore être allaité ou boire du lait de vache ou de chèvre entier (à 3,25 %), ce qui lui fournit très peu de fer. Il a besoin de 6 mg de fer par jour et il ne mange que de petites quantités d'aliments riches en fer, comme la viande, les légumineuses et les légumes très verts. Comme tous les bébés, il peut facilement manquer de fer jusqu'à l'âge de 2 ans (voir p. 174).

Les céréales riches en fer l'aident à atteindre ses besoins jusqu'à l'âge de 2 ans.

S'il refuse d'en manger, tentez de camoufler une certaine quantité de céréales précuites et enrichies de fer (voir p. 153) ou encore des céréales entières fraîchement moulues dans des recettes de muffins ou de crêpes.

Ne sous-estimez jamais l'apport des céréales dans le menu global de votre bébé.

---

1. Le lait concentré a longtemps été appelé lait évaporé, sous l'influence de l'anglais. Mais il ne faut pas confondre le lait concentré et le lait concentré sucré (Eagle Brand) qui est très riche et sucré.

Chapitre 15

Les petits pots

V ous vous demandez si les *petits pots* pour bébés sont des aliments intéressants pour la santé de votre enfant. Bonne question, mais ce n'est pas toujours facile d'y répondre!

On peut se procurer les petits pots d'aliments pour bébés depuis les années 30. Leur composition a beaucoup varié au cours des années en fonction des recherches en nutrition et des réactions des consommateurs. Comme vous pouvez vous en douter, les petits pots d'aujourd'hui sont fort différents de ceux que l'on trouvait au début du siècle. En remontant dans leur histoire, on note plusieurs changements, dont voici les plus marquants:

- pour répondre aux critiques assez sévères de la part d'associations de consommateurs, les fabricants ont retiré en 1969 le MSG (le glutamate monosodique) de tous les aliments pour bébés. Cet additif rehaussait la saveur des aliments, mais n'était plus jugé utile;
- pour mettre fin au débat qui entourait l'introduction précoce du sel et l'impact de ce sel sur les problèmes futurs d'hypertension, les fabricants ont retiré le sel de toutes les purées pour bébés, en 1977;
- vers la même époque, pour calmer les nutritionnistes qui critiquaient le sucre ajouté aux purées dès les premiers mois, les fabricants ont cessé d'ajouter du sucre dans quelques purées de fruits, mais ont maintenu une certaine quantité de sucre dans l'ensemble des desserts pour bébés;
- dans les années 80, pour neutraliser la controverse autour des nitrites dans les viandes fumées, les fabricants ont remplacé le jambon et le bacon classiques par des viandes sans nitrite. Pour réussir à

conserver le jambon dans certains petits pots, les fabricants chauffent maintenant les viandes fumées suffisamment long-temps pour détruire toute trace de bactéries pouvant causer le botulisme;

• tout récemment, la controverse autour des gras hydrogénés n'a pas épargné les aliments pour bébés. Ainsi, les fabricants ont remplacé les huiles végétales *hydrogénées* par de l'huile de soya ou de tourne-sol dans un certain nombre d'aliments.

Comme vous pouvez le constater, les aliments pour bébés ont subi plusieurs transformations depuis vingt ans, mais ils ne seront jamais aussi nutritifs qu'une purée maison faite avec les meilleurs ingrédients dans les meilleures conditions.

Pour mieux connaître les produits vendus actuellement sur le marché, j'ai fait faire, à l'automne 1998, un relevé complet de tous les aliments pour bébés en vente au Québec. Nous avons vérifié la liste des ingrédients, les valeurs nutritives déclarées et/ou fournies par les fabricants. Voici les résultats de cette cueillette d'information.

Les purées de légumes en petits pots

On peut se procurer les purées de légumes pour bébés sous diffé-rentes formes.

Les premières purées de légumes (pour débutant) renferment une seule sorte de légume et de l'eau. La variété de légumes offerte est limitée aux carottes, courges, haricots verts, pois et patates douces (Heinz). Certaines purées de légumes sont faites de légumes de cul-ture biologique, mais la gamme de légumes offerte demeure aussi limitée (Bienfaits de la terre).

Les purées de légumes mixtes se composent des mêmes légumes de base nommés précédemment; on y ajoute des pommes de terre, du céleri et du riz qui diluent la valeur nutritive du légume (Heinz). De fait, environ le tiers des purées de légumes sur le marché renferment d'autres ingrédients que des légumes. Elles renferment donc moins de vitamine C, moins de thiamine, moins de riboflavine et moins de nia-cine que les purées de légumes pour débutant ou encore que les purées maison.

Les purées de légumes en petits pots permettent sûrement d'écono-miser du temps, mais elles ne peuvent rivaliser avec la valeur nutritive des purées maison, fraîches ou congelées. Elles ont subi un traitement thermique important et, dans plusieurs cas, ont été épaissies avec un féculent. De plus, elles fournissent peu de vitamine C, puisqu'elles sont rarement préparées avec des légumes riches en vitamine C, comme le brocoli, le chou-fleur et les pois mange-tout.

LESQUELLES CHOISIR?

Si vous devez avoir recours aux petits pots, choisissez toujours les premières purées de légumes (pour débutant) qui ne contiennent que des légumes. De toute façon, les purées très lisses ne durent que quelques semaines dans la vie d'un bébé, puisqu'elles sont rapidement remplacées par des légumes avec plus de texture.

Chaque compagnie (Heinz, Bienfaits de la terre) offre environ six purées de légumes sans autre ajout que de l'eau.

Un bébé âgé de plus de 6 mois s'en tire beaucoup mieux avec des légumes frais, cuits à la dernière minute, écrasés à la fourchette et sans addition de sel. De cette façon, il apprend à savourer des légumes frais qui n'ont rien en commun avec leurs cousins en conserve. Il apprend graduellement à mastiquer, grâce aux diverses textures que vous pouvez lui offrir. Un bébé initié aux saveurs des courgettes, des asperges ou du brocoli développe un goût pour ces légumes plus rapidement, comparativement au bébé qui est nourri exclusivement aux purées de carottes, de courges et de patates douces dans les petits pots.

Les purées de fruits et les desserts aux fruits

La gamme de purées de fruits et de desserts aux fruits pour bébés est absolument étourdissante.

Environ 20 purées de fruits ne renferment aucun sucre ajouté. Par contre, les purées desserts renferment un ou plusieurs féculents, comme l'amidon de maïs, le tapioca, la farine de riz ou la farine de blé. Ces féculents ne sont pas nuisibles en soi; dans une salade de fruits ou un dessert aux poires, ils peuvent peut-être aider à ce que la purée ait une meilleure texture, mais ils réduisent la valeur en vitamines du produit.

Les purées de fruits pour débutant renferment un fruit et quelquefois de l'eau (Heinz, Bienfaits de la terre).

Les purées de fruits mixtes peuvent contenir de l'eau, au moins deux fruits différents, un concentré de jus de fruits et des pâtes de fruits (Heinz). Les purées de fruits mixtes biologiques contiennent deux fruits et de l'eau (Bienfaits de la terre).

L'étude des purées pour bébés en petits pots, publiée en 1995 par le Center for Science in the Public Interest de Washington a souligné que parmi les purées de fruits les plus populaires (purée de banane et purée de pruneaux), celles qui sont préparées avec d'autres ingrédients renferment la moitié moins de fruits que les purées de fruits simples. Les nutritionnistes ont fait la comparaison entre l'abricot frais et le petit pot d'abricot avec tapioca, et ils ont noté que le petit pot ne renfermait que le quart du potassium et moins de la moitié du bêta-carotène contenus dans l'abricot frais.

Une **deuxième catégorie de purées de fruits mixtes** est faite de fruits de culture biologique, d'eau et de pâtes de fruits (Bienfaits de la terre). Ces purées renferment moins de fruits que les purées de fruits simples.

Les purées desserts sont des produits plus riches en calories et moins riches en vitamines. L'eau est souvent le premier ingrédient parmi plusieurs ingrédients.

Les yogourts aux fruits sont des yogourts dont la culture bactérienne a été inactivée par le traitement thermique, ce qui signifie qu'ils n'ont aucun impact sur la flore bactérienne de l'intestin du bébé, comparativement à d'autres yogourts. Ils renferment, entre autres, de la poudre de lait *écrémé*, du sucre, de l'amidon de maïs. Si on le compare à la même quantité de yogourt nature additionné de 30 ml (2 c. à soupe) de banane en purée, le yogourt en petit pot fournit deux fois moins de protéines, six fois moins de gras, trois fois moins de vitamine A et de riboflavine, cinq fois moins de potassium et deux fois et demi moins de calcium.

LESQUELLES CHOISIR?

Les purées de fruits pour débutant constituent votre meilleur choix (Heinz) au moment de l'introduction des fruits.

Un bébé âgé de plus de 6 mois s'en tire beaucoup mieux avec un fruit mûr, légèrement poché, si nécessaire, et non sucré. Si vous souhaitez augmenter la teneur en vitamine C, ajoutez au fruit un peu de jus de pomme enrichi de vitamine C lorsque vous le mettez en purée.

Les fruits mixtes et les purées desserts peuvent être offerts à l'occasion, mais ne présentent aucun intérêt nutritionnel.

Quant au yogourt, le bébé s'habitue facilement à la saveur d'un vrai yogourt nature fait de lait entier lorsqu'il n'a pas goûté à un yogourt sucré. En lui offrant un vrai yogourt, vous lui donnez les bénéfices d'une culture bactérienne active pour l'intestin, une valeur nutritive ajoutée et une économie de sucre.

Les jus de fruits

Les jus de fruits filtrés sont une des dernières créations des fabricants d'aliments pour bébés. Ils sont faits d'eau, de jus concentré et sont enrichis de 40 mg de vitamine C. Ils coûtent trois fois et demi plus cher qu'un jus ordinaire, concentré. Une orange pressée ou un jus surgelé reconstitué, filtré si désiré, fournissent vitamines et minéraux à bien meilleur coût.

ATTENTION

Les jus de fruits, même non sucrés, représentent une gâterie beaucoup plus sucrée que la préparation pour nourrissons ou le lait entier (à 3,25 %). Ils deviennent rapidement l'aliment chouchou de votre bébé et peuvent même nuire à la consommation de lait. Il est donc préférable de toujours offrir le jus dilué avec une même quantité d'eau afin d'en diminuer la teneur en sucre et d'en limiter la consommation (voir p. 121).

Les purées de viande

Les purées de viande représentent un plus petit groupe de produits.

Les viandes simples (pour débutant) comme le bœuf, le veau, le poulet, l'agneau, la dinde, sont préparées avec de la viande, du bouillon, du jus de citron et du gras de bœuf, à l'occasion (Heinz). La contribution nutritionnelle de ces purées est valable et le produit final est parfois plus facile à avaler par le jeune bébé que la purée maison.

Les autres purées qui contiennent de la viande

On peut trouver sur le marché une gamme importante de produits pour bébés qui contiennent des quantités variables de viande.

Les dîners à la viande renferment une courte liste d'ingrédients comprenant des légumes, de la viande, de l'eau, des pommes de terre et du riz (Heinz). De façon générale, ce type de purée renferme deux fois plus de protéines que les autres purées avec légumes et viande.

Les purées légumes et viande sont un mélange d'eau, de légumes, pommes de terre ou lentilles, de viande, de pâtes ou de riz, de poudre de lait, de levure et d'assaisonnements sans sel ajouté. La viande utilisée peut être le bœuf, le poulet ou la dinde chez Bienfaits de la terre ou l'agneau, le bœuf, la dinde, le foie, le jambon, le poulet ou le veau chez Heinz.

Pour les 12 mois et plus il existe les repas Tout-petits (Heinz) qui offrent une variété de mets, du poulet chasseur au bœuf strogonoff, en passant par le ragoût de veau. Plusieurs de ces repas renferment du sel, du beurre et de l'amidon de maïs modifié. Ils peuvent sûrement sauver du temps, mais l'enfant de 12 à 24 mois peut facilement manger quelques bonnes bouchées des plats destinés au reste de la famille ou alors manger des aliments très simples (voir chapitre 17).

LESQUELLES CHOISIR?

Comme pour toutes les purées, choisissez de préférence les purées de viande simple pour initier votre bébé à cet aliment. Si vous désirez continuer à lui donner ce type de repas, vérifiez la liste des ingrédients et choisissez les listes courtes.

Les repas végétariens

Comme de plus en plus de parents optent pour une alimentation sans viande et que, par ailleurs, un bébé, même non végétarien, n'a besoin que d'un repas de viande par jour, et non de deux, les repas dits végétariens ont un rôle à jouer dans l'alimentation de plusieurs bébés de plus de 9 mois.

Les dîners végétariens que l'on trouve sur le marché (Bienfaits de la terre) renferment souvent des pâtes, du fromage, des légumes et de l'huile de canola. Certains renferment des lentilles ou des pois chiches et du riz brun.

Certains mélanges légumes et fromage (Heinz) peuvent aussi constituer un repas sans viande, si désiré.

LESQUELS CHOISIR?

Consultez la liste d'ingrédients et choisissez la purée qui renferme les ingrédients les plus sains.

Un bébé de plus de 9 mois peut très bien se satisfaire de tofu mou écrasé à la fourchette avec un légume en purée.

Une question de valeur nutritive, de goût et de coût

Les aliments pour bébés en petits pots que vous trouvez sur le marché peuvent vous dépanner. Les purées simples (pour débutant) de légumes, fruits et viande peuvent initier votre bébé aux aliments solides pendant quelques semaines et lui fournir les éléments nutritifs de base. Si vous négligez de bien choisir vos petits pots, le contenu en vitamines et en minéraux du menu de votre bébé peut diminuer de façon significative. Mais chose certaine, ils ne peuvent rivaliser avec la valeur nutritive de vos purées maison.

Quant au goût, faites l'expérience une fois et comparez la saveur d'une purée que vous avez achetée à celle d'une purée faite à la maison. Le petit pot ne possède pas le goût de l'aliment nature. L'enfant doit donc faire une double démarche: apprendre à accepter les petits pots, puis apprendre à aimer les vrais aliments.

Quant au coût, les produits que vous achetez coûtent environ deux fois plus cher que les purées maison. En saison, vous pouvez même faire de plus grandes économies avec les fruits et légumes frais du marché.

Au Québec, il existe maintenant une alternative aux petits pots, soit des aliments pour bébés surgelés (La mère Poule) disponibles dans le réseau des pharmacies Jean Coutu ou dans certains supermarchés. La gamme des purées de légumes et de fruits est beaucoup plus vaste que celle offerte en petits pots.

Chose certaine, les petits pots ne peuvent rivaliser avec la valeur nutritive de vos purées maison.

Chapitre 16

Quelques problèmes courants

V otre bébé a un problème qui nuit à son bien-être. Il a des coliques, il est constipé, il souffre d'un manque de fer ou encore d'allergies alimentaires. Même si, sur le moment, ces différents problèmes vous inquiètent beaucoup, il est possible de leur apporter des solutions.

Votre bébé régurgite

Les problèmes de régurgitation sont fréquents au cours des premiers mois, mais ils sont très différents des problèmes de vomissement. Le bébé qui régurgite a de petites quantités d'aliments qui remontent et qui s'échappent pendant ou après un repas. Ce problème est causé par l'immaturité de son système digestif, et non par une allergie. Ni sa croissance ni son appétit n'en seront affectés, et tout rentre habituellement dans l'ordre vers la fin du 3e mois.

Vous pouvez alléger ou même enrayer ce problème en respectant les consignes suivantes:

- assurez-vous que votre bébé fasse ses rots au moins une fois pendant le boire et une fois après chaque boire; soyez patient, car à certains moments, les rots se font attendre;
- évitez de suralimenter votre bébé; observez-le bien et respectez ses signes de satiété;
- assurez-vous que votre bébé ne boive jamais seul son biberon, de peur qu'il avale trop d'air ou qu'il boive trop rapidement;

- après le repas, placez votre bébé sur le côté plutôt que de l'asseoir dans sa petite chaise inclinée; une étude a démontré que l'utilisation des sièges inclinés pour bébés pouvait provoquer ce type de reflux;
- évitez de jouer avec lui ou de le surexciter après le repas; laissez-lui une période de repos.

Votre bébé pleure continuellement. A-t-il des coliques?

Votre bébé pleure constamment pendant des heures, habituellement vers la fin de l'après-midi ou au début de la soirée. Il est crispé et a les poings fermés. Son ventre est dur et tendu. Il demeure inconsolable, même dans vos bras.

La cause de ses pleurs n'est pas toujours facile à déceler. Il peut s'agir de sous-alimentation ou de suralimentation, d'une mauvaise façon de faire les rots, d'une intolérance alimentaire, d'une trop grande quantité d'air avalée ou même d'un plus grand besoin d'affection. Il peut aussi s'agir de coliques.

Les coliques apparaissent habituellement vers l'âge de 3 à 4 semaines et disparaissent graduellement vers l'âge de 4 mois. Elles sont aussi fréquentes chez les bébés allaités que chez les enfants nourris aux préparations pour nourrissons.

Avant de conclure quoi que ce soit ou encore de démissionner, revoyez tranquillement les solutions possibles.

SI VOUS ALLAITEZ:

- n'hésitez pas à nourrir votre bébé sur demande afin de bien satisfaire son appétit. Assurez-vous que votre premier sein semble vide avant d'offrir le deuxième, car de petits boires à chaque sein peuvent fournir une trop grande quantité de lactose et pas assez de gras. Un bébé qui boit très peu peut ressentir de la faim et de la douleur;
- vérifiez votre position d'allaitement (voir p. 48) et assurez-vous que votre bébé n'avale pas trop d'air en buvant;
- si les premières mesures n'ont pas donné de résultats, essayez une diète d'élimination pendant cinq jours (consultez les p. 53-54).

SI VOUS DONNEZ À VOTRE BÉBÉ UNE PRÉPARATION POUR NOURRISSONS:

- nourrissez-le sur demande pour éviter qu'il ait trop faim;
- massez doucement son ventre et prenez-le plus souvent dans vos bras;

- essayez une préparation thérapeutique pour nourrissons (voir p. 90) pendant quelques semaines; si les coliques cessent, continuez d'offrir ce type de préparation jusqu'à l'âge de 4 mois;
- n'oubliez jamais que les coliques sont passagères. Si elles persistent au-delà de 4 mois, une investigation médicale plus poussée peut se révéler nécessaire.

Votre bébé vomit

Les vomissements constituent un problème assez différent de la régurgitation. Ils correspondent à une expulsion rapide d'une grande quantité de lait ou d'aliments, pendant ou après un repas. Ils s'accompagnent souvent de fièvre ou d'un dérangement intestinal et doivent être rapportés à votre médecin.

Lorsque votre bébé vomit, il est très important de le réhydrater. Donnez-lui du liquide de façon régulière, l'équivalent de 120 ml (env. 4 oz) à l'heure, 15 ml (1 c. à soupe) aux cinq minutes ou même 5 ml (1 c. à thé) à la fois, selon l'âge de votre bébé.

Le meilleur liquide à lui donner est celui qui imite la composition des liquides intérieurs du corps humain. Certaines préparations que l'on trouve en pharmacie, comme le Pédialyte ou le Gastrolyte, respectent ce critère. Si vous ne pouvez vous procurer ce type de boisson ou que votre enfant le refuse, vous pouvez préparer à la maison un mélange de jus d'orange et d'eau, additionné d'un peu de sel. Suivez la recette exacte de la boisson de réhydratation:

Boisson de réhydratation

600 ml (20 oz) d'eau de source embouteillée
ou d'eau du robinet
360 ml (12 oz) de jus d'orange préparé avec
du jus surgelé, dilué comme d'habitude
2 ml (½ c. à thé) de sel

Bien mélanger le tout et garder au frigo. Servir au bébé quelques minutes après la sortie du frigo pour éviter que la boisson ne soit trop froide.

N'attendez pas que votre bébé soit déshydraté pour consulter le médecin ou le CLSC. Si votre bébé vomit à répétition, que ses urines sentent très fort et qu'il semble très fatigué, rendez-vous à l'urgence.

Votre bébé a la diarrhée

Il est important de faire la différence entre une diarrhée légère et une gastroentérite. Ce qui suit traite de diarrhée légère.

Avant 12 mois: Un bébé allaité peut faire 8 à 10 selles molles par jour sans jamais souffrir de diarrhée. Après quelques mois, les selles deviennent moins fréquentes, mais demeurent molles et jaunâtres, jusqu'à l'introduction des aliments solides.

Un bébé nourri avec une préparation pour nourrissons peut avoir des selles molles à la suite de l'introduction d'un nouvel aliment. Le problème est mineur et sans conséquence.

Si les selles très molles persistent, votre bébé peut avoir une intolérance aux protéines du lait et/ou au lactose. Essayez une préparation pour nourrissons à base de soya (voir p. 89). S'il y a des allergies alimentaires dans votre histoire familiale, une préparation thérapeutique pour nourrissons peut être le meilleur choix (voir p. 90).

Après 12 mois: Votre bébé peut souffrir de *diarrhée légère,* de façon chronique s'il boit trop de jus de fruits, de jus de pomme en particulier. Le problème est fréquent et se règle facilement. Réduisez sa consommation de jus au minimum, soit environ 125 ml (4 oz) par jour. Diluez le jus avec une quantité égale d'eau et augmentez graduellement sa consommation de lait.

Votre bébé a une gastro

Une *diarrhée aiguë,* appelée aussi gastroentérite, peut survenir n'importe quand et est rarement causée par des aliments. Il s'agit plutôt d'une infection virale. Elle se manifeste par des selles liquides, souvent accompagnées de vomissements et de fièvre. Elle demande une intervention immédiate, afin d'éviter la déshydratation, qui cause aux États-Unis 500 morts et 200 000 hospitalisations par année, selon le Centre américain de contrôle des maladies.

Pour réhydrater adéquatement votre bébé, donnez-lui de façon constante une boisson qui renferme la bonne proportion d'eau, de sels et de sucre, comme le Pédialyte ou le Gastrolyte que vous trouvez en pharmacie, ou bien donnez-lui la Boisson de réhydratation (voir p. 169).

- offrez-lui environ 125 ml (½ tasse) à l'heure de cette boisson au biberon ou à la cuillère; si votre bébé vomit, donnez-lui 5 ml (1 c. à thé), toutes les 5 à 10 minutes, jusqu'à ce que les vomissements cessent;

- un bébé de moins de 12 mois peut avoir besoin d'un litre (4 tasses) par jour de Boisson de réhydratation;
- évitez les jus de fruits, les sodas et les boissons gazeuses qui ne renferment pas la bonne proportion d'eau, de sels et de sucre, et qui aggravent la situation et retardent la guérison;
- consultez votre médecin ou votre CLSC;
- continuez d'allaiter votre bébé ou de lui donner la préparation pour nourrissons aussi souvent que possible;
- si votre bébé mange déjà des aliments solides, continuez de le nourrir; les céréales pour bébés, les bananes et la viande ou le tofu sont faciles à digérer.

Même si la consistance des selles ne s'améliore pas, cette stratégie minimise la perte de poids, diminue la durée de la diarrhée et aide le bébé à récupérer plus rapidement.

Afin de prévenir la contamination, lavez vos mains avec du savon et de l'eau après chaque changement de couche et avant de préparer les repas.

Votre bébé est constipé

Les enfants allaités ont des selles molles et sont rarement constipés, alors que les bébés nourris aux préparations pour nourrissons ont des selles plus dures.

La constipation survient souvent dès l'introduction des aliments solides. Elle se manifeste par des selles moins fréquentes, sèches et dures. L'élimination peut devenir tellement douloureuse que certains bébés retiennent leurs selles de peur d'avoir mal.

Voici quelques façons de minimiser le problème.

AVANT 6 MOIS:

- dans les rares cas de bébé allaité, constipé, augmentez la fréquence des boires pour ainsi augmenter la quantité d'eau à son menu;
- dans les autres cas, donnez au bébé, en alternance, une préparation pour nourrissons enrichie de fer et une préparation sans fer, jusqu'à ce qu'il s'adapte;
- augmentez l'apport en liquide de votre bébé en lui offrant de l'eau bouillie ou de l'eau de source, environ 15 ml (1 c. à soupe) entre chaque boire;
- après 3 mois, offrez-lui du jus de pruneaux tiède et dilué (15 ml (1 c. à soupe) de jus et 15 ml (1 c. à soupe) d'eau bouillie) 1 à 2 fois par jour;

- si le problème persiste, faites examiner votre bébé afin d'éliminer la possibilité d'une fissure anale.

ENTRE 6 ET 12 MOIS:

- augmentez la consommation d'eau de source ou d'eau du robinet entre les repas;
- offrez une céréale pour bébés de grains entiers, par exemple la céréale d'avoine de Healthy Times plutôt qu'une céréale raffinée pour bébés. Lorsque votre bébé a goûté à toutes les céréales à grains uniques, offrez-lui une céréale de type Familia avec fruits secs et germe de blé;
- remplacez pendant seulement deux semaines la préparation pour nourrissons à base de lait par une préparation à base de soya (Prosobee, Alsoy) et observez les résultats; s'il y a amélioration, continuez la préparation à base de soya; sinon, passez à d'autres mesures;
- offrez de la purée de pruneaux seule ou mélangée avec d'autres fruits;
- si les premières suggestions n'apportent pas d'amélioration, mélangez 5 à 15 ml (1 c. thé à 1 c. à soupe) de son de blé naturel aux céréales pour bébés chaque matin et chaque soir; cette petite quantité de son n'affecte ni l'apport en calories ni l'absorption des minéraux;
- au lieu du son de blé naturel, incorporez 5 ml (1 c. à thé) d'huile de lin pressée à froid à ses céréales.

APRÈS 12 MOIS:

- offrez chaque jour des légumes crus, râpés, et des morceaux de fruits frais;
- offrez de l'eau entre les boires;
- servez des produits céréaliers de grains entiers, riches en fibres alimentaires, comme le riz brun, le pain de blé entier et les pâtes de blé entier, plutôt que le riz blanc, le pain blanc et les pâtes blanches;
- limitez la consommation de lait à un maximum de 1 litre (32 oz) par jour parce que le lait nourrit beaucoup sans fournir de fibres;
- remplacez pendant seulement deux semaines le *lait de vache* par une *boisson de soya* enrichie de calcium et de vitamine D (SoGood, Soy Dream) et observez les résultats; s'il y a amélioration, continuez avec la boisson de soya; sinon, passez à d'autres mesures;
- mélangez 15 à 30 ml (1 à 2 c. à soupe) de son de blé naturel aux céréales ou au yogourt; cette petite quantité de son n'affecte ni l'apport en calories ni l'absorption des minéraux;
- ajoutez 5 ml (1 c. à thé) d'huile de lin pressée à froid aux céréales de votre bébé ou encore 5 ml (1 c. à thé) de graines de lin moulues.

Si votre bébé a tendance à la constipation malgré tout, il a besoin d'une routine qui favorise le travail intestinal. Nourrissez-le à des heures régulières et encouragez l'activité physique. Après l'âge de 18 mois, prenez votre temps pour l'entraînement à la propreté, ce qui favorisera une bonne routine d'élimination. Vous avez jusqu'à 3 ans pour que votre bébé soit capable d'établir cette routine par lui-même.

Votre bébé refuse de manger

Vers la fin de la première année, lorsque le rythme de croissance de votre bébé ralentit, son appétit ralentit aussi. Lorsqu'il a une poussée de croissance, il a aussi une augmentation temporaire de l'appétit! Cycle normal, mais infernal pour des parents inquiets.

De la naissance à 12 mois ou presque, votre bébé raffolait des différentes purées, il avait toujours la bouche ouverte et faisait des expériences alimentaires sans rouspéter... Soudain, il se met à faire la fine bouche, il jette ses aliments par terre et serre les lèvres. Ne vous en faites pas, votre bébé est tout à fait normal!

Julie, 14 mois, ne veut manger que des pâtes alimentaires depuis trois semaines. Elle refuse la viande et les légumes, mais prend environ 600 ml (20 oz) de lait par jour.

Après vérification du menu, Julie mange suffisamment d'aliments (céréales, fruits, pâtes et lait) pour être en pleine forme. Ses parents n'ont pas lieu de s'inquiéter.

Ne forcez jamais votre bébé à manger, jamais! Ce conseil s'applique à tous les âges et en toute circonstance. Les bébés ont normalement faim certains jours et d'autres jours, ils ont moins faim.

Vos réactions peuvent favoriser le développement d'une relation heureuse avec la nourriture ou le contraire. Dès la naissance, votre meilleure stratégie est d'adopter une attitude détendue devant la quantité d'aliments que votre bébé mange.

Pour être moins inquiet, offrez toujours à votre bébé les aliments les plus nutritifs, mais laissez-le décider des quantités qu'il veut manger. Rappelez-vous l'étude du Dr Clara Davis qui a démontré que les aliments de première qualité travaillent toujours en faveur de la croissance et du développement de votre enfant (voir p. 15).

Lorsque l'appétit de votre enfant diminue normalement:

- offrez-lui de plus petites quantités de nourriture;
- retirez son assiette sans passer aucune remarque négative;
- offrez-lui de l'eau plutôt que du lait ou du jus entre les repas, pour ne pas lui couper l'appétit;
- acceptez les variations de son appétit.

Les aliments les plus souvent rejetés

Les légumes constituent les aliments les plus souvent refusés. Ils sont plus populaires crus que cuits, servis avec une trempette que mangés seuls. La viande rouge arrive en deuxième dans les aliments que les bébés refusent le plus souvent; ce refus dure aussi longtemps que le défi de la texture persiste. Poulet, tofu et filets de poisson rencontrent moins de résistance parce qu'ils sont plus faciles à mastiquer et à avaler. Malheureusement, la liste des refus augmente proportionnellement à la pression qu'exercent les parents. Plus vous insistez pour que votre bébé mange tel ou tel aliment, plus il risque de le refuser. C'est le début de la lutte pour l'autonomie.

Ma propre expérience avec mon aînée m'a beaucoup appris. J'ai négocié avec ma petite fille chaque bouchée de légumes, de 12 à 48 mois. Lorsque j'ai changé de stratégie, ma fille s'est mise à goûter et à aimer les légumes.

Votre bébé souffre d'anémie

L'anémie par manque de fer est la déficience la plus fréquente chez le jeune enfant de 9 à 18 mois. Elle survient plus souvent chez des bébés prématurés ou de faible poids à la naissance, chez des bébés qui n'ont pas été allaités, qui n'ont pas reçu de préparation pour nourrissons enrichie de fer et qui ont commencé à boire très tôt du lait de vache. Elle doit être guérie le plus rapidement possible.

Si votre bébé souffre d'anémie, il doit prendre un supplément de fer pour remonter son taux d'hémoglobine. Une fois son taux d'hémoglobine rétabli, il doit continuer de prendre un supplément de fer environ trois mois pour refaire complètement ses réserves de fer.

Tout au long de cette période, vous avez avantage à augmenter la teneur en fer de son alimentation. Vous pouvez:

- remplacer le lait de vache par une préparation de transition comme Transition ou Prochaine étape (voir p. 93);

- donner quotidiennement à votre bébé des céréales riches en fer;
- offrir régulièrement de la viande, du tofu ou des légumineuses;
- offrir un fruit ou un légume riche en vitamine C à chaque repas pour favoriser une meilleure absorption du fer.

Consultez le tableau qui suit et les fleurs de la nutrition présentées en appendice pour mieux connaître les aliments riches en fer et en vitamine C.

Besoins en fer de 6 à 12 mois		7 mg par jour
Besoins en fer de 12 à 24 mois		6 mg par jour
Contenu en fer de certains aliments		
lait entier	600 ml (20 oz)	0,3 mg
préparations pour nourrissons enrichie de fer	600 ml (20 oz)	6,0 mg
préparation de transition	600 ml (20 oz)	7,8 mg
céréales pour bébés enrichies de fer	100 ml (6 ½ c. à soupe)	5,8 à 14 mg
purée de viande	45 ml (3 c. à soupe)	1 mg
purée de foie	45 ml (3 c. à soupe)	2,2 mg
purée de légumes	30 ml (2 c. à soupe)	0,2 mg
purée de fruits	30 ml (2 c. à soupe)	0,3 mg
purée de légumineuses	60 ml (4 c. à soupe)	1,9 mg
tofu écrasé	40 g	4,1 mg
pain de blé entier	1 tranche	0,8 mg

Vous faites partie d'une famille où il y a des allergies

Les allergies alimentaires semblent se multiplier et la recherche scientifique, dans ce domaine, progresse assez lentement. Les recherches faites au cours des vingt dernières années permettent toutefois de mieux cerner le problème. Parmi les faits reconnus, nous savons que:

- les bébés sont plus vulnérables aux allergies alimentaires jusqu'à l'âge de 2 ans. Cependant, les tests cutanés ne permettent pas de déceler les aliments allergènes chez ce groupe d'âge;
- 58 % des bébés dont les deux parents souffrent d'allergies risquent d'avoir des réactions aux aliments;
- 29 % des bébés dont l'un des parents souffre d'allergies risquent d'avoir des réactions par rapport à seulement 12 % des enfants qui n'ont pas d'allergies alimentaires dans leur histoire familiale;
- la plupart des réactions aux aliments se produisent au cours des 12 premiers mois;
- la plupart des aliments éliminés au cours des premiers mois peuvent être réintroduits sans risque après l'âge de 12 mois;
- les symptômes les plus souvent associés aux réactions allergiques sont la diarrhée, les vomissements, les coliques, les éruptions cutanées, l'urticaire, l'eczéma et la congestion nasale chronique, mais ces symptômes ne sont pas toujours provoqués par des aliments allergènes;
- les aliments les plus souvent associés aux réactions allergiques sont le lait de vache, les œufs, le soya, les jus de fruits, les arachides, le maïs, le blé et les fruits de mer;
- jusqu'à l'âge de 4 ans, d'autres aliments peuvent provoquer des réactions allergiques chez les bébés vulnérables.

Il est toutefois possible de prévenir certaines réactions allergiques au cours des premiers mois et de retarder l'apparition éventuelle de réactions allergiques. La stratégie proposée est particulièrement recommandée aux bébés qui ont des allergies alimentaires dans leur histoire familiale.

DÈS LA NAISSANCE:

a) allaitez pendant au moins 6 mois;

b) pendant que vous allaitez, éliminez de votre alimentation tout aliment susceptible de causer des problèmes, comme le lait et les œufs; assurez-vous de prendre suffisamment de calcium, de vitamine D et de protéines;

c) si des symptômes apparaissent malgré tout, éliminez de votre menu les autres aliments potentiellement allergènes, comme le bœuf, le poisson, le soya ou le beurre d'arachide; mais continuez d'allaiter tant que vous pouvez;

d) retardez l'introduction des aliments solides jusqu'à l'âge de 6 mois.

LORS DE L'INTRODUCTION DES ALIMENTS SOLIDES:

a) introduisez un nouvel aliment tous les 7 jours, plutôt que de suivre le calendrier habituel d'introduction des solides;

b) parmi les céréales pour bébés, retardez l'introduction des céréales de blé jusqu'après l'âge de 12 mois;

c) évitez de mélanger les aliments ensemble, tant et aussi longtemps que chacun d'eux n'a pas été introduit séparément;

d) retardez l'introduction des œufs, du poisson et du jus d'orange jusqu'à l'âge de 12 mois;

e) n'offrez ni noix ni beurre d'arachide jusqu'à l'âge de 24 mois, certains disent même jusqu'à l'âge de 4 ans, surtout s'il s'agit d'un aliment auquel un des parents est déjà allergique.

f) retardez l'introduction du lait de vache jusqu'à l'âge de 12 mois; ne donnez que le lait maternel ou une préparation thérapeutique pour nourrissons avant cet âge.

APRÈS 12 MOIS:

a) continuez d'introduire lentement les solides;

b) si une réaction apparaît, éliminez l'aliment suspect pendant une ou deux semaines et vérifiez si les symptômes disparaissent;

c) réintroduisez les aliments éliminés en petites quantités et observez les réactions, si les symptômes réapparaissent, éliminez l'aliment allergène pour 2 à 3 mois, mais réintroduisez-les après cette période. Dans la plupart des cas, il n'est pas nécessaire ni avantageux d'éliminer l'aliment allergène à vie.

Quand il y a un problème, il y a une solution, et plusieurs des solutions proposées n'exigent que quelques modifications alimentaires.

Chapitre 17

Le défi alimentaire après 9 mois

Votre bébé a goûté à plusieurs aliments. Il l'a fait avec plaisir et appétit. Il en a même redemandé, tellement il avait faim. Or, voilà qu'à 10, 12 ou 14 mois, il n'est plus intéressé à la nourriture. Il regarde son plat avec indifférence ou le rejette carrément. Votre bébé qui avalait tout est soudainement devenu «un mangeur inégal, un capricieux».

Vous devez quand même lui fournir tous les éléments nutritifs nécessaires à sa croissance. Vous voulez aussi lui communiquer le goût pour différents aliments et lui donner les bases de bonnes habitudes alimentaires, tout en respectant sa soif d'autonomie.

Une croissance au ralenti

Au cours des douze premiers mois, votre bébé a grandi d'environ 25 cm (10 po). S'il pesait 3,5 kg (7½ lb) à la naissance, il pèse facilement 10,5 kg (23 lb) à un an. Ce qui veut dire qu'il a triplé son poids en douze mois. Cet exploit ne se reproduira plus jamais.

À la fin de la première année, le rythme de croissance commence à ralentir et se fera par vague pour les 5 à 6 prochaines années. Votre bébé de 1 an pèsera normalement le double à 6 ans. Jusqu'au moment d'entrer à l'école primaire, sa croissance sera d'environ 7,5 à 10 cm (3 à 4 po) par année et autour de 2 à 2,5 kg (env. 4 à 5 lb) par année, ce qui n'a rien de comparable avec la croissance qu'il a connue au cours des 12 premiers mois de sa vie.

Votre bébé de 12 ou 16 mois a moins faim qu'à 7 mois. Il grandit lentement, mais normalement. Son appétit suit son rythme de croissance qui ne sera jamais aussi important qu'au cours des 9 premiers mois. Il peut se permettre des caprices. Il peut même faire des grèves de la faim, car il n'a plus un appétit régulier.

> *Je me souviens de ma cadette qui, soudainement, ne voulait plus rien manger. Elle m'inquiétait beaucoup. Mon pédiatre m'a réconfortée et encouragée à ne pas la forcer. La grève a duré quelques jours, puis ma fille s'est remise à manger. Elle mesure aujourd'hui 1,77 m (5 pi 8 po) et elle semble en pleine forme!*

Un appétit qui varie

L'appétit de votre bébé peut varier d'un jour à l'autre, d'un repas à l'autre. Il est devenu imprévisible et c'est normal.

Le désir d'autonomie de votre bébé grandit de jour en jour, mais sa capacité d'exprimer ses besoins est encore fort limitée. Il ne peut pas vous dire ce qu'il aimerait vraiment manger. Il est frustré autant que vous l'êtes. L'heure des repas devient tendue.

J'ai vécu ce type de problème avec mes filles. J'ai écouté de nombreux parents aux prises avec ce défi. Voici quelques situations qui peuvent vous consoler ou vous donner des pistes de solution.

> *Mélanie a 11 mois. Elle n'a plus le goût de manger des purées. Elle fait presque la grève de la faim. Elle regarde d'autres aliments autour d'elle et a le goût d'en prendre avec ses doigts.*
>
> Elle a largement dépassé l'âge des purées. Introduisez lentement de vrais aliments coupés en très petits morceaux et donnés en petite quantité. Voyez comment elle réagit. Ne la forcez jamais à finir ce que vous avez mis devant elle.

> *Catherine a 12 mois. Elle est active, mais a un appétit qui varie énormément d'un jour à l'autre, d'un repas à l'autre. Elle demande parfois deux assiettes et a encore faim pour un dessert nourrissant. Au repas suivant, elle grignote à peine deux bouchées. Elle mange souvent mieux les repas préparés par la gardienne ou la grand-mère que ceux de sa maman.*
>
> Rien de plus normal. Il s'agit d'apprendre à respecter ses variations d'appétit et de ne pas en faire un plat. Les meilleurs signes de santé se voient dans l'énergie et le dynamisme de votre enfant, et non dans les quantités de nourriture qu'il avale.

Michel a 14 mois. Depuis trois semaines, il refuse tout, sauf les pâtes. Il ne veut manger ni viande ni légumes, mais il boit presque 720 ml (24 oz) de lait par jour.

Michel n'est pas exceptionnel. Sans le contredire, vous pouvez ajouter de petites quantités d'aliments intéressants dans les plats de pâtes (viande, tofu ou légumes) jusqu'au jour où il voudra manger autre chose.

Sa consommation de lait lui assure toutefois une bonne dose de protéines, de calcium et de vitamine D, essentiels à sa croissance.

Olivier a 13 mois. Il a mangé comme un roi jusqu'à son premier anniversaire. À 6 ou 7 mois, il avait même le bec toujours ouvert, toujours prêt à avaler. À 10 mois, il goûtait à tout: champignon cru, brocoli, courgette, asperges, poisson poché, yogourt nature, morceaux de mangue, d'ananas ou de poire. Depuis quelques semaines, il refuse tout fruit et légume; il n'accepte que les légumes en jus ou en potage, et suce le jus des quartiers d'orange et quelques morceaux de banane.

Il est tout à fait normal! Comme il mange un peu de poulet, des pâtes, du pain, des céréales enrichies de fer, du yogourt et du lait, il n'a pas vraiment de déficit nutritionnel. Son menu est peu varié, mais il est encore suffisant.

Julie a 20 mois. Elle est petite, mais sa courbe de croissance est normale; et sa résistance à l'infection est bonne. Elle a un appétit très variable, n'aime pas la viande, mange très peu certains jours et beaucoup, d'autres jours. Elle semble apprécier les aliments relevés et veut manger seule.

À la suite d'une évaluation de son menu sur une période de quelques jours, je constate qu'on donne à Julie un biberon de lait avant le petit déjeuner et des tablettes granola ou des raisins secs entre les repas. Ces façons de faire lui coupent l'appétit au repas qui suit. En donnant le lait après les céréales et en oubliant les collations, on permet à Julie de retrouver de l'appétit à l'heure des repas. En lui donnant des petites quantités d'aliments bien relevés, on suscite plus d'intérêt chez elle pour la nourriture et elle a plus d'appétit.

Une attitude à développer

Votre bébé aime jouer avec ses aliments; il oublie de les manger. À 11 mois, c'est plus drôle de saisir un aliment entre son pouce et son index que de le mettre dans sa bouche. Moins affamé qu'il y a quelques mois, il se permet de jeter sa nourriture par terre. Il n'a guère d'autre façon d'exprimer son désintérêt.

Votre attitude devant ce nouveau comportement alimentaire est déterminante. Votre indifférence aimante peut neutraliser la tension et avoir une portée positive pour des années à venir. Votre impatience peut, au contraire, perturber les habitudes alimentaires de votre enfant.

> *Je sais que c'est normal, mais qu'est-ce que je fais, maintenant? Mon bébé de 15 mois qui adorait le yogourt, les fruits et les légumes ne veut plus en manger.*
>
> La réponse est simple: ne réagissez pas et ne forcez jamais votre bébé à manger!
> Apprenez-lui à goûter, sans nécessairement lui demander de tout manger. Reprenez les restes sans montrer d'inquiétude ou de frustration.
> Donnez-lui environ 600 ml (20 oz) de lait par jour et attendez patiemment que l'appétit revienne (voir chapitre 18 pour d'autres suggestions).

Saviez-vous que l'enfant qui refuse de manger attire cinq fois plus l'attention que celui qui mange trop? Avez-vous déjà songé qu'il peut apprendre à manger pour faire plaisir, et non parce qu'il a faim?

Plusieurs parents encouragent fortement leur jeune enfant à manger. Ils ont les meilleures intentions du monde, mais ils oublient de tenir compte des vrais besoins de leur bébé. Ils exercent des pressions plus ou moins subtilement; ils récompensent ou punissent, selon les circonstances. Qui n'a pas vu les légumes devenir le passeport pour le dessert ou les sucreries devenir la récompense par excellence? Qui n'a pas applaudi l'assiette vide? Qui n'a pas rechigné devant une assiette pleine de restes?

L'enfant apprend à utiliser les aliments à son avantage. Il avale quelques bouchées de plus pour faire plaisir aux parents ou pour mériter une faveur. Il apprend, en quelque sorte, à se gaver, alors qu'il devrait apprendre à respecter son appétit.

Lorsqu'on regarde l'incidence croissante de l'obésité chez les jeunes enfants, il y a lieu de réviser quelques attitudes.

L'opération décodage

Vous voulez, bien sûr, respecter l'appétit de votre enfant et son autonomie, mais vous voulez quand même le nourrir un peu.

Vous pouvez décoder certaines attitudes de votre bébé sans pour autant le forcer à tout manger jusqu'à la dernière bouchée. Servez-lui toujours de petites quantités à la fois, tout en observant discrètement ses réactions.

Parfois, votre enfant tourne la tête en signe de protestation dès qu'il aperçoit son assiette. Il le fait avant même d'avoir vu l'aliment servi. Déposez calmement l'assiette sur sa table et permettez-lui de prendre lui-même quelques petits morceaux de l'aliment ou encore de manipuler lui-même la cuillère ou la fourchette. S'il retrouve le contrôle de son assiette, il retrouve parfois le goût de manger un peu.

Parfois, l'enfant veut évaluer votre patience! Il veut prendre son temps, étirer le plaisir. Si vous ne réagissez pas vraiment à son nouveau rythme, il peut vous surprendre et avaler plusieurs bouchées.

Parfois encore, l'enfant refuse catégoriquement la première bouchée du repas parce qu'il a soif. Donnez-lui un peu d'eau ou de jus de légumes. Voyez ensuite la bouche s'ouvrir pour quelques bouchées d'aliments solides.

Lorsque l'enfant est trop fatigué, qu'il a couru tout l'avant-midi ou que le repas est retardé, il n'a plus la force de manger. Il vaut mieux le nourrir lorsqu'il est encore en forme pour capter son intérêt pour les aliments.

Lorsque l'enfant a vraiment une baisse d'appétit, il vaut mieux commencer le repas par l'aliment le plus soutenant, soit le poisson, la viande ou le petit muffin enrichi de fer, et finir par les légumes, les féculents et les fruits.

Une ouverture aux aliments nouveaux

Plus l'enfant est jeune, plus il est prêt à essayer de nouveaux aliments. Une étude a démontré qu'entre 12 et 24 mois, trois bébés sur quatre vont accepter de goûter de nouveaux aliments, alors que seulement un enfant sur dix le fera entre 2 et 4 ans. La période de transition entre les purées et les aliments du reste de la famille constitue un bon moment pour initier graduellement votre enfant à toute une gamme d'aliments nouveaux.

Ne vous découragez surtout pas au premier refus. L'enfant s'habitue tranquillement à la couleur, à la texture et à la saveur d'un nouvel aliment; il ne dit pas forcément oui du premier coup. N'hésitez pas à lui en redonner de très petites quantités jusqu'au moment où il sera heureux d'en manger.

Un environnement favorable

Plus l'appétit est fragile, plus le déroulement du repas prend de l'importance.

Contrairement à un adulte, l'enfant ne peut pas porter son attention sur plusieurs choses à la fois. Il a plus de chances de manger dans un environnement calme et détendu que dans une pièce pleine de bruit. Il a du mal à manger en regardant la télévision.

Le jeune enfant a besoin d'une certaine régularité dans l'horaire de ses repas. Il doit manger au moins trois repas. Il peut grignoter entre les repas, si les collations ne nuisent pas à son appétit.

Il a besoin d'être confortablement installé et d'avoir certains accessoires qui facilitent ses heures des repas comme:

- un chaise haute avec un support pour les pieds;
- une table qui répond à ses besoins;
- de petits ustensiles;
- une bavette qui ramasse les miettes et les restes;
- un petit verre incassable, à large ouverture (toujours à demi rempli);
- un bol ou un plat convexe, plutôt qu'une assiette.

Ses aptitudes manuelles et sociales

Au fil des mois, votre bébé apprend une foule de gestes qui l'aident à boire et à manger. La liste qui suit peut vous aider à introduire certains aliments ou certaines façons de faire en fonction de ses habiletés.

DE 6 À 9 MOIS:

- il apprend à utiliser ses mains;
- il peut tenir un biberon;
- il commence à mastiquer;
- il peut mieux utiliser sa langue pour manipuler les aliments;
- il démontre de l'intérêt pour les textures;
- il commence à manifester ses préférences alimentaires.

DE 9 À 12 MOIS:

- il fait ses premiers essais avec la cuillère;
- il mastique de mieux en mieux;
- il commence à saisir les aliments avec le pouce et l'index;
- il découvre le monde avec son nez et ses mains;
- il observe les autres et commence à les imiter.

AUTOUR DE 15 MOIS:

- il saisit les aliments avec ses doigts;
- il peut prendre une cuillère et la déposer dans une assiette, sans toutefois la remplir convenablement;
- lorsque la cuillère est au bord de ses lèvres, elle est souvent à l'envers;

- il laisse souvent tomber sa cuillère ou sa tasse;
- il porte tout à sa bouche, sauf la nourriture;
- il veut manger les aliments que les autres mangent.

AUTOUR DE 18 MOIS:

- son appétit diminue de façon importante;
- il aime manger avec ses doigts;
- il aime essayer de nouvelles textures;
- le mot «non» est la réponse par excellence;
- il boit bien à la tasse;
- il éprouve parfois des difficultés à déposer sa tasse sur la table;
- il peut tourner sa cuillère dans sa bouche;
- son rythme de croissance est lent;
- il aime les rituels: avoir le même plat, la même tasse, le même horaire;
- il est facilement distrait;
- il accepte d'être nourri lorsqu'il est fatigué.

AUTOUR DE 24 MOIS:

- l'enfant peut boire au verre en le tenant d'une seule main;
- il peut porter sa cuillère à ses lèvres, sans la retourner;
- il a des caprices;
- il a des marottes et aime les mêmes aliments jour après jour;
- il a besoin d'un horaire régulier;
- il adore les rituels.

Le défi alimentaire après 9 mois demande plus d'ouverture et plus de patience que d'habiletés dans la cuisine! Si vous apprenez à respecter les messages de votre enfant, à décoder certains de ses gestes et à ne jamais le forcer à manger, vous lui donnez la clé de bonnes habitudes alimentaires.

L'horaire des repas

L'horaire des repas du bébé peut varier selon votre propre horaire. L'important est de donner à votre bébé ce dont il a besoin à l'intérieur d'une journée.

Si vous travaillez ou si vous allaitez toujours, vous pouvez commencer la journée de votre bébé par un boire de lait maternel et lui en donner un autre le soir.

Si votre bébé boit mieux son lait à la bouteille, vous pouvez choisir de lui donner un biberon, juste avant sa sieste du matin et de l'après-midi, plutôt que de lui offrir le lait au gobelet à la fin du repas.

Utilisez le tableau suivant comme guide et non comme une règle à suivre.

L'horaire approximatif des repas entre 9 et 12 mois	
déjeuner	jus de fruits au gobelet céréales pour bébés lait maternel ou préparation de transition ou lait entier
dîner	viande, volaille, poisson, tofu ou légumineuses légumes pain ou autre féculent fruit lait maternel, préparation de transition ou lait entier
collation au besoin	lait maternel, préparation de transition ou lait entier
souper	légumes ou pâtes fromage, tofu ou céréales fruit lait maternel, préparation de transition ou lait entier
au coucher, si nécessaire	lait maternel, préparation de transition ou lait entier

Les aliments de base et le nombre de portions par jour

Comme vous le constatez, votre bébé mange maintenant un peu de tout, mais il ne mange pas encore comme tout le monde. Afin qu'il retire de chaque bouchée une valeur nutritive intéressante, voici quelques consignes pour chaque groupe d'aliments.

LES LÉGUMES

Faites cuire les légumes à la vapeur ou au four à micro-ondes avec très peu d'eau. Évitez de les faire tremper dans l'eau avant la cuisson, puisque le trempage réduit leur contenu en vitamines et en minéraux.

Après la cuisson, écrasez-les à la fourchette. Réservez l'eau de cuisson pour faire cuire le riz ou les pâtes alimentaires.

Vous pouvez aussi servir certains légumes crus et râpés comme la carotte et la courgette (zucchini).

Si votre bébé de 12 ou 15 mois refuse les légumes cuits à la vapeur, essayez des jus de légumes maison (jus de carotte) ou encore du V8, des potages de légumes ou des flans aux légumes.

Offrez environ 2 portions de légumes par jour.

LA VIANDE, LA VOLAILLE ET LE POISSON

Vous pouvez offrir à votre bébé la viande rouge en purée jusqu'à l'âge de 12 mois ou la servir finement hachée. Elle n'est pas vraiment populaire auprès des bébés parce qu'elle est difficile à mastiquer. Faites cuire des poitrines de poulet à la vapeur en moins de dix minutes et taillez-les en tout petits morceaux. Votre bébé peut aussi manger du poulet rôti ou grillé, finement coupé. Il apprécie le poisson poché ou cuit à la vapeur et légèrement défait à la fourchette.

Après 12 mois, coupez la viande finement selon la capacité de mastiquer de votre bébé. Préparez des pains de viande et faites cuire la préparation dans des petits moules à muffins. Vous pouvez aussi lui préparer des croquettes de poisson ou lui donner des sardines en conserve, bien égouttées. Certains bébés en raffolent.

Offrez environ 1 portion de viande, volaille ou poisson par jour ou remplacez le repas de viande par un repas de légumineuses ou de tofu.

LE TOFU ET LES LÉGUMINEUSES

Le tofu est déjà tout préparé, il est prêt à servir et il est plus facile à digérer que les légumineuses. Plusieurs bébés l'acceptent d'emblée. Vous pouvez offrir du tofu ordinaire ou du tofu de type japonais (Mori-Nu ou Kikkoman) si vous pouvez vous le procurer près de chez vous, puisque ce dernier a une saveur douce et une consistance très onctueuse. Réduisez-le en purée ou émiettez-le tout simplement.

Les bébés aiment généralement les légumineuses (haricots, lentilles et pois chiches) bien cuites et mises en purée, puisqu'elles sont faciles à mastiquer. Vous pouvez utiliser les légumineuses en conserve bien rincées, les réduire en purée ou les écraser à la fourchette.

Une portion de tofu ou de légumineuses remplace adéquatement une portion de viande et constitue un choix nutritif pour tous les bébés, qu'ils soient végétariens ou non.

Pour l'enfant végétarien, prévoyez 1 portion de légumineuses ou de tofu par jour.

LES FRUITS

Les bébés aiment bien les fruits. Vous pouvez les servir en purée, puis les mélanger à d'autres fruits; les purées pommes et poires, pruneaux et pommes ou poires et pêches sont très savoureuses. Vous pouvez également les faire pocher dans un jus de fruits, puis les écraser à la fourchette, les incorporer à un yogourt ou encore les réduire en purée et les mélanger à un peu de tofu mou ou à un dessert à base de gélatine.

Continuez d'offrir des fruits crus comme des quartiers d'orange ou de clémentine, des petits morceaux de cantaloup, de melon Honeydew ou de melon d'eau, des tranches de kiwi, de poire ou de pêche.

Servez les fruits *nature* sans ajout de sucre, afin de familiariser votre bébé à leur vraie saveur. Quant au jus de fruits, continuez de les diluer avec un même volume d'eau; vous évitez de cette façon une surconsommation de jus et une sous-consommation de lait.

Offrez environ 2 portions de fruits par jour, en prenant soin d'inclure un fruit riche en vitamine C (voir les bonnes sources de vitamine C, en appendice, p. 259).

LES PRODUITS CÉRÉALIERS ENTIERS

Votre bébé prend facilement goût aux produits céréaliers entiers, comme le pain de blé entier, le riz brun, le gruau d'avoine et les pâtes de blé entier; il y trouve plus de minéraux et de fibres alimentaires que dans le pain blanc et le riz blanc. Vous pouvez aussi lui offrir du millet, du quinoa ou de l'amarante, trois grains entiers riches en fer qui peuvent occasionnellement remplacer les flocons d'avoine ou le riz brun.

Variez le menu en offrant à votre bébé différents pains: pains de seigle, pain pita de blé entier ou pain de blé concassé. N'hésitez pas à lui préparer des muffins maison qui sont toujours populaires; vous pouvez même y camoufler ses céréales pour bébés enrichies de fer ou des grains entiers moulus (quinoa, amarante) pour enrichir son menu de fer, s'il délaisse les céréales du matin ou s'il refuse catégoriquement la viande ou d'autres aliments riches en fer (voir p. 175).

Vous ne faites pas d'erreur en servant à votre bébé des pâtes de blé entier, car elles demeurent de grandes favorites et elles vous permettent de servir des sauces pleines de bons légumes.

Prévoyez au moins 3 portions de produits céréaliers par jour, en incluant des céréales enrichies de fer ou riches en fer aussi souvent que possible jusqu'à l'âge de 2 ans.

LE LAIT

Lorsque votre bébé mange chaque jour environ 200 ml (¾ tasse) d'aliments solides variés, vous pouvez lui offrir du lait entier, à 3,25 %.

Le lait fait partie des aliments importants pour votre bébé. Il lui fournit, entre autres, une bonne quantité de protéines, de calcium et de vitamine D, trois éléments nutritifs fort utiles au cours d'une période d'intense croissance, et difficiles à remplacer.

La campagne anti-lait menée depuis quelques années au Québec peut avoir des séquelles sur la santé des jeunes enfants. On m'a rapporté le cas d'un bébé de moins de 10 mois à qui on a recommandé d'éliminer le lait et de le remplacer par 1 litre (32 oz) de jus de carotte par jour parce qu'il avait eu quelques infections à répétition.

Cette substitution, qui ne fait aucun sens du point de vue nutritionnel, peut mettre en péril la croissance normale de cet enfant si elle est maintenue plusieurs semaines sans supplément adéquat. Le jus de carotte peut aussi colorer la peau du bébé (voir p. 103).

Si votre bébé est allergique ou intolérant au lait de vache, vous pouvez continuer la préparation thérapeutique aussi longtemps que votre médecin le juge nécessaire (voir p. 90).

Quant aux laits écrémés et partiellement écrémés, consultez la p. 95.

Assurez-vous que votre bébé boive un minimum de 600 ml (20 oz) de lait par jour jusqu'à l'âge de 2 ans. Si votre bébé aime trop le lait, limitez sa consommation totale à 1 litre (32 oz) par jour.

LES AUTRES PRODUITS LAITIERS

Pour ce qui est du yogourt et des fromages frais, référez-vous à la p. 124. Quant aux fromages fermes, du genre cheddar et mozzarella, vous pouvez facilement les intégrer à une foule de recettes ou les offrir en petits cubes à certains repas, comme bonnes sources de protéines.

Pour ce qui est de la crème glacée et du lait glacé, ces aliments demeurent de petites gâteries, lors d'occasions spéciales! Quant au lait au chocolat, il renferme trop de sucre.

Pour avoir une meilleure notion de ce que veut dire une portion, consultez le tableau qui suit.

Une portion veut dire...	
Céréales cuites	60 à 125 ml (¼ à ½ tasse)
Fruits	60 ml (¼ tasse) ou ¼ de fruit frais (poire ou pêche)
Dessert-gélatine maison aux fruits	60 ml (¼ tasse)
Jus de fruits	100 ml (env. 3 oz), dilué avec un même volume d'eau
Légumes	30 ml (2 c. à soupe) cuits ou crus, râpés
Soupe aux légumes	75 ml (⅓ tasse)
Repas de viande et légumes	60 ml (¼ tasse)
Poisson, viande ou volaille	45 g (1½ oz)
Légumineuses cuites	60 ml (¼ tasse)
Tofu ferme	45 g (1½ oz)
Tofu mou	60 g (2 oz)
Œuf	1 petit
Lait entier	125 ml (½ tasse)
Fromage cottage	60 ml (¼ tasse)
Fromage ordinaire	15 g (½ oz)
Yogourt	75 ml (⅓ tasse)
Pain de blé entier	½ tranche
Riz brun, cuit	60 ml (¼ tasse)
Pâtes de blé entier, cuites	75 ml (⅓ tasse)

Les aliments à éviter

Il n'y a pas de place au menu du bébé pour les aliments frits, les charcuteries, les tartes, les gâteaux et le chocolat (voir p. 125). Même si ces aliments peuvent faire partie de son environnement, essayez de les éviter, sans toutefois les rendre tabous (voir p. 26).

Votre bébé peut aussi s'étouffer avec d'autres aliments (voir p. 126). Ne courez aucun risque. Les aliments qui ont la même dimension que la première partie du tube digestif de votre enfant peuvent rester pris dans sa gorge et provoquer l'étouffement. Évitez les aliments petits, durs et ronds, en particulier, *les noix, les raisins frais, les rondelles de saucisses, du maïs soufflé, les bonbons durs* avant l'âge de 4 ans.

Le coroner du Québec me faisait récemment parvenir un rapport d'investigation sur le malheureux décès d'un tout-petit de 2 ans et 11 mois. Celui-ci en visite chez ses grands-parents a perdu conscience après avoir tenté d'avaler un seul raisin rouge. Il a suffoqué et est décédé quatre jours plus tard.
Événement tragique qu'il faut prévenir aussi souvent que possible.

Les aliments de l'autonomie

Certains aliments se manipulent facilement et encouragent votre bébé à manger seul:

- les morceaux de légumes cuits;
- les morceaux de poulet ou de viande cuits;
- les cubes de fromage;
- les croûtes de pain et le pain grillé, sec;
- les morceaux de fruits pochés;
- les morceaux de tofu;
- les légumineuses cuites;
- les pâtes, du genre macaroni ou fusilli;
- les petits morceaux d'œuf cuit dur.

Chapitre 18

Menus et recettes après 9 mois

À partir de l'âge de 9 mois, votre bébé délaisse graduellement les purées pour accepter lentement les aliments consommés par le reste de la famille. Certains bébés traversent cette période rapidement, d'autres plus lentement. Respectez le rythme de votre bébé. Sans rien brusquer, introduisez régulièrement de nouveaux aliments et de nouvelles textures, car l'évolution des aptitudes alimentaires d'un bébé est imprévisible. Choisissez les recettes qui respectent les goûts de votre bébé, car votre bébé a déjà des saveurs et des aliments préférés.

Consultez les menus et les recettes de ce chapitre pour avoir des idées et faire quelques réserves. Vous y trouverez:

- des aliments plus consistants que les purées, mais plus faciles à avaler que les aliments courants;
- des assaisonnements limités à l'ajout graduel d'oignon, de ciboulette, de persil ou de certaines épices, comme la cannelle ou la muscade. Après l'âge de 12 mois, vous pouvez saupoudrer les aliments de quelques grains de sel et faire quelques expériences avec d'autres assaisonnements.

Nicolas a 15 mois et il n'a vraiment pas un appétit régulier. Il peut refuser de manger après la première bouchée, mais, certains jours, lorsque l'aliment est relevé avec un soupçon d'ail ou d'oignon, il avale sans rouspéter.

Bien entendu, chaque bébé a son répertoire de goûts, mais lorsque votre bébé a plus de 12 mois et que son appétit languit, quelques expériences du côté des assaisonnements peuvent susciter de bonnes réactions.

La gamme des aliments offerts est plus grande qu'avant 9 mois. Parmi ces nouveaux aliments, il y a du yogourt, du fromage cottage, des fromages fermes, l'œuf complet après 11 mois, des légumes comme les épinards et les navets, des crudités et des fruits frais, taillés en petits morceaux.

Les sept menus proposés présentent de nouveaux aliments et de nouvelles textures dans le contexte d'une journée équilibrée avec viande ou sans viande. Les plats principaux mettent en vedette des aliments riches en protéines, comme la viande ou le poulet, le poisson, les légumineuses, le tofu, le fromage ou les œufs. Le repas du midi est le repas principal, alors que le repas du soir est plus léger. Les desserts se composent essentiellement de fruits frais ou de purées de fruits avec yogourt ou tofu, ou encore de purées de fruits secs.

Vous pouvez congeler certains de ces plats en petites quantités pour éviter la préparation de dernière minute ou cuisiner de plus petites quantités, juste avant les repas. Ne vous gênez pas pour faire des expériences avec les nombreux aliments nutritifs que vous trouvez sur le marché, car votre bébé est encore à l'âge où il aime goûter de nouvelles choses!

Ce menu de sept jours, conçu pour la période de transition, peut commencer lorsque votre bébé a goûté à tous les aliments de base et peut vous inspirer jusqu'à ce qu'il atteigne l'âge de 2 ans.

Menu de sept jours pour la période de transition

JOUR 1 Menu avec viande	JOUR 1 Menu lacto-ovo-végétarien
quartiers d'orange céréales pour bébés avec lait lait ou lait maternel	quartiers d'orange céréales pour bébés avec lait lait ou lait maternel
* * *	* * *
sole ou saumon, poché* (voir poisson frais poché) courgette écrasée à la fourchette pain de blé entier gelée de fruits maison* lait ou lait maternel	lentilles, riz brun et légumes* pain de blé entier gelée de fruits maison* lait ou lait maternel
* * *	* * *
crème de tofu et beurre d'arachide* pain pita de blé entier lait fouetté à la banane* lait ou lait maternel	crème de tofu et beurre d'arachide* pain pita de blé entier lait fouetté à la banane* lait ou lait maternel
* * *	* * *
lait ou lait maternel	lait ou lait maternel

* Pour trouver cette recette, voir l'index des recettes.

JOUR 2 **Menu avec viande**	JOUR 2 **Menu lacto-ovo-végétarien**
jus de pomme (dilué dans l'eau) céréales pour bébés, amandes moulues et lait lait ou lait maternel	jus de pomme (dilué dans l'eau) céréales pour bébés, amandes moulues et lait lait ou lait maternel
* * *	* * *
jus de carotte poulet, riz brun et légumes* tranches de kiwi frais lait ou lait maternel	jus de carotte riz brun, légumes et fromage* tranches de kiwi frais lait ou lait maternel
* * *	* * *
crème de pois verts* (voir crème de légumes) muffin à l'orange et aux dattes* popsifruits* lait ou lait maternel	crème de pois verts* (voir crème de légumes) muffin à l'orange et aux dattes* popsifruits* lait ou lait maternel
* * *	* * *
lait ou lait maternel	lait ou lait maternel

* Pour trouver cette recette, voir l'index des recettes.

JOUR 3
Menu avec viande

morceaux de cantaloup
gruau et fruits secs*
avec lait
lait ou lait maternel

* * *

œuf brouillé au fromage*
salade de carottes*
pain de blé entier
¼ banane mûre, écrasée
lait ou lait maternel

* * *

fromage cottage
compote de pommes ou
purée de pruneaux*
pain de blé entier
lait ou lait maternel

* * *

lait ou lait maternel

JOUR 3
Menu lacto-ovo-végétarien

morceaux de cantaloup
gruau et fruits secs*
avec lait
lait ou lait maternel

* * *

légumineuses en purée et
légumes*
salade de carottes*
pain de blé entier
¼ banane mûre, écrasée
lait ou lait maternel

* * *

fromage cottage
compote de pommes ou
purée de pruneaux*
pain de blé entier
lait ou lait maternel

* * *

lait ou lait maternel

* Pour trouver cette recette, voir l'index des recettes.

JOUR 4 Menu avec viande	JOUR 4 Menu lacto-ovo-végétarien
jus de pomme (dilué dans l'eau) céréales pour bébés, graines de sésame moulues et lait lait ou lait maternel	jus de pomme (dilué dans l'eau) céréales pour bébés, graines de sésame moulues et lait lait ou lait maternel
* * *	* * *
pain de viande mystère* crème de laitue* pain de blé entier morceaux de cantaloup lait ou lait maternel	tofu brouillé* crème de laitue* pain de blé entier morceaux de cantaloup lait ou lait maternel
* * *	* * *
macaroni aux deux fromages* mini-morceaux de brocoli crème à la citrouille* lait ou lait maternel	macaroni aux deux fromages* mini-morceaux de brocoli crème à la citrouille* lait ou lait maternel
* * *	* * *
lait ou lait maternel	lait ou lait maternel

* Pour trouver cette recette, voir l'index des recettes.

Jour 5
Menu avec viande

quartiers d'orange
crème de blé et banane*
et lait
lait ou lait maternel

* * *

pâté minute au poisson
et aux épinards*
pain de blé entier
purée de poires*
lait ou lait maternel

* * *

crème de tofu et d'avocat*
pain de blé entier
gelée de fruits maison*
lait ou lait maternel

* * *

lait ou lait maternel

Jour 5
Menu lacto-ovo-végétarien

quartiers d'orange
crème de blé et banane*
et lait
lait ou lait maternel

* * *

légumes au gratin*
pain de blé entier
purée de poires*
lait ou lait maternel

* * *

crème de tofu et d'avocat*
pain de blé entier
gelée de fruits maison*
lait ou lait maternel

* * *

lait ou lait maternel

* Pour trouver cette recette, voir l'index des recettes.

JOUR 6 **Menu avec viande**	JOUR 6 **Menu lacto-ovo-végétarien**
quartiers d'orange céréales pour bébés et lait lait ou lait maternel	quartiers d'orange céréales pour bébés et lait lait ou lait maternel
* * *	* * *
galette de bœuf haché petits légumes pain de blé entier ¼ poire, écrasée lait ou lait maternel	lentilles, riz brun et légumes* pain de blé entier ¼ poire, écrasée lait ou lait maternel
* * *	* * *
jus de légumes œuf cuit mollet pain de blé entier crème de tofu aux fruits frais* lait ou lait maternel	jus de légumes œuf cuit mollet pain de blé entier crème de tofu aux fruits frais* lait ou lait maternel
* * *	* * *
lait ou lait maternel	lait ou lait maternel

* Pour trouver cette recette, voir l'index des recettes.

JOUR 7	JOUR 7
Menu avec viande	**Menu lacto-ovo-végétarien**

jus d'orange (dilué dans l'eau)
céréales pour bébés et lait
lait ou lait maternel

* * *

poulet grillé
purée de carottes*
pain de blé entier
compote de pommes*
lait ou lait maternel

* * *

pâtes de blé entier,
sauce aux légumes frais
et fromage râpé
yogourt nature et dattes
lait ou lait maternel

* * *

lait ou lait maternel

jus d'orange (dilué dans l'eau)
céréales pour bébés et lait
lait ou lait maternel

* * *

flan aux petits légumes*
pain de blé entier
compote de pommes*
lait ou lait maternel

* * *

pâtes de blé entier,
sauce aux légumes frais
et fromage râpé
yogourt nature et dattes
lait ou lait maternel

* * *

lait ou lait maternel

* Pour trouver cette recette, voir l'index des recettes.

RECETTES

PETIT DÉJEUNER OU REPAS DU SOIR
CRÈME DE BLÉ ET BANANE

375 ml (1½ tasse) d'eau
375 ml (1½ tasse) de lait entier, à 3,25 %, ou de lait de soya
125 ml (½ tasse) de crème de blé enrichie de fer
2 bananes mûres, bien écrasées

Faire bouillir l'eau et le lait. Ajouter graduellement la crème de blé et remuer constamment jusqu'à ce que le mélange commence à épaissir.

Diminuer le feu et laisser cuire 5 minutes, en remuant de temps en temps.

Retirer du feu et ajouter les bananes écrasées.

Verser dans de petits plats en verre ou dans des contenants allant au four à micro-ondes.

Congeler. Réchauffer au bain-marie ou au four à micro-ondes, en prenant soin de mélanger, à mi-cuisson, et juste avant de servir.

Rendement: 950 ml (3½ tasses) ou 15 portions de 60 ml (¼ tasse)
Conservation: 4 à 6 semaines au congélateur
Valeur nutritive: 1,8 mg de fer par portion

GRUAU ET FRUITS SECS

Cette céréale est bien appréciée des enfants, car elle dégage la saveur des fruits secs. C'est aussi à cause des fruits secs que ce plat est une très bonne source de fer.

330 ml (1⅓ tasse) de flocons d'avoine
80 ml (⅓ tasse) de jus de pomme
125 ml (½ tasse) de raisins secs, de dattes ou de pruneaux
560 ml (2¼ tasses) d'eau

Verser les flocons d'avoine dans le contenant du mélangeur et réduire en farine pendant environ 60 secondes. Déposer les flocons moulus dans un bol. Verser le jus de pomme et les fruits secs dans le mélangeur et réduire en purée.

Dans une casserole, amener l'eau à ébullition et verser les flocons moulus en mélangeant. Incorporer la purée de fruits. Porter de nouveau à ébullition, puis baisser le feu et laisser mijoter 5 à 6 minutes.

Retirer du feu, couvrir et refroidir légèrement.

Verser dans des plats en verre ou dans des contenants allant au four à micro-ondes. Congeler.

Réchauffer au bain-marie ou au four à micro-ondes. Bien mélanger à mi-cuisson et juste avant de servir.

Rendement: 625 ml (2½ tasses) ou 10 portions de 60 ml (¼ tasse)
Conservation: 2 à 3 jours au réfrigérateur
4 à 6 semaines au congélateur
Valeur nutritive: 2,7 mg de fer par portion

SOUPES

CRÈME DE LAITUE

5 feuilles de laitue romaine ou de bette à carde
10 ml (2 c. à thé) de persil frais
15 ml (1 c. à soupe) de tofu mou
15 ml (1 c. à soupe) de lait
quelques gouttes de jus de citron frais

Bien laver les légumes.
Cuire quelques minutes à la vapeur.
Mélanger les ingrédients au robot culinaire et servir tiède ou froid.
Conserver quelques jours au frigo dans un contenant fermé.

Rendement: 125 ml (½ tasse) ou 4 petites portions de 30 ml (2 c. à soupe)
Conservation: 2 à 3 jours au frigo
Valeur nutritive: 0,9 mg de fer par portion

CRÈME DE LÉGUMES

Cette recette permet d'offrir des légumes bien camouflés.
Cette soupe se prépare en quelques minutes avec les légumes frais du marché.
Vous pouvez utiliser du lait de soya, plutôt que du lait de vache,
si vous le désirez.

60 à 125 ml (¼ à ½ tasse) de légumes crus ou surgelés:
chou-fleur, brocoli, asperges, pois verts, haricots verts
125 ml (½ tasse) de lait entier, à 3,25 %
½ tranche de pain de blé entier
5 ml (1 c. à thé) d'huile d'olive ou de tournesol

Cuire les légumes à la vapeur ou au four à micro-ondes, quelques minutes.
Passer au mélangeur les légumes, l'eau de cuisson, le lait, le pain et l'huile pendant 30 secondes. Ajouter du liquide, si nécessaire.
Réchauffer et servir. Congeler le surplus, si désiré.

Rendement: 375 ml (1½ tasse) ou 4 portions de 90 ml (6 c. à soupe)
Conservation: 3 à 4 jours au réfrigérateur
4 à 5 semaines au congélateur
Valeur nutritive: 0,3 mg de fer par portion

SALADE ET SAUCE

SALADE DE CAROTTES

125 ml (½ tasse) de carottes râpées
30 ml (2 c. à soupe) de fromage blanc (Quark ou Damafro)
15 ml (1 c. à soupe) de raisins secs
5 ml (1 c. à thé) d'huile d'olive
5 ml (1 c. à thé) de jus de citron frais

Mélanger les ingrédients et servir froid.

*Rendement: 200 ml (env. ¾ tasse) ou
4 petites portions de 50 ml (env. 3. c. à soupe)
Conservation: quelques jours au frigo
Valeur nutritive: 3600 U.I. de bêta-carotène par portion*

SAUCE BLANCHE
(consistance moyenne)

Cette sauce se prépare sur la cuisinière ou au four à micro-ondes.

30 ml (2 c. à soupe) d'huile de canola
30 ml (2 c. à soupe) de farine de blé entier, tout usage
125 ml (½ tasse) de lait entier, à 3,25 %
125 ml (½ tasse) de bouillon de poulet
ou d'eau de cuisson de légumes

Sur la cuisinière. Dans une casserole, mélanger l'huile et la farine, puis réchauffer quelques minutes. Ajouter graduellement le lait et le bouillon, en remuant constamment jusqu'à ce que la sauce épaississe. Cuire encore 1 minute.

Au four à micro-ondes. Dans un bol en verre de 1 litre (4 tasses), chauffer l'huile à haute intensité pendant 30 secondes. Ajouter la farine et mélanger. Ajouter le liquide graduellement en remuant constamment, jusqu'à ce que la texture soit bien lisse. Cuire au four à micro-ondes pendant 3 à 6 minutes, à haute intensité, ou jusqu'à ce que la sauce soit épaisse et lisse. Pendant la cuisson, remuer aux deux minutes.

Laisser refroidir et utiliser immédiatement ou garder au congélateur ou au réfrigérateur.

Rendement: 250 ml (1 tasse)
Conservation: 3 à 4 jours au réfrigérateur
4 semaines au congélateur
Valeur nutritive pour 125 ml (½ tasse): 6 g de protéines
84 mg de calcium

PLATS VÉGÉTARIENS

CRÈME DE TOFU ET BEURRE D'ARACHIDE

Cette crème onctueuse et savoureuse se prépare aussi avec du beurre de sésame.

125 g (4 oz) de tofu mou
125 ml (½ tasse) de beurre d'arachide naturel
ou de beurre de sésame naturel, crémeux
10 ml (2 c. à thé) de sirop d'érable (ou de miel, après l'âge de 12 mois)

Mettre le tofu et le beurre d'arachide ou de sésame au mélangeur ou au robot culinaire. Réduire en purée lisse.

Ajouter 5 ml (1 c. à thé) de sirop d'érable et goûter avant d'en ajouter davantage.

Servir en tartinade sur du pain pita de blé entier ou en trempette avec des morceaux de fruits frais.

Rendement: 250 ml (1 tasse) ou 8 portions
Grosseur d'une portion: 15 à 30 ml (1 à 2 c. à soupe)
Conservation: 1 semaine au réfrigérateur
Valeur nutritive pour 30 ml (2 c. à soupe): 6 g de protéines par portion
1,9 mg de fer par portion

CRÈME DE TOFU ET D'AVOCAT

60 ml (4 c. à soupe) de tofu mou
½ avocat
15 ml (1 c. à soupe) de jus de citron frais
15 ml (1 c. à soupe) d'huile d'olive
15 ml (1 c. à soupe) de ciboulette ou de persil frais

Mélanger les ingrédients au robot culinaire et servir froid.

Conserver quelques jours au frigo dans un contenant fermé.

Pour les plus vieux, offrir en trempette avec des légumes et des morceaux de pain de blé entier ou de pita de blé entier.

Rendement: 125 ml (½ tasse) ou 4 petites portions de 30 ml (2 c. à soupe)
Conservation: 2 à 3 jours au frigo
Valeur nutritive: 1,8 mg de fer par portion

FLAN AUX PETITS LÉGUMES

4 carottes râpées
1 tranche de 5 cm (2 po) d'épaisseur de navet râpé
2 petites courgettes taillées en morceaux
1 oignon haché
2 pommes de terre coupées en petits dés
10 feuilles de laitue, d'épinards ou de bettes à carde,
hachées grossièrement
60 ml (4 c. à soupe) de farine de blé entier
60 ml (4 c. à soupe) de lait en poudre
4 œufs
1 pincée de sel
1 pincée de muscade
huile d'olive

Cuire les légumes à la vapeur ou au four à micro-ondes, pendant quelques minutes.

Dans un bol, mélanger les légumes, la farine, le lait en poudre et les œufs. Saler et ajouter la muscade. Verser dans une assiette à tarte huilée.

Cuire à 160°C (325°F) pendant environ 25 minutes.

Rendement: 1 flan de 20 cm (8 po), soit 16 portions
Conservation: 2 à 3 jours au réfrigérateur
4 à 6 semaines au congélateur
Valeur nutritive: 3 g de protéines par portion

LÉGUMES AU GRATIN

Cette recette est facile à préparer et il est aussi facile d'en faire des variantes, selon les légumes frais que l'on trouve sur le marché.

**250 ml (1 tasse) de sauce blanche, de consistance moyenne
(voir recette p. 207)
80 ml (⅓ tasse) de mozzarella, râpée
250 ml (1 tasse) de légumes cuits, écrasés à la fourchette
ou réduits en purée (brocoli, haricots verts ou asperges)**

Dans un grand bol, réchauffer la sauce au four à micro-ondes ou au bain-marie.

Ajouter le fromage râpé et le laisser fondre en remuant occasionnellement. Ajouter les légumes et bien mélanger.

Servir immédiatement.

Verser le surplus dans de petits plats en verre ou allant au four à micro-ondes. Réfrigérer ou congeler.

Réchauffer au bain-marie ou quelques minutes au four à micro-ondes. Mélanger avant de servir.

***Rendement:** 500 ml (2 tasses)
ou 8 portions de 60 ml (¼ tasse)
Conservation: 2 à 3 jours au réfrigérateur
4 à 6 semaines au congélateur
Valeur nutritive: 3,7 g de protéines par portion*

LÉGUMINEUSES EN PURÉE ET LÉGUMES

Un plat végétarien délicieux qui initie le bébé aux légumineuses.
Pour commencer, diviser la recette en 2 ou en 3.

250 ml (1 tasse) de sauce blanche, de consistance moyenne
(voir recette p. 207)
250 ml (1 tasse) de légumineuses[1] bien cuites
(pois secs, haricots rouges ou pois chiches)
réduites en purée lisse
125 ml (½ tasse) de légumes écrasés à la fourchette
(carottes, courgettes ou asperges)

Au four à micro-ondes, réchauffer la sauce. Ajouter la purée de légumineuses et les légumes. Bien mélanger.

Diviser en portions individuelles de 60 ml (¼ tasse). Verser dans de petits plats en verre ou allant au four à micro-ondes.

Congeler ou réfrigérer pendant quelques jours.

Réchauffer au bain-marie ou au four à micro-ondes pendant environ 1 minute. Mélanger à mi-cuisson au four à micro-ondes et mélanger juste avant de servir.

Rendement: 625 ml (2½ tasses)
ou 10 portions de 60 ml (¼ tasse)
***Conservation:** 2 à 3 jours au réfrigérateur*
4 à 6 semaines au congélateur
***Valeur nutritive:** 3 g de protéines par portion*

---

1. On peut utiliser des légumineuses en conserve, égouttées et bien rincées.

LENTILLES, RIZ BRUN ET LÉGUMES

Un autre plat végétarien nutritif, à base de lentilles.

125 ml (½ tasse) de sauce blanche, de consistance moyenne (voir recette p. 207)
125 ml (½ tasse) de lentilles brunes ou vertes, bien cuites
60 ml (¼ tasse) de riz brun, cuit
**60 ml (¼ tasse) de carottes ou de haricots verts,
cuits et coupés finement**

Au four à micro-ondes, réchauffer la sauce. Ajouter les lentilles, le riz brun et les légumes. Bien mélanger.

Verser dans de petits plats en verre ou allant au four à micro-ondes en portions individuelles de 60 ml (¼ tasse). Congeler ou réfrigérer pendant quelques jours.

Réchauffer au bain-marie ou au four à micro-ondes pendant environ 1 minute. Mélanger une fois en cours de cuisson au four à micro-ondes. Mélanger avant de servir.

Rendement: 375 ml (1½ tasse)
ou 6 portions de 60 ml (¼ tasse)
***Conservation:** 2 à 3 jours au réfrigérateur*
3 à 4 semaines au congélateur
***Valeur nutritive:** 3 g de protéines par portion*

MACARONI AUX DEUX FROMAGES

Les bébés, comme le reste de la famille, adorent les pâtes.

500 ml (2 tasses) de macaronis de blé entier, cuits, passés au mélangeur
avec 200 ml (env. ¾ tasse) de lait entier, à 3,25 %
2 œufs
250 ml (1 tasse) de lait entier, à 3,25 %
250 ml (1 tasse) de fromage cottage ordinaire
60 à 90 ml (4 à 6 c. à soupe) de mozzarella, râpée
10 ml (2 c. à thé) d'huile d'olive ou de beurre
2 ml (½ c. à thé) de sel (après l'âge de 12 mois)

Au mélangeur, battre les œufs, ajouter le lait, le fromage cottage, le fromage râpé et l'huile ou le beurre. Saler si votre bébé a plus de 12 mois. Bien mélanger.

Ajouter les pâtes cuites et «réduites», puis bien mélanger.

Verser ce mélange dans de petits plats en verre ou allant au four à micro-ondes en portions individuelles de 60 ml (¼ tasse).

Réchauffer au four ou au four à micro-ondes. Si cette recette a été congelée, il faut compter environ 40 minutes pour décongeler et réchauffer au four conventionnel. Au four à micro-ondes, décongeler, puis réchauffer en prenant soin de mélanger quelques fois avant de servir.

Rendement: 750 ml (3 tasses)
ou 12 portions de 60 ml (¼ tasse)
Conservation: *2 à 3 jours au réfrigérateur*
4 à 6 semaines au congélateur
Valeur nutritive: *8 g de protéines par portion*

ŒUF BROUILLÉ AU FROMAGE

4 œufs
10 ml (2 c. à thé) de lait entier, à 3,25 %
10 ml (2 c. à thé) de beurre
30 g (1 oz) de fromage doux, râpé

Dans un petit bol, battre les œufs et incorporer le lait en brassant légèrement.

Faire fondre le beurre dans un poêlon, à feu doux. Ajouter les œufs battus et agiter légèrement pour permettre une cuisson uniforme. Lorsque les œufs sont presque cuits, ajouter le fromage râpé en mélangeant de nouveau. Aussitôt que le fromage commence à fondre, retirer du feu et refroidir.

Verser dans 4 ou 8 petits plats allant au four à micro-ondes. Bien recouvrir et congeler.

Pour servir, réchauffer au four à 180°C (350°F) environ 10 minutes ou une minute au four à micro-ondes, à forte puissance. Mélanger avant de donner au bébé.

Rendement: 6 petits repas
Conservation: 1 à 2 jours au réfrigérateur
4 à 6 semaines au congélateur
Valeur nutritive: 5 g de protéines par repas

RIZ BRUN, LÉGUMES ET FROMAGE

Vous pouvez remplacer le fromage complètement ou en partie (moitié-moitié) par du tofu. Vérifiez les assaisonnements et relevez avec des herbes fraîches, si nécessaire.

**125 ml (½ tasse) de sauce blanche, de consistance moyenne
(voir recette p. 207)
(ne pas ajouter de sel avant l'âge de 12 mois)
125 ml (½ tasse) de riz brun, cuit
125 ml (½ tasse) de légumes écrasés à la fourchette
(asperges, courgettes, courge, carottes)
90 ml (6 c. à soupe) de mozzarella ou de cheddar, râpé**

Au four à micro-ondes, réchauffer la sauce dans un grand bol. Ajouter tous les ingrédients, sauf le fromage, bien mélanger.

Congeler dans des contenants individuels de 60 ml (¼ tasse) ou réfrigérer pour servir dans quelques jours.

Réchauffer au bain-marie ou au four à micro-ondes. Mélanger à mi-cuisson et mélanger avant de servir, puis ajouter 5 ml (1 c. à thé) de fromage râpé sur chaque portion.

*Rendement: 375 ml (1½ tasse)
ou 6 portions de 60 ml (¼ tasse)
Conservation: 2 à 3 jours au réfrigérateur
3 à 4 semaines au congélateur
Valeur nutritive: 3 g de protéines par portion*

TOFU BROUILLÉ

Ce mets ressemble beaucoup aux œufs brouillés et a très bon goût!

120 g (4 oz) de tofu mou ou ferme
30 ml (2 c. à soupe) d'oignon émincé
5 ml (1 c. à thé) de sauce tamari ou de sauce soya, légère en sel
1 ml (¼ c. à thé) de curcuma
(cette épice rend le mélange jaune, à la cuisson)
10 ml (2 c. à thé) d'huile

Dans un bol, écraser le tofu et ajouter l'oignon, la sauce tamari et le curcuma. Bien mélanger.

Dans un poêlon, verser l'huile et chauffer, à feu moyen. Y ajouter les ingrédients déjà mélangés et cuire 5 minutes.

Servir immédiatement.

Rendement: 3 portions pour bébés
Conservation: 2 à 3 jours au réfrigérateur
Valeur nutritive: 5 g de protéines par portion
3,3 mg de fer par portion

PLATS DE POISSON

PÂTÉ MINUTE AU POISSON ET AUX ÉPINARDS

360 g (12 oz) de filets de poisson
360 g (12 oz) d'épinards frais, hachés grossièrement
2 gousses d'ail
1 petit oignon haché
60 ml (4 c. à soupe) de farine de blé entier
60 ml (4 c. à soupe) de lait en poudre
4 œufs
1 pincée de sel
1 pincée de muscade
1 pincée de fines herbes
huile d'olive

Cuire le poisson et les épinards à la vapeur quelques minutes.

Dans un bol, mélanger le poisson émietté et les épinards cuits aux autres ingrédients.

Verser dans une assiette à tarte huilée.

Cuire à 160°C (325°F) pendant environ 25 minutes.

Servir tiède ou froid.

Rendement: 1 pâté de 20 cm (8 po), soit environ 16 portions
Conservation: 2 à 3 jours au réfrigérateur
Valeur nutritive: 6 g de protéines par portion

POISSON FRAIS POCHÉ

Les bébés apprennent facilement à apprécier la vraie saveur du poisson non pané et non frit. Choisissez un poisson qui contient peu de résidus (voir liste p. 61).

60 à 125 ml (¼ à ½ tasse) de lait entier, à 3,25 %
15 à 30 ml (1 à 2 c. à soupe) d'oignon émincé
225 g (8 oz) de filets de poisson

Dans un poêlon, mettre le lait et chauffer doucement. Ajouter l'oignon et laisser mijoter quelques minutes, jusqu'à tendreté.

Ajouter les filets. Couvrir et cuire à feu doux pendant 5 à 10 minutes ou jusqu'à ce que la chair du poisson soit opaque et s'émiette facilement.

Retirer du feu et défaire à la fourchette. Bien vérifier l'absence de toute arête.

Verser dans de petits contenants d'environ 45 g (1½ oz), puis ajouter un peu de lait de cuisson et d'oignons. Couvrir et congeler, ou servir immédiatement.

Réchauffer au four à 200°C (400°F) pendant environ 10 minutes ou au four à micro-ondes pendant 1 minute, à puissance maximum. Mélanger durant la cuisson au four à micro-ondes et juste avant de servir.

Rendement: 5 portions de 45 g (1½ oz)
Conservation: 2 à 3 jours au réfrigérateur
4 à 6 semaines au congélateur
Valeur nutritive: 8 g de protéines par portion

PLATS DE VIANDE

BŒUF, RIZ BRUN ET LÉGUMES

Vous pouvez utiliser différents grains entiers (orge, sarrasin ou millet) et différents légumes. Se prépare aussi avec de la dinde hachée.

125 ml (½ tasse) de riz brun, non cuit

250 ml (1 tasse) d'eau de cuisson en réserve ou d'eau ordinaire

0,5 kg (env. 1 lb) de bœuf émincé, maigre

5 ml (1 c. à thé) d'huile d'olive

375 à 500 ml (1½ à 2 tasses) d'eau

200 ml (env. ¾ tasse) de tomates fraîches, pelées et hachées finement ou d'oignons ou de poivrons verts, hachés finement

125 ml (½ tasse) de carottes en cubes, fraîches ou surgelées, ou de pois verts ou de courgettes hachées, ou de tout autre mélange de légumes, selon la saison

Dans une petite casserole, mélanger le riz brun à l'eau de cuisson, puis amener à ébullition. Réduire le feu et laisser mijoter environ 20 minutes.

Après 20 minutes, dans une casserole moyenne, faire revenir la viande quelques minutes dans l'huile d'olive. Ajouter l'eau, les légumes choisis et le riz brun mi-cuit. Amener à ébullition. Réduire le feu et laisser mijoter jusqu'à ce que les légumes soient tendres et que le riz soit cuit.

Retirer du feu et laisser refroidir légèrement.

Réduire en purée la moitié du bœuf avec 125 ml (½ tasse) d'eau de cuisson. Vider la purée dans un grand bol et répéter l'opération avec le reste du bœuf.

Égoutter le riz et les légumes, puis les écraser à la fourchette. Bien mélanger avec la purée de bœuf.

Verser en portions individuelles de 60 ml (¼ tasse) dans des plats en verre ou allant au four à micro-ondes. Servir immédiatement ou congeler.

Réchauffer au four ou au four à micro-ondes. Au four à micro-ondes, mélanger une fois, à mi-cuisson, et mélanger juste avant de servir.

Rendement: environ 750 ml (3 tasses) ou
12 portions de 60 ml (¼ tasse)
Conservation: 2 à 3 jours au réfrigérateur
10 à 12 semaines au congélateur
Valeur nutritive: 8 g de protéines par portion
1,1 mg de fer par portion

PAIN DE VIANDE MYSTÈRE

*Une excellente recette pour faire accepter le foie par tous
les membres de la famille!*

**0,5 kg (env. 1 lb) de foies de poulet (d'élevage biologique, si possible;
le foie de veau, de bœuf ou d'agneau peut aussi être utilisé)
1 oignon moyen
170 ml (⅔ tasse) de flocons d'avoine
250 ml (1 tasse) de jus de tomate
560 g (1¼ lb) de bœuf maigre, émincé
1 œuf
2 ml (½ c. à thé) de sel (après 12 mois)**

Préchauffer le four à 180°C (350°F).

Mettre le foie cru et paré, puis l'oignon dans le mélangeur. Réduire le tout en purée lisse.

Dans un grand bol, faire tremper l'avoine dans le jus de tomate pendant environ 10 minutes. Ajouter la purée de foie, le bœuf émincé et l'œuf. Saler si votre bébé a plus de 12 mois et bien mélanger.

Verser dans des moules à muffins bien graissés. Cuire 30 à 40 minutes. Laisser refroidir 5 minutes avant de servir. Tailler en petits morceaux pendant la période de transition de bébé.

Rendement: *16 portions pour bébés*
Conservation: *3 jours au réfrigérateur
10 à 12 semaines au congélateur*
Valeur nutritive: *12 g de protéines par portion
4 mg de fer par portion*

POULET, RIZ BRUN ET LÉGUMES

Vous pouvez préparer facilement cette recette avec une poitrine de poulet désossée et sans peau. Lorsque votre bébé est capable de mastiquer, oubliez le mélangeur et coupez le poulet en petits morceaux.

1 poitrine de poulet désossée et sans peau
5 ml (1 c. à thé) de persil frais, haché finement
750 ml (3 tasses) d'eau
30 ml (2 c. à soupe) d'oignon émincé
3 carottes, pelées et coupées finement
1 branche de céleri, coupée finement
125 ml (½ tasse) de riz brun, non cuit
250 ml (1 tasse) de pois verts, frais ou surgelés

Dans une grande casserole, déposer le poulet, le persil, l'eau, l'oignon, les carottes et le céleri. Laisser mijoter 15 minutes.

Ajouter le riz brun. Laisser mijoter 20 minutes.

Ajouter les pois verts et laisser mijoter encore 20 minutes, jusqu'à ce que les ingrédients soient tendres et que le riz brun soit cuit.

Retirer du feu et laisser refroidir quelques minutes seulement.

Réduire en purée la moitié du poulet avec 125 ml (½ tasse) d'eau de cuisson. Vider la purée dans un grand bol et répéter l'opération avec le reste du poulet.

Égoutter le riz et les légumes, puis les écraser à la fourchette. Bien mélanger avec la purée de poulet.

Verser en portions individuelles de 60 ml (¼ tasse) dans des plats en verre ou allant au four à micro-ondes. Servir immédiatement ou congeler.

Rendement: environ 750 ml (3 tasses)
ou 12 portions de 60 ml (¼ tasse)
Conservation: 2 à 3 jours au réfrigérateur
10 à 12 semaines au congélateur
Valeur nutritive: 6 g de protéines par portion
0,7 mg de fer par portion

DESSERTS

CRÈME À LA CITROUILLE

Petit dessert d'hiver pas comme les autres, à base de courge ou de citrouille.

250 ml (1 tasse) de purée de citrouille ou de courge musquée
250 ml (1 tasse) de lait de soya
15 ml (1 c. à soupe) de beurre d'amande
1 sachet de gélatine sans saveur
5 ml (1 c. à thé) de vanille

Faire cuire la courge ou la citrouille tel qu'indiqué à la p. 138. Il est même possible d'utiliser de la purée déjà congelée.

Verser le lait de soya dans le mélangeur. Ajouter la purée de citrouille ou de courge, et le beurre d'amande. Lorsque la préparation est bien lisse, incorporer la gélatine, puis la vanille. Verser dans de petits bols et réfrigérer quelques heures avant de servir.

Rendement: 500 ml (2 tasses) ou 8 portions de 60 ml (¼ tasse)
Conservation: 2 à 3 jours au réfrigérateur
Valeur nutritive: plus de 7000 U.I. de bêta-carotène par portion lorsqu'on utilise la citrouille

CRÈME DE TOFU AUX FRUITS FRAIS

Voici un délicieux dessert pour les petits et les grands! Il peut aussi se préparer avec un seul fruit à la fois, soit la banane ou les fraises, ou encore avec des mélanges de pêches, de poires ou de pommes pochées.

125 ml (½ tasse) de tofu mou
½ banane
½ tasse de fraises fraîches ou congelées sans sucre

Mettre tous les ingrédients au mélangeur et réduire en une purée très lisse. Servir immédiatement ou conserver au réfrigérateur quelques jours.

Rendement: 250 ml (1 tasse)
ou 4 portions de 60 ml (¼ tasse)
Valeur nutritive: 1,5 mg de fer par portion

GELÉE DE FRUITS MAISON

Cette gelée remplie de jus ou de purée de fruits est beaucoup plus savoureuse que les desserts-gelée de type Jell-o. Faites-en des variantes avec du jus d'orange et de la purée de banane, ou du jus de raisin blanc et de la purée de poire, ou du jus de pomme et de la purée de fraises.

60 ml (¼ tasse) d'eau froide
1 sachet de gélatine sans saveur (genre Knox)
125 ml (½ tasse) d'eau bouillante
250 ml (1 tasse) de jus d'orange, de pomme ou de raisin blanc
250 ml (1 tasse) de purée de banane ou de poire
(fruits frais réduits en purée au mélangeur avec ou sans le jus)

Verser l'eau froide dans un bol de grandeur moyenne. Saupoudrer de gélatine et laisser gonfler quelques minutes seulement.

Ajouter l'eau bouillante et faire dissoudre la gélatine.

Ajouter le jus et la purée de fruits, bien mélanger.

Si désiré, verser dans de petits plats individuels. Réfrigérer quelques heures jusqu'à ce que la gélatine soit ferme.

Rendement: 700 ml (env. 2¾ tasses)
Grosseur d'une portion: 45 ml (3 c. à soupe)
Conservation: 2 à 3 jours au réfrigérateur
Valeur nutritive: 34 mg de potassium par portion
(varie selon le fruit utilisé)

LAIT FOUETTÉ À LA BANANE

Un dessert dans un verre ou dans une tasse.

1 petite banane coupée en morceaux
125 ml (½ tasse) de lait entier, à 3,25 %, ou de lait de soya
une goutte de vanille

Passer la banane et le lait au mélangeur. Bien fouetter. Ajouter la vanille. Verser dans un verre ou une tasse.

Réfrigérer jusqu'au moment de servir.

Rendement: 250 ml (1 tasse) ou 2 portions
Valeur nutritive: 2,5 g de protéines par portion
80 mg de calcium par portion
(si préparé avec du lait entier)

MUFFINS À L'ORANGE ET AUX DATTES

Très savoureux et remplis de fer, grâce à la présence des céréales pour bébés enrichies de fer.

250 ml (1 tasse) de jus d'orange
125 ml (½ tasse) de dattes finement hachées
1 œuf
45 ml (3 c. à soupe) d'huile de canola
45 ml (3 c. à soupe) de miel
250 ml (1 tasse) de farine de blé entier, à pâtisserie
500 ml (2 tasses) de céréales pour bébés enrichies de fer (les *classiques*, voir p. 153)
10 ml (2 c. à thé) de poudre à pâte
2 ml (½ c. à thé) de sel

Au mélangeur ou au robot, mélanger le jus d'orange, les dattes hachées, l'œuf, l'huile et le miel.

Dans un grand bol, mélanger les ingrédients secs. Verser les ingrédients liquides sur les ingrédients secs et brasser juste assez pour humecter tous les ingrédients.

Verser la préparation dans de petits moules à muffins bien graissés. Faire cuire à 200°C (400°F) environ 15 minutes.

Rendement: 24 petits muffins
Conservation: 3 à 4 jours au réfrigérateur
2 à 3 mois au congélateur
Valeur nutritive: 5 mg de fer par muffin

MUFFINS AUX CAROTTES ET AU JUS DE PRUNEAUX

Savoureux et riches en fer.

2 œufs
250 ml (1 tasse) de jus de pruneaux
80 ml (1⅓ tasse) de cassonade
80 ml (⅓ tasse) d'huile de canola
375 ml (1½ tasse) de carottes râpées
125 ml (½ tasse) de céréales All Bran
125 ml (½ tasse) de raisins secs
15 ml (1 c. à soupe) de zeste d'orange
250 ml (1 tasse) de farine de blé entier
250 ml (1 tasse) de céréales pour bébés enrichies de fer
(les *classiques*, voir p. 153)
10 ml (2 c. à thé) de cannelle
5 ml (1 c. à thé) de poudre à pâte
5 ml (1 c. à thé) de soda à pâte

Dans un bol, mélanger ensemble les œufs, le jus de pruneaux, la cassonade et l'huile. Incorporer les carottes râpées, les céréales All Bran, les raisins et le zeste d'orange. Laisser reposer 5 minutes.

Dans un autre bol, mélanger la farine, les céréales pour bébés, la cannelle, la poudre à pâte et le soda à pâte. Verser les ingrédients secs sur les ingrédients liquides et mélanger pour humecter le tout.

Verser la préparation dans de petits moules à muffins bien graissés. Faire cuire à 190°C (375°F) environ 20 minutes.

Rendement: 30 petits muffins
Conservation: 3 à 4 jours au réfrigérateur
2 à 3 mois au congélateur
Valeur nutritive: 2,7 mg de fer par muffin

POPSIFRUITS

*Ces popsicles maison ont la texture du sorbet. Vous pouvez servir
la préparation dans un plat à sorbet ou en popsicle. Essayez différentes saveurs:
jus d'orange, jus de raisin ou jus de pomme.*

500 ml (2 tasses) de yogourt nature
1 boîte de 178 ml (6½ oz) de jus de fruits surgelé, non sucré

Dans le mélangeur, verser le yogourt et le jus de fruits, non dilué.
Mélanger jusqu'à l'obtention d'une texture lisse et homogène.

Verser le mélange dans un moule à popsicles ou dans de petits plats en
verre individuels. Congeler.

Pour servir, passer le popsifruits sous l'eau très chaude afin de le déloger
de son moule ou sortir le contenant du congélateur 15 à 30 minutes avant
de servir, afin d'obtenir la bonne consistance.

Rendement: *10 popsifruits*
Valeur nutritive: *2,2 g de protéines par portion*
65 mg de calcium par portion

Chapitre 19

Le végétarisme et la santé du bébé

Vous êtes végétarien ou végétalien depuis quelques années et vous souhaitez offrir à votre bébé le même type d'alimentation. Vous avez entendu dire que le végétarisme n'est pas recommandé avant l'âge de 2 ans et vous ne savez plus quoi faire. Vous vous demandez s'il peut y avoir des exceptions... La réponse relève de vous, car si vous êtes prêt à surveiller l'alimentation de votre bébé de très près en respectant tous ses besoins nutritifs, vous pouvez poursuivre votre démarche.

Les différents végétarismes

Comme vous le savez, il existe plusieurs types de végétarisme et les précautions à prendre pour atteindre un équilibre alimentaire varient selon les types.

Essayez de vous situer parmi les types suivants.

Le **lacto-ovo-végétarisme** met en vedette tous les aliments d'origine végétale ainsi que les œufs et les produits laitiers, mais il exclut viande, volaille, poissons et fruits de mer.

Le **lacto-végétarisme** met en vedette les mêmes aliments que le type précédent, sauf qu'il exclut totalement les œufs.

Le **végétalisme** met en vedette tous les aliments d'origine végétale, mais exclut tout aliment d'origine animale, y compris les œufs, les produits laitiers, la gélatine, etc. Les adeptes de ce type de végétarisme s'appellent parfois des végan ou des végétariens stricts.

Le **macrobiotisme** élimine plusieurs aliments d'origine animale et tente de faire l'équilibre entre le yin et le yang; certains stades de ce système alimentaire imposent plusieurs restrictions alimentaires.

De façon générale, une alimentation qui ne renferme pas de viande ne présente pas de problème en soi, bien au contraire! Plusieurs recherches ont même démontré les bénéfices d'une telle alimentation lorsqu'elle est bien équilibrée.

Par ailleurs, moins il y a de groupes alimentaires dans un menu, plus il y a de risques de déficiences nutritionnelles, particulièrement pendant la petite enfance. Lorsque vous éliminez le groupe des viandes, vous devez trouver d'autres bonnes sources de protéines, de fer et de zinc. Si vous éliminez aussi le groupe des produits laitiers, vous devez trouver également du calcium, de la vitamine D et de la riboflavine. Il faut aussi trouver la vitamine B_{12} qui devient complètement absente de votre menu. Votre défi est d'autant plus difficile à réaliser qu'il y a d'aliments éliminés.

L'impact sur la croissance et sur la santé du jeune enfant

Les recherches menées depuis vingt-cinq ans sur des populations de jeunes enfants végétariens ont démontré que le lacto ou le lacto-ovo-végétarisme ne nuisaient aucunement à la croissance de l'enfant.

Les chercheurs ont, par ailleurs, noté chez les bébés végétaliens ou végétariens stricts un retard de croissance avant l'âge de 1 an et tout au long des années préscolaires. Les mêmes séquelles ont été observées chez des bébés et jeunes enfants macrobiotiques. Ils ont aussi observé des cas de déficiences nutritionnelles qui ont eu des fins tragiques. Par exemple, un manque de vitamine B_{12} a causé quelques décès chez des bébés de moins de 1 an. Un manque de vitamine D a causé du rachitisme chez des enfants de 2 ans et plus; ces bébés avaient une déformation des os, observable à l'œil nu. Un apport insuffisant de calories et une alimentation trop riche en fibres ont également provoqué des retards de croissance, et même quelques décès.

Le jeune enfant est beaucoup plus vulnérable à la moindre déficience nutritionnelle, particulièrement entre 6 mois et 2 ans parce que tous ses tissus se développent à un rythme très accéléré. C'est la raison pour laquelle les experts en nutrition ne recommandent pas l'adoption d'une alimentation végétarienne avant l'âge de 2 ans.

Si vous désirez que votre bébé adhère à vos habitudes alimentaires, tenez compte de ce qui précède et suivez à la lettre les grandes consignes adaptées à votre type de végétarisme.

Les grandes consignes pour le bébé lacto-végétarien ou lacto-ovo-végétarien

À la naissance, allaitez votre bébé sur demande. S'il est né à la fin de l'été, donnez-lui un supplément de vitamine D (D-Vi-Sol) à 3 ou 4 semaines. Si vous ne l'allaitez pas, offrez-lui une préparation pour nourrissons enrichie de fer (Enfalac, Similac ou SMA, enrichie de fer) (voir p. 87).

Entre 4 et 9 mois, continuez le lait maternel ou la préparation pour nourrissons enrichie de fer et introduisez graduellement les aliments solides en suivant la séquence présentée au chapitre 12. Au moment d'introduire les aliments riches en protéines, choisissez le tofu d'abord, puis introduisez lentement les légumineuses en purée. Ces deux aliments doivent faire partie du menu de tous les jours ou presque, parce qu'ils constituent d'excellents substituts de la viande et fournissent les protéines, le fer et le zinc nécessaires au bébé.

Entre 9 et 12 mois, continuez d'allaiter ou utilisez une préparation de transition (voir p. 94). Parmi les autres aliments solides riches en protéines, vous pouvez introduire le fromage et, si désiré, le jaune d'œuf cuit dur. Consultez les menus du chapitre 18 et introduisez peu à peu des aliments de texture plus *consistante* pour que votre bébé utilise ses mâchoires et ne devienne pas dépendant des purées.

Entre 12 et 24 mois, tentez de suivre le menu type de la p. 237, mais respectez toujours les messages de satiété de votre bébé.

Ce type de végétarisme permet d'offrir plusieurs groupes d'aliments différents et ne présente aucun risque pour la santé de votre bébé.

Les grandes consignes pour le bébé végétalien

À la naissance, allaitez votre bébé sur demande et donnez-lui un supplément de vitamine D (D-Vi-Sol) et de vitamine B_{12} à 3 ou 4 semaines (voir p. 98 et 101). Si vous n'allaitez pas, offrez-lui une préparation pour nourrissons à base de soya (Nursoy, Prosobee, Isomil ou Enfalac soya). Celles-ci sont toujours enrichies de fer et renferment aussi les vitamines D et B_{12}.

Entre 4 et 9 mois, continuez le lait maternel et les suppléments, ou la préparation pour nourrissons à base de soya. Commencez graduellement l'introduction des aliments solides en suivant la séquence décrite au chapitre 12 et en accordant une place de choix aux céréales pour bébés enrichies de fer, les *classiques* (voir p. 153).

Entre 9 et 12 mois, si vous continuez d'allaiter, offrez-lui quotidiennement des céréales pour bébés enrichies de fer ou un supplément de fer (Fer-In-Sol) ainsi que les vitamines D et B_{12}.

Si vous n'allaitez pas, continuez la préparation pour nourrissons à base de soya. Même si certaines boissons de soya sont maintenant enrichies de calcium et de vitamine D (SoGood, SoyDream), elles ne renferment pas assez de gras et de calories pour maintenir la croissance du bébé (voir tableau, p. 238).

Nourrissez votre bébé au moins 5 fois par jour, pour qu'il réussisse à manger suffisamment de tous les aliments nutritifs. N'oubliez pas de servir quotidiennement de petites quantités de tofu ou de légumineuses en purée pour maintenir une bonne qualité de protéines.

Entre 12 et 24 mois, continuez de donner la préparation pour nourrissons à base de soya et assurez-vous que votre bébé en boive au moins 750 ml (24 oz) par jour. Aucun autre lait de soya ne peut lui donner autant d'éléments nutritifs (voir tableau, p. 238).

Encouragez la consommation régulière de tofu et de légumineuses. Complétez le menu par de petites quantités de beurre de noix (arachide, amande ou sésame) ou de noix moulues, pour augmenter suffisamment les calories. Consultez le menu type, p. 237.

Respectez toujours l'appétit de votre bébé, tout en donnant la priorité aux aliments qui lui rapportent le plus. Par exemple, si votre bébé n'a pas tellement d'appétit, il vaut mieux lui donner de la préparation de lait de soya que du pain ou des jus de fruits.

Ce type de végétarisme strict exige plus de vigilance de votre part pour bien répondre à tous les besoins nutritifs de l'enfant. Il coïncide parfois avec un rythme de croissance plus lent.

Des aliments utiles au bébé végétalien

Comme nous l'avons déjà mentionné, un menu végétalien très riche en fibres (grains entiers, fruits et légumes) peut combler l'appétit du bébé, mais ne pas satisfaire ses besoins en protéines, en gras et en calories. Un bébé qui mange trop de céréales de son, trop de légumes ou de fruits, peut ne plus avoir faim pour la préparation de soya ou le tofu. Ce type de menu ne lui fournit plus assez d'éléments nutritifs pour assurer un bon rythme de croissance.

Pour éviter cet écueil, il est important d'offrir au bébé des aliments clés en quantité adéquate, en commençant graduellement dès l'âge de 6 mois.

- Après 6 mois, si votre bébé n'est pas allaité, une préparation pour nourrissons à base de soya (Nursoy, Prosobee, Isomil ou Enfalac soja) constitue un aliment de base à conserver jusqu'à l'âge de 2 ans. Cela permet d'augmenter le contenu de son menu en protéines, en gras, en calcium et en calories; 750 ml (24 oz) par jour constitue l'apport minimum recommandé;

- Les céréales pour bébés enrichies de fer demeurent un choix intéressant, particulièrement si votre bébé est encore allaité. Consultez le chapitre 14 pour faire de bons choix et offrez chaque jour des céréales à votre bébé en les mélangeant à une préparation pour nourrissons à base de soya;

- Si vous ne voulez pas avoir recours aux deux aliments précédents, la situation devient un peu plus complexe. À ce moment-là, vous devez vous-même enrichir le lait de soya ordinaire (voir recette p. 238) afin que votre bébé ne manque pas de calcium, de gras ni de calories et lui donner au moins 750 ml (24 oz) de lait de soya par jour. Vous devez également donner à votre bébé un supplément de vitamine D, de vitamine B_{12} et un supplément de fer (voir p. 98-101);

- Le tofu est tout indiqué comme première source de protéines solides, car il est plus facile à servir et à digérer que les légumineuses. Commencez par quelques bouchées et considérez qu'une portion de 100 g (3½ oz) peut graduellement faire partie du quotidien de votre bébé;

- Des grains entiers comme le quinoa ou l'amarante peuvent augmenter la valeur en protéines et en fer du menu. Réduisez-les en farine à l'aide d'un petit moulinet ou d'un robot, et faites-les cuire 5 à 10 minutes pour favoriser leur digestibilité. Vous pouvez les servir avec une purée de dattes ou de raisins secs, ou une petite cuillerée de mélasse verte (*blackstrap*) pour augmenter le contenu en fer;

- Une fois que le bébé a goûté à tout ou presque, on peut ajouter à son menu des aliments comme le germe de blé ou la levure alimentaire. Ces aliments renferment de bonnes quantités de vitamines du complexe B et peuvent être camouflés dans des recettes de muffins, dans des potages, etc. Calculez environ 10 à 15 ml (2 à 3 c. à thé) de ces aliments par jour. Bien entendu, ces aliments complémentaires ne sont pas essentiels, mais ils augmentent la valeur nutritionnelle d'un menu qui n'est pas encore très généreux. Il en va de même pour les beurres de noix.

Les suppléments à donner

- **La vitamine D.** Tout comme le bébé omnivore, le bébé allaité, végétarien ou végétalien, doit recevoir un supplément de vitamine D, à l'âge de 3 ou 4 semaines. Donnez-lui 10 microgrammes (400 U.I.) de vitamine D par jour.
- **La vitamine B$_{12}$** (cyanocobalamine). Si vous êtes végétalienne ou végétarienne stricte et que vous n'avez pris aucun produit laitier pendant votre grossesse, votre bébé allaité doit recevoir un supplément de vitamine B$_{12}$ dès l'âge de 3 ou 4 semaines. Donnez-lui 0,3 microgramme de vitamine B$_{12}$ par jour (voir p. 101).
- **Le fer**. Si vous avez allaité votre bébé plus de six mois et que vous ne lui donnez aucune céréale pour bébés enrichie de fer, votre bébé doit prendre un supplément de fer. Le fer permet de prévenir les risques d'anémie, déficience assez fréquente entre 6 et 24 mois. Donnez-lui l'équivalent de 7 mg de fer par jour (voir p. 99).
- Si votre bébé n'est pas allaité et qu'il boit chaque jour au moins 750 ml (24 oz) de préparation pour nourrissons à base de soya, il n'a pas besoin de suppléments.
- **Une multivitamine**. Si votre bébé de 15 ou 18 mois fait la grève des fruits et légumes sous toutes leurs formes et qu'il souffre d'infections à répétition, donnez-lui un supplément de multivitamines pendant quelques mois, pour qu'il puisse faire le plein de vitamine C et de bêta-carotène (voir p. 103).

Le guide d'alimentation quotidienne de 12 à 24 mois

l'enfant lacto-ovo-végétarien	l'enfant végétalien ou végétarien strict
lait entier (3,25 %) au moins 600 ml (20 oz) par jour	préparation pour nourrissons à base de soya au moins 750 ml (24 oz) par jour
céréales pour bébés enrichies de fer 60 à 90 ml (4 à 6 c. à soupe)	céréales pour bébés enrichies de fer ou bons substituts (voir p. 175) 60 à 90 ml (4 à 6 c. à soupe)
tofu ou légumineuses cuites 80 à 125 ml (⅓ à ½ tasse)	tofu ou légumineuses cuites 80 à 125 ml (⅓ à ½ tasse)
fruits et légumes riches en vitamine C (voir appendice, p. 259) 1 par repas	fruits et légumes riches en vitamine C (voir appendice, p. 259) 1 par repas
autres fruits et légumes 2 à 3 par jour	autres fruits et légumes 2 à 3 par jour
grains entiers, pain, riz et pâtes 2 à 3 portions	grains entiers, pain, riz et pâtes 2 à 3 portions
œufs 4 à 5 fois par semaine fromage ou yogourt, selon son appétit	beurre de noix (arachide, amande et sésame) 30 à 45 ml (2 à 3 c. à soupe)

Valeur nutritive des différents laits de soya

Pour 750 ml (24 oz)	Préparation pour nourrissons (Isomil, Nursoy Prosobee, Enfalac soja)	Lait de soya ordinaire (Westsoy, Edensoy, Vitasoy, Soyolait)	Lait de soya enrichi (voir recette maison plus bas)
Calories	502	270	465
Protéines	17 g	18 g	18 g
Gras	27 g	15 g	29 g
Calcium	450 mg	30 mg	375 mg
Vitamine D	300 U.I.	0	0
Fer	9 mg	4,5 mg	4,5 mg

Comment enrichir le lait de soya pour satisfaire les besoins nutritifs d'un bébé

pour 250 ml (1 tasse) de lait de soya ordinaire, non aromatisé (Soyolait), ajoutez

5 ml (1 c. à thé)	huile de tournesol, pressée à froid
10 ml (2 c. à thé)	cassonade ou Succanat bio
10 ml (2 c. à thé)[1]	calcium liquide (Life ou Sandoz)[1]

1. Une quantité de 5 ml (1 c. à thé) fournit 110 mg de calcium.

Chapitre 20

D'autres
questions importantes

Un bébé doit-il manger moins gras?

Une alimentation faible en gras n'est pas du tout recommandée dans le cas d'un bébé ou d'un jeune enfant. Elle peut même nuire à sa croissance et à son développement. Des programmes comme celui du Dr Dean Ornish peuvent faire régresser la maladie cardiovasculaire, mais ces diètes sévères sont destinées à des patients cardiaques adultes. De tels programmes suggèrent une importante réduction du gras et ne laissent que 10 % des calories totales sous forme de gras. Ce type d'alimentation n'accorde aucune place à la viande et, en ce qui concerne les produits laitiers, seuls les produits laitiers écrémés sont admis. Il peut convenir à des adultes malades, mais n'est absolument pas conçu pour un enfant en pleine croissance.

Besoins en gras du bébé et du jeune enfant

Jusqu'à l'âge de 4 ans, les acides gras essentiels et le cholestérol présents dans l'alimentation du bébé contribuent au développement de son système nerveux et de son cerveau; de fait, le cerveau du bébé triple son poids au cours de cette période.

Les principales sources d'acides gras essentiels demeurent le lait maternel, les préparations pour nourrissons et les huiles insaturées, mais d'autres aliments en contiennent des quantités moindres. Si, au cours de cette période, l'alimentation du bébé renferme peu de gras, la croissance normale de tout le système nerveux est en jeu.

Pour cette raison, la Société canadienne de pédiatrie, l'Association canadienne des diététistes et Santé Canada ne recommandent pas l'adoption d'une alimentation faible en gras durant la petite enfance. Ces experts en santé infantile recommandent donc d'allaiter votre bébé pendant au moins 6 mois et d'incorporer le lait de vache entier, à 3,25 %, après 9 mois, lorsque le bébé mange 200 ml (env. 12 c. à soupe) d'aliments solides par jour. Ils découragent fortement de donner du lait partiellement écrémé (à 1 ou 2 %) ou totalement écrémé (à 0 %) aux bébés de moins de 2 ans. Après 12 mois, ils tolèrent l'inclusion du lait écrémé au menu, seulement lorsqu'il y a de sérieux problèmes de poids ou lorsqu'il y a des problèmes cardiovasculaires dans la famille. Même là, ils recommandent que l'enfant soit suivi par un médecin et un ou une diététiste. Dans tous les autres cas, la Société canadienne de pédiatrie met l'accent sur une alimentation qui favorise la croissance et le développement normal de l'enfant, ce qui n'est pas une alimentation faible en gras.

LE LAIT ENTIER, À 3,25 %, UNE SÉCURITÉ

J'ai conçu un menu de sept jours pour l'enfant de 9 mois et plus, et j'ai voulu vérifier si l'adoption du lait à 2 % pouvait faire une différence. Les calculs faits grâce à un programme informatisé ont démontré assez clairement que le menu contenant du lait à 2 % ne fournit pas autant de calories et beaucoup moins de gras que le menu contenant du lait à 3,25 %. Le jeune enfant qui a peu d'appétit et qui mange peu d'aliments certains jours a donc besoin de lait entier à 3,25 % comme source quotidienne de gras.

IL N'EST PAS NÉCESSAIRE D'AJOUTER DE GRAS

L'importance d'une certaine quantité de gras dans l'alimentation du bébé a fait un petit bout de chemin dans la tête de plusieurs parents. Certains croient même nécessaire d'ajouter un peu de beurre ou d'huile sur les aliments pour combler les besoins du jeune enfant. Il n'y a aucune utilité à faire cela.

Le gras nécessaire pour assurer la croissance normale d'un enfant est facilement atteint si vous donnez à votre bébé un minimum de 600 ml (20 oz) de lait entier, à 3,25 %, par jour et s'il mange régulièrement des yogourts, des fromages de lait entier et quelques œufs par semaine. Il n'est toutefois pas nécessaire de modifier toutes vos recettes, car votre bébé pourra graduellement manger comme les grands.

DOIT-ON FAIRE MESURER LE TAUX DE CHOLESTÉROL SANGUIN DES BÉBÉS?

Si un proche parent de l'enfant a souffert d'un infarctus avant l'âge de 50 ans ou a un risque élevé de maladie cardiovasculaire, une mesure du taux de cholestérol sanguin de l'enfant peut parfois être utile après l'âge de 2 ans. Si l'enfant de 30 mois a un taux de cholestérol sanguin supérieur à 5,2 mmol/l (200 mg/dL) lors de deux prises de sang consécutives, une alimentation plus faible en gras peut se révéler nécessaire. Cet enfant devra être suivi par un ou une diététiste pour ne pas risquer de déséquilibre nutritionnel.

Votre bébé est joufflu

En Amérique du Nord, il y a plus d'enfants obèses que jamais. Il n'y a toutefois pas lieu de vous inquiéter trop vite.

Si votre bébé triple son poids de naissance en douze mois, c'est normal. S'il a dépassé cette norme, ce n'est pas encore un indice d'une obésité future. Comme la plupart des bébés dodus, il retrouvera un poids normal durant les années préscolaires et ne deviendra pas obèse.

Si votre enfant gagne beaucoup de poids avant le primaire et qu'il est obèse à 7 ans, il a de fortes chances de le demeurer longtemps. Et 7 adolescents obèses sur 10 demeurent obèses toute leur vie. De fait, ce n'est pas le bébé joufflu qui doit vous inquiéter, mais attention à l'écolier bien rond ou au préadolescent obèse.

UNE HISTOIRE DE FAMILLE

L'histoire familiale est un indicateur très important. Les parents obèses ont plus souvent tendance à avoir des enfants obèses que les parents de poids normal.

DES MYTHES, IL Y EN A

Il existe un mythe qui veut que l'enfant obèse mange plus que les autres. Or, des recherches ont démontré qu'un jeune enfant de famille obèse devient obèse sans nécessairement absorber plus de calories qu'un jeune enfant de poids normal. Bien entendu, l'enfant obèse prend du poids parce qu'il ne réussit pas à brûler efficacement les calories qu'il consomme.

Un autre mythe veut que l'allaitement maternel prévienne l'obésité. Même si des études démontrent que des bébés allaités semblent mieux contrôler leur consommation alimentaire et prendre moins de poids après 4 mois, aucune étude ne garantit de tels effets à long terme, car d'autres événements peuvent, au cours des années, amoindrir l'effet de cet excellent départ.

Le dernier mythe veut que les diètes amaigrissantes aient un certain pouvoir. Or, les diètes amaigrissantes nuisent à la croissance de l'enfant, entraînent des déficiences nutritionnelles, réduisent la température corporelle et diminuent sa résistance immunitaire.

UNE PRÉVENTION TOUT EN DOUCEUR

Si vous souffrez d'obésité vous-même et que votre bébé a tendance à prendre plus de poids que la normale, oubliez la diète amaigrissante! Apprenez à respecter les signaux de satiété de votre bébé. Ne le forcez jamais à terminer son biberon ou son assiette. Aidez-le à ne jamais se suralimenter. Jouez avec lui un peu plus longtemps, racontez-lui des histoires, plutôt que de lui donner des biscuits aux pépites de chocolat. Si votre enfant mange beaucoup, augmentez graduellement le contenu en fibres alimentaires de son menu en lui donnant plus de produits céréaliers entiers, plus de fruits et plus de légumes. Il mangera à sa faim, mais avalera moins de calories. Planifiez le menu familial en oubliant les aliments riches en gras, en sucre et en sel. Oubliez les collations très riches et sucrées. Si toute la famille mange de la même façon, votre enfant ne se sentira pas en pénitence.

Si votre jeune enfant a toujours eu un poids normal et qu'il prend tout à coup 4,5 kg (10 lb) en un an, essayez de comprendre ce qui s'est passé. Les changements soudains de poids cachent souvent des problèmes émotifs. En trouvant la vraie raison, plutôt qu'en coupant les calories, vous aiderez votre enfant à combler certains vides ou malaises.

UNE ACTIVITÉ PHYSIQUE ACCRUE

Planifiez un programme d'activité physique pour la famille et augmentez la dépense énergétique de votre enfant. Limitez les heures de télévision. Adoptez un chien. Faites de longues promenades au parc ou à la campagne. Une étude publiée en 1995 démontre qu'une augmentation de l'activité physique, dès les premières années, ralentit le gain de poids, même dans des familles ayant des problèmes de poids.

QUELQUES RÈGLES D'OR

Il n'est jamais trop tôt pour prévenir l'obésité. Dès les premières semaines, nourrissez votre bébé souvent, mais selon son appétit. Permettez-lui de décider des quantités qu'il veut manger. Donnez l'exemple en mangeant vous-même des aliments sains et en faisant régulièrement de l'exercice. Évitez d'utiliser les aliments comme récompense ou comme source de chantage. Dites à votre bébé qu'il est beau pour qu'il devienne bien dans sa peau. L'estime de soi se développe très, très jeune!

La garderie, inquiétudes et solutions

Comme bien des parents, vous n'avez pas vraiment le goût de vous séparer de votre jeune enfant. Vous êtes inquiets, car la garderie est reconnue comme un nid de microbes. Vous ne savez pas trop à quoi vous attendre.

Vous vous souciez particulièrement de la qualité des aliments offerts. N'arrêtez pas votre choix dès la première visite et n'hésitez pas à poser les questions qui vous préoccupent.

SI VOTRE BÉBÉ A MOINS DE 9 MOIS

Si vous souhaitez continuer d'allaiter votre bébé, demandez aux responsables de la garderie s'il est possible que vous leur fournissiez du lait maternel; dites-leur aussi comment conserver et servir le lait maternel.

Informez-vous si les préparations pour nourrissons sont offertes. Si oui, si elles sont enrichies de fer et jusqu'à quel âge elles sont offertes.

Après 9 mois, offre-t-on une préparation de transition ou du lait de vache entier, à 3,25 %?

Est-ce qu'on laisse les bébés boire seuls leur biberon au lit (voir p. 18)?

Lors de l'introduction des aliments solides, informez-vous des types de purées offertes. Si les aliments offerts ne vous conviennent pas, est-ce possible de fournir votre propre purée maison ou autre?

Informez-vous de la séquence d'introduction des aliments solides. Est-ce que tous les bébés du même âge reçoivent les mêmes types d'aliments au même moment?

Si le scénario proposé ne vous convient pas, cherchez une garderie qui introduit les solides selon ce que vous souhaitez, ou encore choisissez une garderie qui vous laisse fournir vos propres aliments et composer le menu.

SI VOTRE BÉBÉ A ENTRE 9 ET 24 MOIS

Demandez une copie du menu et voyez si les menus proposés correspondent à votre approche alimentaire. Demandez à rencontrer la cuisinière pour mieux comprendre la philosophie alimentaire de l'endroit. Vous allez trouver de tout. Certaines garderies servent des viandes pressées, des frites, des boissons sucrées, des légumes en conserve et des petits gâteaux; d'autres offrent des plats végétariens et donnent la priorité aux produits de culture biologique.

Vérifiez auprès des responsables si un ou une diététiste a revu ou conçu le menu. Si vous avez besoin de voir de vos yeux les aliments servis, allez visiter la garderie à l'heure du midi. Même si les responsables ont moins de temps pour répondre à vos questions, vous pouvez observer l'ambiance à l'heure des repas et voir la qualité de la nourriture offerte.

Demandez à visiter la cuisine pour avoir un aperçu de l'hygiène et de la salubrité de l'endroit.

Informez-vous des collations. Si votre bébé doit manger très tôt le matin et souper assez tard le soir, les collations peuvent devenir importantes. Assurez-vous qu'il pourra recevoir une collation soutenante (verre de lait ou yogourt) pendant la matinée ou en fin d'après-midi.

Si votre enfant a des allergies alimentaires, assurez-vous qu'il pourra y avoir une étroite collaboration entre la cuisinière et vous.

Quels sont les messages transmis?

Demandez quelles sont les politiques de la garderie concernant les comportements alimentaires. Les enfants doivent-ils terminer leur assiette pour mériter un dessert? Comment réagit-on devant les refus et les grèves de la faim? Est-ce qu'on utilise les aliments comme récompense?

Les éducatrices mangent-elles avec les enfants? Souvenez-vous que l'influence de l'éducatrice est remarquable à l'heure des repas. Son exemple peut faire toute la différence pour les tout-petits qui hésitent à manger de nouveaux aliments. Son attitude peut changer l'atmosphère des repas et y donner une dimension tout à fait éducative et harmonieuse. Si les éducatrices mangent avec les enfants, ont-elles une attitude positive par rapport aux aliments sains?

Comment concilier les deux mondes

Lors de l'entrée à la garderie, votre bébé peut éprouver des problèmes d'adaptation. Vérifiez auprès de son éducatrice s'il mange bien et s'il réagit bien.

Observez son comportement à la maison et évitez tout changement brusque pendant quelque temps; retardez, si nécessaire, le sevrage, l'introduction de nouveaux aliments, le transfert du berceau au lit simple ou encore l'entraînement à la propreté.

Le contact avec d'autres jeunes enfants peut stimuler votre petit, mais il peut aussi augmenter la fréquence des infections. Selon un document récent de la Société canadienne de pédiatrie, la majorité des enfants attrape de 8 à 10 rhumes par année. Ne paniquez pas outre mesure, car tôt ou tard, votre enfant sera en contact avec les microbes et les virus du monde extérieur.

Redoublez d'efforts pour offrir les meilleurs aliments à votre bébé, le matin, le soir et les fins de semaine. Si vous continuez de l'allaiter, vos anti-corps peuvent augmenter sa résistance contre bien des malaises.

Pour continuer à offrir à votre bébé un menu équilibré, demandez chaque semaine une copie du menu de la garderie. Affichez-le bien en vue dans la cuisine et composez les autres repas de façon à compléter ce qu'il a mangé à la garderie.

Considérez la garderie comme un endroit privilégié qui permet à plusieurs tout-petits d'élargir leur répertoire alimentaire.

Les repas au restaurant

Les repas à l'extérieur peuvent être très amusants, mais pas toujours nourrissants! Bien entendu, l'âge de l'enfant peut faire toute la diffé-rence.

SI VOTRE BÉBÉ A MOINS DE 9 MOIS

Si vous allaitez, ça ne présente pas de problème. La lumière et le bruit peuvent distraire votre bébé un peu, mais si vous choisissez une table dans un coin tranquille, vous pourrez allaiter comme à la maison ou presque.

Si votre bébé a commencé à manger des aliments solides, apportez vos purées et le biberon dans un petit sac thermique refroidi avec un Ice-Pak. Demandez à la personne qui vous sert un récipient d'eau chaude pour réchauffer le tout. Nourrissez d'abord votre bébé, puis laissez-le s'amuser avec un jouet et admirer l'environnement dans sa petite chaise inclinée, pendant que vous terminez votre repas.

SI VOTRE BÉBÉ MANGE DÉJÀ UN PEU DE TOUT

Planifiez votre repas au restaurant un peu plus tôt que l'heure habi-tuelle du repas de votre bébé. Un bébé trop fatigué perd l'appétit et sa joie de vivre... Il fera de grands sourires au personnel, mais n'ava-lera pas une bouchée.

Si le menu du restaurant est varié, vous pouvez simplement donner à votre bébé de petits morceaux d'aliments de votre assiette et lui faire boire un jus de légumes et un verre de lait. Vous pouvez aussi com-mander un œuf à la coque et du pain de blé entier; ce repas fort sim-ple fait bien des heureux!

Si le menu du restaurant choisi ne convient vraiment pas à votre bébé, apportez ses aliments (pain de blé entier, cubes de fromage, morceaux de fruit frais), puis faites-lui boire un jus de légumes et un verre de lait.

Malheureusement, les restaurants de type fast-food n'offrent pas beaucoup d'aliments intéressants pour les moins de 2 ans.

Appendice

Principales sources de protéines

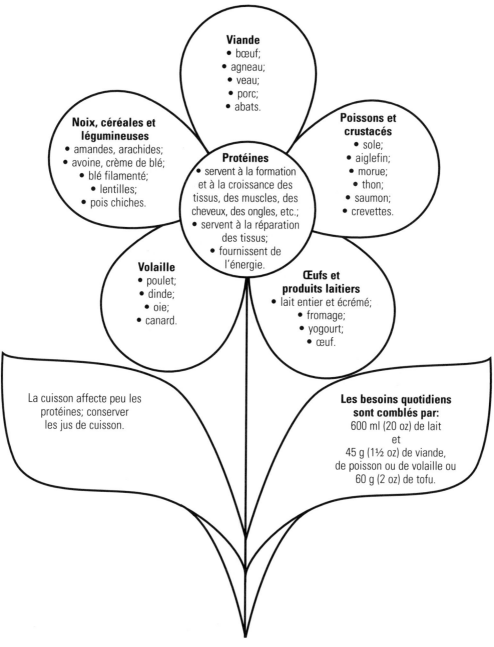

Viande
- bœuf;
- agneau;
- veau;
- porc;
- abats.

Noix, céréales et légumineuses
- amandes, arachides;
- avoine, crème de blé;
- blé filamenté;
- lentilles;
- pois chiches.

Poissons et crustacés
- sole;
- aiglefin;
- morue;
- thon;
- saumon;
- crevettes.

Protéines
- servent à la formation et à la croissance des tissus, des muscles, des cheveux, des ongles, etc.;
- servent à la réparation des tissus;
- fournissent de l'énergie.

Volaille
- poulet;
- dinde;
- oie;
- canard.

Œufs et produits laitiers
- lait entier et écrémé;
- fromage;
- yogourt;
- œuf.

La cuisson affecte peu les protéines; conserver les jus de cuisson.

Les besoins quotidiens sont comblés par:
600 ml (20 oz) de lait
et
45 g (1½ oz) de viande, de poisson ou de volaille ou 60 g (2 oz) de tofu.

Principales sources de gras

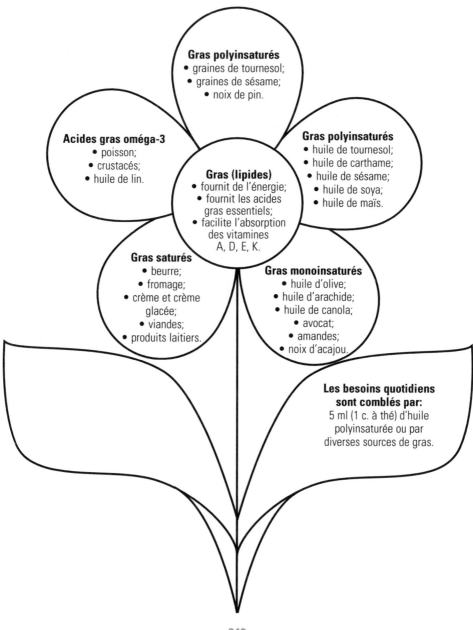

Gras polyinsaturés
- graines de tournesol;
- graines de sésame;
- noix de pin.

Acides gras oméga-3
- poisson;
- crustacés;
- huile de lin.

Gras polyinsaturés
- huile de tournesol;
- huile de carthame;
- huile de sésame;
- huile de soya;
- huile de maïs.

Gras (lipides)
- fournit de l'énergie;
- fournit les acides gras essentiels;
- facilite l'absorption des vitamines A, D, E, K.

Gras saturés
- beurre;
- fromage;
- crème et crème glacée;
- viandes;
- produits laitiers.

Gras monoinsaturés
- huile d'olive;
- huile d'arachide;
- huile de canola;
- avocat;
- amandes;
- noix d'acajou.

Les besoins quotidiens sont comblés par:
5 ml (1 c. à thé) d'huile polyinsaturée ou par diverses sources de gras.

Principales sources de glucides

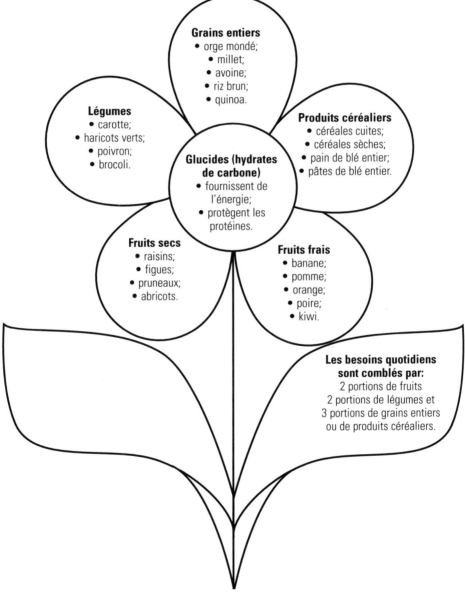

Grains entiers
- orge mondé;
- millet;
- avoine;
- riz brun;
- quinoa.

Légumes
- carotte;
- haricots verts;
- poivron;
- brocoli.

Produits céréaliers
- céréales cuites;
- céréales sèches;
- pain de blé entier;
- pâtes de blé entier.

Glucides (hydrates de carbone)
- fournissent de l'énergie;
- protègent les protéines.

Fruits secs
- raisins;
- figues;
- pruneaux;
- abricots.

Fruits frais
- banane;
- pomme;
- orange;
- poire;
- kiwi.

Les besoins quotidiens sont comblés par:
2 portions de fruits
2 portions de légumes et
3 portions de grains entiers
ou de produits céréaliers.

Principales sources de vitamine A et de bêta-carotène

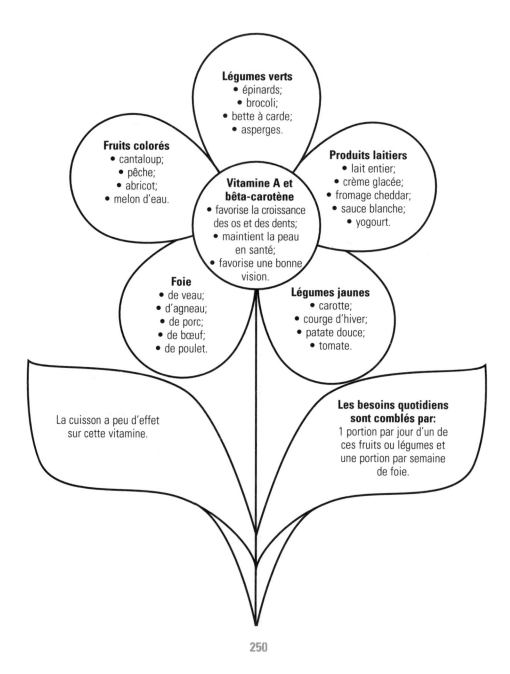

Légumes verts
- épinards;
- brocoli;
- bette à carde;
- asperges.

Fruits colorés
- cantaloup;
- pêche;
- abricot;
- melon d'eau.

Produits laitiers
- lait entier;
- crème glacée;
- fromage cheddar;
- sauce blanche;
- yogourt.

Vitamine A et bêta-carotène
- favorise la croissance des os et des dents;
- maintient la peau en santé;
- favorise une bonne vision.

Foie
- de veau;
- d'agneau;
- de porc;
- de bœuf;
- de poulet.

Légumes jaunes
- carotte;
- courge d'hiver;
- patate douce;
- tomate.

La cuisson a peu d'effet sur cette vitamine.

Les besoins quotidiens sont comblés par:
1 portion par jour d'un de ces fruits ou légumes et une portion par semaine de foie.

Principales sources de vitamine D

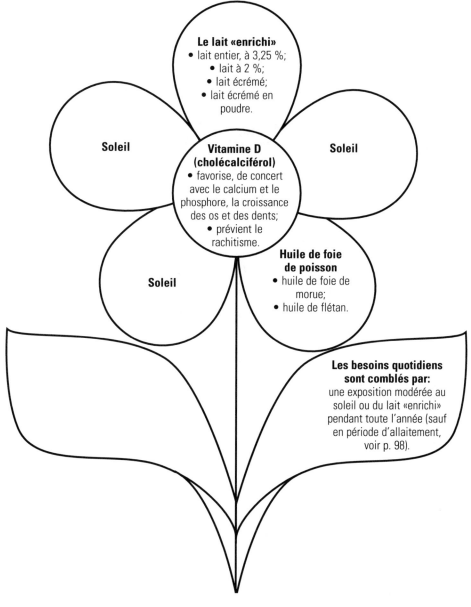

Le lait «enrichi»
• lait entier, à 3,25 %;
• lait à 2 %;
• lait écrémé;
• lait écrémé en poudre.

Soleil

Soleil

Vitamine D (cholécalciférol)
• favorise, de concert avec le calcium et le phosphore, la croissance des os et des dents;
• prévient le rachitisme.

Huile de foie de poisson
• huile de foie de morue;
• huile de flétan.

Soleil

Les besoins quotidiens sont comblés par:
une exposition modérée au soleil ou du lait «enrichi» pendant toute l'année (sauf en période d'allaitement, voir p. 98).

Principales sources de vitamine E

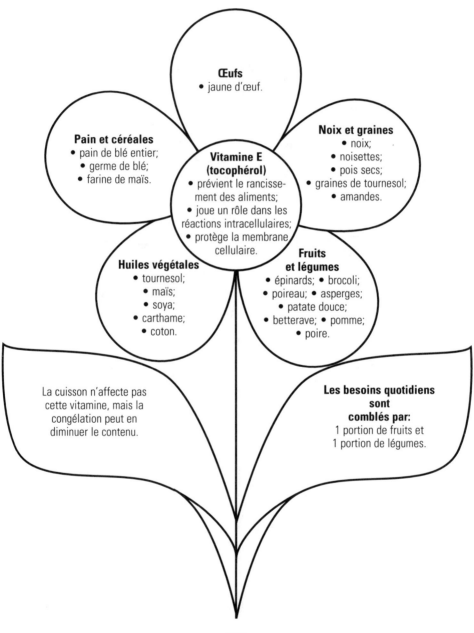

Œufs
• jaune d'œuf.

Pain et céréales
• pain de blé entier;
• germe de blé;
• farine de maïs.

Noix et graines
• noix;
• noisettes;
• pois secs;
• graines de tournesol;
• amandes.

**Vitamine E
(tocophérol)**
• prévient le rancisse-
ment des aliments;
• joue un rôle dans les
réactions intracellulaires;
• protège la membrane
cellulaire.

Huiles végétales
• tournesol;
• maïs;
• soya;
• carthame;
• coton.

**Fruits
et légumes**
• épinards; • brocoli;
• poireau; • asperges;
• patate douce;
• betterave; • pomme;
• poire.

La cuisson n'affecte pas
cette vitamine, mais la
congélation peut en
diminuer le contenu.

**Les besoins quotidiens
sont
comblés par:**
1 portion de fruits et
1 portion de légumes.

Principales sources de vitamine B$_1$

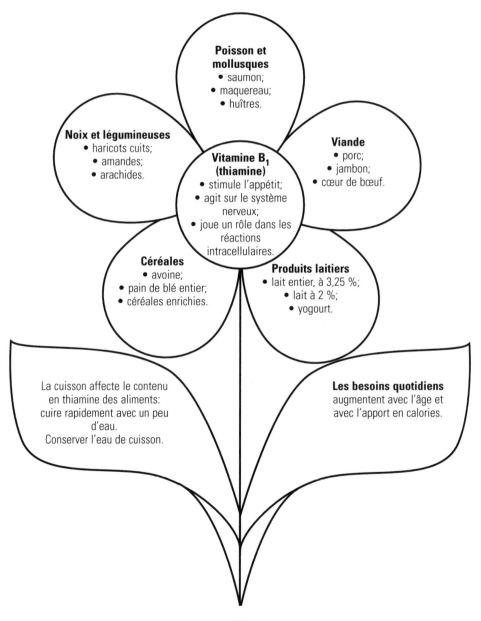

Poisson et mollusques
- saumon;
- maquereau;
- huîtres.

Noix et légumineuses
- haricots cuits;
- amandes;
- arachides.

Vitamine B$_1$ (thiamine)
- stimule l'appétit;
- agit sur le système nerveux;
- joue un rôle dans les réactions intracellulaires.

Viande
- porc;
- jambon;
- cœur de bœuf.

Céréales
- avoine;
- pain de blé entier;
- céréales enrichies.

Produits laitiers
- lait entier, à 3,25 %;
- lait à 2 %;
- yogourt.

La cuisson affecte le contenu en thiamine des aliments: cuire rapidement avec un peu d'eau.
Conserver l'eau de cuisson.

Les besoins quotidiens augmentent avec l'âge et avec l'apport en calories.

Principales sources de vitamine B₂

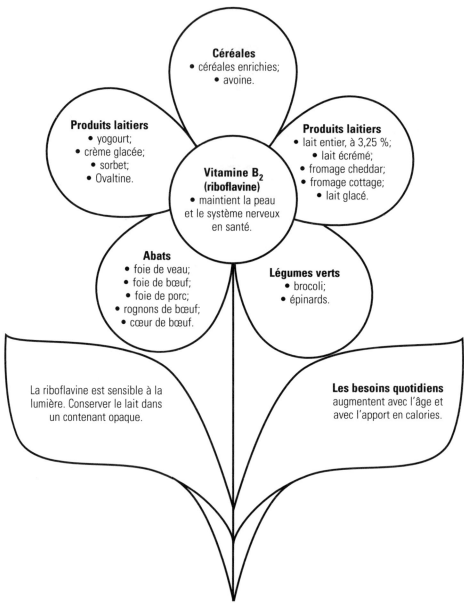

Céréales
- céréales enrichies;
- avoine.

Produits laitiers
- yogourt;
- crème glacée;
- sorbet;
- Ovaltine.

Produits laitiers
- lait entier, à 3,25 %;
- lait écrémé;
- fromage cheddar;
- fromage cottage;
- lait glacé.

Vitamine B₂ (riboflavine)
- maintient la peau et le système nerveux en santé.

Abats
- foie de veau;
- foie de bœuf;
- foie de porc;
- rognons de bœuf;
- cœur de bœuf.

Légumes verts
- brocoli;
- épinards.

La riboflavine est sensible à la lumière. Conserver le lait dans un contenant opaque.

Les besoins quotidiens augmentent avec l'âge et avec l'apport en calories.

Principales sources de vitamine B₃

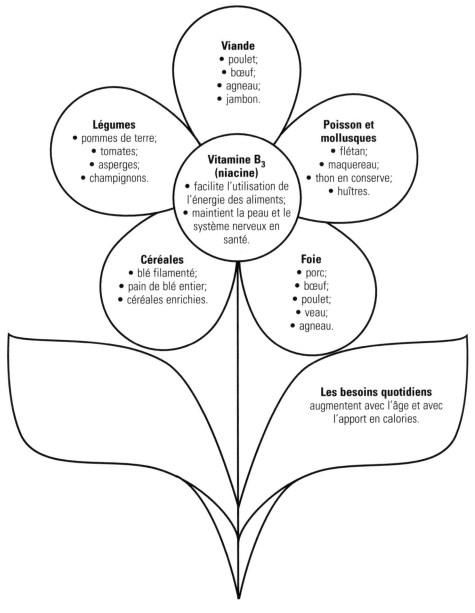

Viande
- poulet;
- bœuf;
- agneau;
- jambon.

Légumes
- pommes de terre;
- tomates;
- asperges;
- champignons.

Vitamine B₃ (niacine)
- facilite l'utilisation de l'énergie des aliments;
- maintient la peau et le système nerveux en santé.

Poisson et mollusques
- flétan;
- maquereau;
- thon en conserve;
- huîtres.

Céréales
- blé filamenté;
- pain de blé entier;
- céréales enrichies.

Foie
- porc;
- bœuf;
- poulet;
- veau;
- agneau.

Les besoins quotidiens augmentent avec l'âge et avec l'apport en calories.

Principales sources de vitamine B$_6$

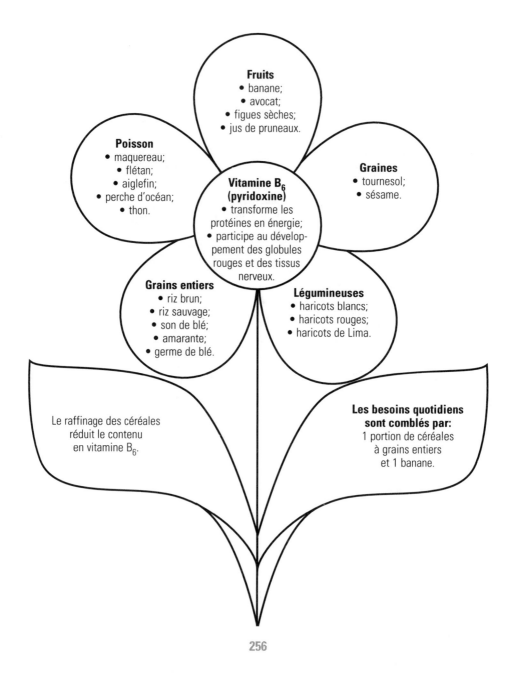

Fruits
- banane;
- avocat;
- figues sèches;
- jus de pruneaux.

Poisson
- maquereau;
- flétan;
- aiglefin;
- perche d'océan;
- thon.

Graines
- tournesol;
- sésame.

Vitamine B$_6$ (pyridoxine)
- transforme les protéines en énergie;
- participe au développement des globules rouges et des tissus nerveux.

Grains entiers
- riz brun;
- riz sauvage;
- son de blé;
- amarante;
- germe de blé.

Légumineuses
- haricots blancs;
- haricots rouges;
- haricots de Lima.

Le raffinage des céréales réduit le contenu en vitamine B$_6$.

Les besoins quotidiens sont comblés par:
1 portion de céréales à grains entiers et 1 banane.

Principales sources d'acide folique

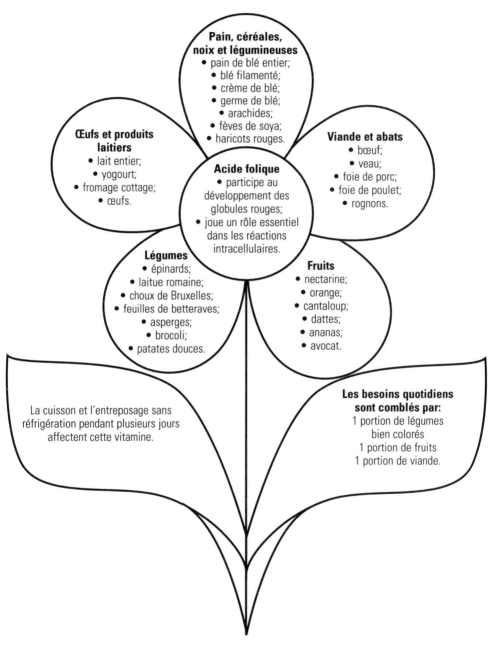

Pain, céréales, noix et légumineuses
- pain de blé entier;
- blé filamenté;
- crème de blé;
- germe de blé;
- arachides;
- fèves de soya;
- haricots rouges.

Œufs et produits laitiers
- lait entier;
- yogourt;
- fromage cottage;
- œufs.

Acide folique
- participe au développement des globules rouges;
- joue un rôle essentiel dans les réactions intracellulaires.

Viande et abats
- bœuf;
- veau;
- foie de porc;
- foie de poulet;
- rognons.

Légumes
- épinards;
- laitue romaine;
- choux de Bruxelles;
- feuilles de betteraves;
- asperges;
- brocoli;
- patates douces.

Fruits
- nectarine;
- orange;
- cantaloup;
- dattes;
- ananas;
- avocat.

La cuisson et l'entreposage sans réfrigération pendant plusieurs jours affectent cette vitamine.

Les besoins quotidiens sont comblés par:
1 portion de légumes bien colorés
1 portion de fruits
1 portion de viande.

Principales sources de vitamine B_{12}

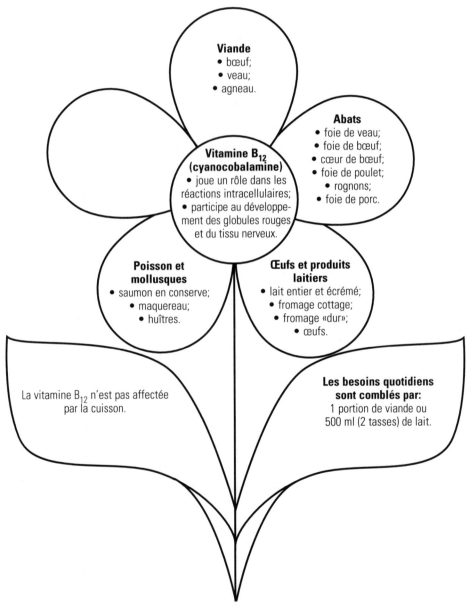

Viande
- bœuf;
- veau;
- agneau.

Abats
- foie de veau;
- foie de bœuf;
- cœur de bœuf;
- foie de poulet;
- rognons;
- foie de porc.

Vitamine B_{12} (cyanocobalamine)
- joue un rôle dans les réactions intracellulaires;
- participe au développement des globules rouges et du tissu nerveux.

Poisson et mollusques
- saumon en conserve;
- maquereau;
- huîtres.

Œufs et produits laitiers
- lait entier et écrémé;
- fromage cottage;
- fromage «dur»;
- œufs.

La vitamine B_{12} n'est pas affectée par la cuisson.

Les besoins quotidiens sont comblés par:
1 portion de viande ou 500 ml (2 tasses) de lait.

Principales sources de vitamine C

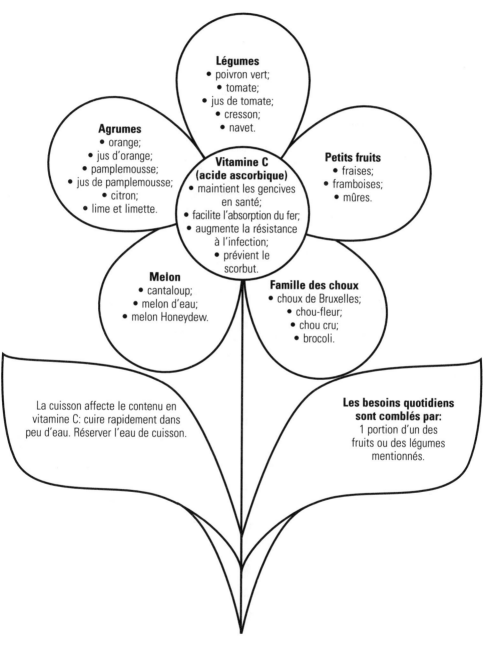

Légumes
- poivron vert;
- tomate;
- jus de tomate;
- cresson;
- navet.

Agrumes
- orange;
- jus d'orange;
- pamplemousse;
- jus de pamplemousse;
- citron;
- lime et limette.

Vitamine C (acide ascorbique)
- maintient les gencives en santé;
- facilite l'absorption du fer;
- augmente la résistance à l'infection;
- prévient le scorbut.

Petits fruits
- fraises;
- framboises;
- mûres.

Melon
- cantaloup;
- melon d'eau;
- melon Honeydew.

Famille des choux
- choux de Bruxelles;
- chou-fleur;
- chou cru;
- brocoli.

La cuisson affecte le contenu en vitamine C: cuire rapidement dans peu d'eau. Réserver l'eau de cuisson.

Les besoins quotidiens sont comblés par: 1 portion d'un des fruits ou des légumes mentionnés.

Principales sources de fibre alimentaire

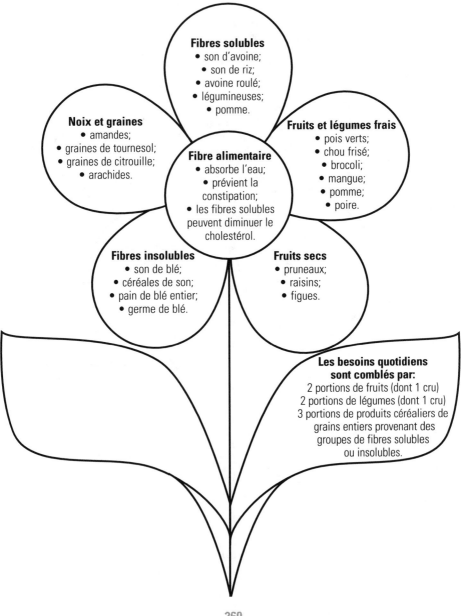

Fibres solubles
- son d'avoine;
- son de riz;
- avoine roulé;
- légumineuses;
- pomme.

Noix et graines
- amandes;
- graines de tournesol;
- graines de citrouille;
- arachides.

Fruits et légumes frais
- pois verts;
- chou frisé;
- brocoli;
- mangue;
- pomme;
- poire.

Fibre alimentaire
- absorbe l'eau;
- prévient la constipation;
- les fibres solubles peuvent diminuer le cholestérol.

Fibres insolubles
- son de blé;
- céréales de son;
- pain de blé entier;
- germe de blé.

Fruits secs
- pruneaux;
- raisins;
- figues.

Les besoins quotidiens sont comblés par:
2 portions de fruits (dont 1 cru)
2 portions de légumes (dont 1 cru)
3 portions de produits céréaliers de grains entiers provenant des groupes de fibres solubles ou insolubles.

Principales sources de calcium

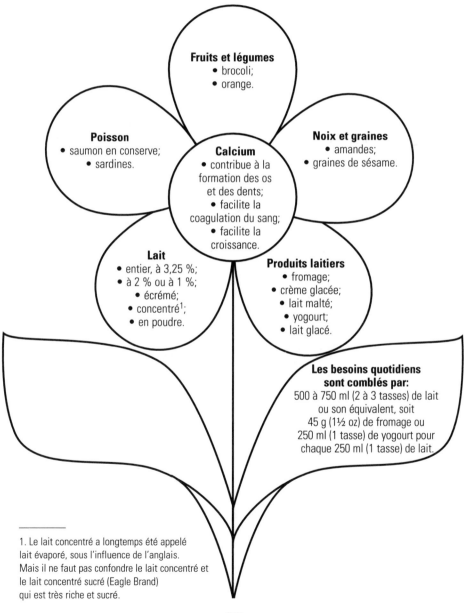

Fruits et légumes
- brocoli;
- orange.

Poisson
- saumon en conserve;
- sardines.

Calcium
- contribue à la formation des os et des dents;
- facilite la coagulation du sang;
- facilite la croissance.

Noix et graines
- amandes;
- graines de sésame.

Lait
- entier, à 3,25 %;
- à 2 % ou à 1 %;
- écrémé;
- concentré[1];
- en poudre.

Produits laitiers
- fromage;
- crème glacée;
- lait malté;
- yogourt;
- lait glacé.

Les besoins quotidiens sont comblés par:
500 à 750 ml (2 à 3 tasses) de lait ou son équivalent, soit 45 g (1½ oz) de fromage ou 250 ml (1 tasse) de yogourt pour chaque 250 ml (1 tasse) de lait.

1. Le lait concentré a longtemps été appelé lait évaporé, sous l'influence de l'anglais. Mais il ne faut pas confondre le lait concentré et le lait concentré sucré (Eagle Brand) qui est très riche et sucré.

Principales sources de fer

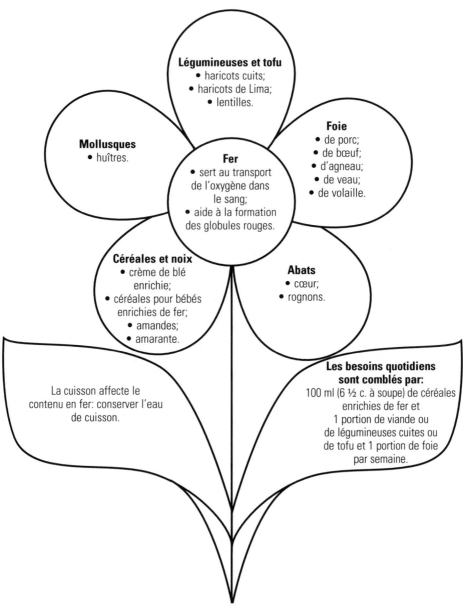

Légumineuses et tofu
- haricots cuits;
- haricots de Lima;
- lentilles.

Foie
- de porc;
- de bœuf;
- d'agneau;
- de veau;
- de volaille.

Mollusques
- huîtres.

Fer
- sert au transport de l'oxygène dans le sang;
- aide à la formation des globules rouges.

Céréales et noix
- crème de blé enrichie;
- céréales pour bébés enrichies de fer;
- amandes;
- amarante.

Abats
- cœur;
- rognons.

La cuisson affecte le contenu en fer: conserver l'eau de cuisson.

Les besoins quotidiens sont comblés par:
100 ml (6 ½ c. à soupe) de céréales enrichies de fer et 1 portion de viande ou de légumineuses cuites ou de tofu et 1 portion de foie par semaine.

Principales sources de magnésium

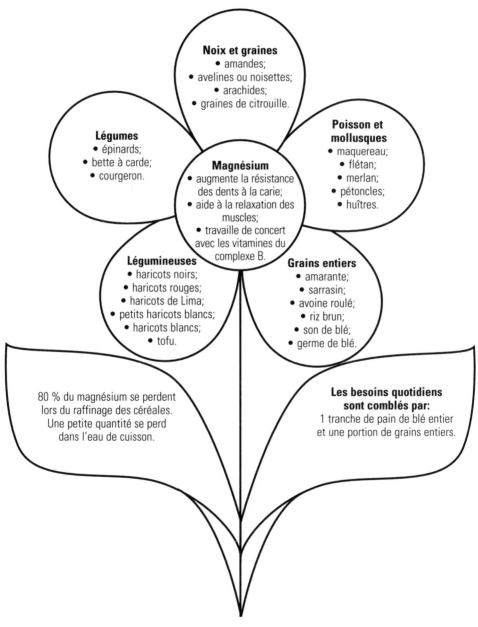

Noix et graines
- amandes;
- avelines ou noisettes;
- arachides;
- graines de citrouille.

Légumes
- épinards;
- bette à carde;
- courgeron.

Magnésium
- augmente la résistance des dents à la carie;
- aide à la relaxation des muscles;
- travaille de concert avec les vitamines du complexe B.

Poisson et mollusques
- maquereau;
- flétan;
- merlan;
- pétoncles;
- huîtres.

Légumineuses
- haricots noirs;
- haricots rouges;
- haricots de Lima;
- petits haricots blancs;
- haricots blancs;
- tofu.

Grains entiers
- amarante;
- sarrasin;
- avoine roulé;
- riz brun;
- son de blé;
- germe de blé.

80 % du magnésium se perdent lors du raffinage des céréales. Une petite quantité se perd dans l'eau de cuisson.

Les besoins quotidiens sont comblés par:
1 tranche de pain de blé entier et une portion de grains entiers.

Principales sources de zinc

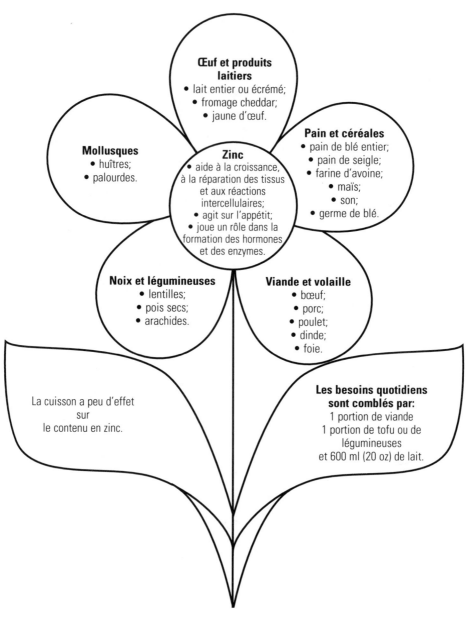

Œuf et produits laitiers
- lait entier ou écrémé;
- fromage cheddar;
- jaune d'œuf.

Mollusques
- huîtres;
- palourdes.

Zinc
- aide à la croissance, à la réparation des tissus et aux réactions intercellulaires;
- agit sur l'appétit;
- joue un rôle dans la formation des hormones et des enzymes.

Pain et céréales
- pain de blé entier;
- pain de seigle;
- farine d'avoine;
- maïs;
- son;
- germe de blé.

Noix et légumineuses
- lentilles;
- pois secs;
- arachides.

Viande et volaille
- bœuf;
- porc;
- poulet;
- dinde;
- foie.

La cuisson a peu d'effet sur le contenu en zinc.

Les besoins quotidiens sont comblés par:
1 portion de viande
1 portion de tofu ou de légumineuses
et 600 ml (20 oz) de lait.

Contenu en caféine
de divers aliments et médicaments

Boisson gazeuse	mg de caféine par 200 ml (7 oz)	Chocolat	mg de caféine
		1 tablette, 28 g	5 à 20
cola régulier	23 à 42	à cuire, 28 g	45
cola diète	21 à 35	chocolat chaud, 200 ml (7 oz)	8 à 14
cola sans caféine	0,08	sirop, 30 ml (2 c. à soupe)	10 à 17
Café		**Médicaments sans ordonnance**	**mg de caféine par cachet**
instantané	82 à 94	Cope, Midol	32
au percolateur	130 à 166	Excedrin, Anacin	32 à 60
filtre	182 à 204	Dristan, Sinarest	30
aromatisé	58 à 122	No Doz	100
décaféiné	6 à 10	Vivarin	200
		Pramaline, Dexatrim	140 à 200
		Coricidine	32
Thé		**Médicaments avec ordonnance**	**mg de caféine par cachet**
thé en sachets			
noir, 5 minutes	56 à 72	APCs (aspirine)	32
noir, 1 minute	30 à 48	Darvon	32
thé en feuilles		Migral	50
noir, 5 minutes	58		
noir, 3 minutes	50		
vert, 5 minutes	30		
thé glacé	12 à 26		

Ressources

Livres et documents à consulter

Bulletins sur la nutrition périnatale, bulletin publié deux fois l'an depuis 1983, par le Comité sur la nutrition périnatale, C.P. 541, Saint-Jean-sur-Richelieu, Québec J3B 6Z8.

Cheating Babies. Nutritional Quality and Cost of Commercial Baby Food, Stallone, D. et Jacobson, M., Center for Science in the Public Interest, Washington D.C., 1995.

Comment devenir végétarien, Melina, V., Charbonneau Davis, B. et Harrison, V., Les éditions de l'Homme, 1996.

Jumeaux, allaitement et maternage, Kerkoff Gromada, K., La Ligue La Leche, Saint-Laurent, Québec, 1992.

La gastronomie des enfants bien portants, Descargues, C., Éditions Alta, 1981.

L'allaitement d'un bébé prématuré, Gotsh, G., La Ligue La Leche, Saint-Laurent, Québec, 1995.

Le guide alimentaire canadien pour manger sainement. Renseignements sur les enfants d'âge préscolaire, Santé Canada, 1995.

Mieux vivre avec son enfant, nouvelle édition, Doré, N. et Le Hénaff, D., Ministère de la Santé et des Services sociaux, Gouvernement du Québec, 1998.

La nutrition du nourrisson né à terme et en santé, Société canadienne de pédiatrie, Diététistes du Canada, Santé Canada, 1998.

Recommandations sur la nutrition... mise à jour. Les lipides dans l'alimentation des enfants, Rapport du groupe de travail mixte de la Société canadienne de pédiatrie et Santé Canada, Santé Canada, 1993.

Recommandations sur la nutrition, Rapport du comité scientifique de révision, Santé et Bien-être social Canada, 1990.

Working and Breastfeeding, Cahill, M. A. et Lowman, K., La ligue La Leche, Saint-Laurent, Québec, 1982.

Appui et outils pendant l'allaitement

(service d'écoute téléphonique, location d'appareils, rencontres, formation d'intervenants)

Entraide Naturo-Lait, tél.: (418) 663-2711, de 8 h 30 à 22 h, (appels aux frais de l'utilisatrice lorsqu'il s'agit d'un interurbain).

La ligue La Leche, C.P. 874, Saint-Laurent, Québec H4L 4W3, tél.: (514) 525-3243.

Le petit Nourri Source L'ABC de l'allaitement maternel disponible au 4826, avenue Papineau, Montréal H2H 1V6, tél.: (514) 597-1711.

Appui et ressources pour parents de jumeaux

L'Association des parents de naissances multiples du Canada
4981, Route rurale n° 7 est, unité 12 A, bureau 161
Markham, Ontario L3R 1N1, tél.: (416) 513-7506.

Ressources lors de problèmes particuliers

L'Association québécoise des allergies alimentaires
1582, avenue Ducharme, Outremont H2V 1G3,
tél.: (514) 276-8446 ou 971-4578.

Purées congelées pour bébés

Il existe actuellement au Québec quelques entreprises qui préparent des purées congelées pour bébés. Certaines offrent même le service de livraison à domicile.

Bibliographie

ADA. Position of the American Dietetic Association. Nutrition standards for child care programs. *Journal of the American Dietetic Association*. 1994; 94(3): 323.

ADA. Position of the American Dietetic Association. Promotion and support of breast feeding. *Journal of the American Dietetic Association*. 1993; 93: 467-469.

ADA. Position of the American Dietetic Association. Vegetarian Diets. *Journal of the American Dietetic Association*. 1993; 93: 1317-1319.

American Academy of Pediatrics, Committee on Nutrition. Follow-up or weaning formulas. *Pediatrics*. 1989; 83(6): 1067.

American Academy of Pediatrics, Committee on Nutrition. The transfer of drugs and other chemicals into human milk. *Pediatrics*. 1994; 93: 137-150.

American Academy of Pediatrics, Committee on Nutrition. The use of whole cow's milk in infancy. *Pediatrics*. 1992; 89: 1105-1109.

Ares, S. et coll. Iodine content of infant formulas and iodine intake of premature babies: high risk of iodine deficiency. *Archives of Disease in Childhood Fetal & Neonatal Edition*. 1994; 71(3): F184-191.

Arshad, S. et coll. Effect of allergen avoidance on development of allergic disorders in infancy. *Lancet*. 1992; 339(8808): 1493-1497.

Aukett, M. et coll. Treatment with iron increases weight gain and psychomotor development. *Archives of Disease in Childhood*. 1986; 61: 849-857.

Avery, M. et coll. Oral therapy for acute diarrhea. *New England Journal of Medicine*. 1990; 323(13): 891-894.

Baldassano, R. et Liacouras, C. Chronic diarrhea. *Pediatric Clinics of North America*. 1991; 38(3): 667-687.

Balistreri, W. et Farrell, M. Gastroesophageal reflux in infants. *New England Journal of Medicine.* 1983; 309(13): 790-792.

Ballard, P. Breast-feeding for the working mother. *Issues in Comprehensive Pediatric Nursing.* 1983; 6: 249-259.

Barr, R. et coll. Carrying as colic "therapy": a randomized controlled trial. *Pediatrics.* 1991; 87(5): 623-630.

Barr, R. et coll. Feeding and temperament as determinants of early infant crying/fussing behavior. *Pediatrics.* 1989; 84(3): 514-521.

Bates, C. et Prentice, A. Breast milk as a source of vitamins, essential minerals and trace elements. *Pharmacology & Therapeutics.* 1994; 62(1-2): 193-220.

Baudon, J. et coll. Dermatite atopique et allergie alimentaire chez l'enfant. *Revue de l'Infirmière.* 1992; 12: 14-16.

Beaudry, M. et Aucoin-Larade, L. Who breastfeeds in New Brunswick, when and why. *Canadian Journal of Public Health.* 1989; 80: 166-172.

Beckholt Polakoff, A. Breast milk for infants who cannot breastfeed. *JOGNN.* 1990; 19(3): 216-220.

Benkov, K. et LeLeiko, N. A rational approach to infant formulas. *Pediatric Annals.* 1987; 16(3): 225-230.

Bergevin, Y. et coll. Do infant formula samples shorten the duration of breast-feeding? *Lancet.* 1983: 1148-1151.

Bhowmick, S. et coll. Rickets caused by vitamin D deficiency in breast-fed infants in the Southern United States. *American Journal of Disease in Childhood.* 1991; 145: 127-130.

Bishop, C. et Dye, A. Microwave heating enhances the migration of plasticizers out of plastics. *Journal of Environmental Health.* 1982; 44(5): 231-235.

Bishop, N. Feeding the preterm infant. *Pediatric Nephrology.* 1994; 8(4): 494-498.

Boissieu, D. de et coll. Allergy to nondairy proteins in mother's milk as assessed by intestinal permeability tests. *Allergy.* 1994; 49: 882-884.

Bonin, J. La voie lactée des préparations pour nourrissons. Comment s'y retrouver? 18 fév. 1994.

Note: Cette référence est tirée d'une formation continue intitulée *Tour d'horizon pédiatrique.* Ordre des diététistes du Québec.

Bowles Carlson, B. et Williamson Prater, B. Pregnancy and lactation following anorexia and bulimia. *JOGNN*. 1990; 19(3): 243-248.

Brewer, M. et coll. Postpartum changes in maternal weight and body fat depots in lactating vs nonlactating women. *American Journal of Clinical Nutrition*. 1989; 49: 259-265.

Brown, K. Dietary management of acute childhood diarrhea: optimal timing of feeding and appropriate use of milks and mixed diets. *Journal of Pediatrics*. 1991; 118: s92-s98.

Brown, K. et coll. Use of nonhuman milks in the dietary management of young children with acute diarrhea: a meta-analysis of clinical trials. *Pediatrics*. 1994; 93(1): 17-27.

Businco, L. et coll. Allergenicity and nutritional adequacy of soy protein formulas. *Journal of Pediatrics*. 1992; 121: s21-s28.

Calvo, E. et coll. Iron status in exclusively breast-fed infants. *Pediatrics*. 1992; 90: 375-379.

Campbell, J. Dietary treatment of infant colic: a double-blind study. *Journal of the Royal College of General Practitioners*. 1989; 39(318): 11-14.

Canadian Paediatric Society. Breast-feeding: Fifteen years of progress. Canadian *Journal of Paediatrics*. 1994; (5): 156-159.

Canadian Paediatric Society. Meeting the iron needs of infants and young children: an update. *Canadian Medical Association Journal*. 1991; 144(11): 1451-1454.

Canadian Paediatric Society. Vitamin D supplementation in northern native communities. *The Canadian Medical Association Journal*. 1988; 138: 229-230.

Carlson, S. et coll. Long-term feeding of formulas high in linolenic acid and marine oil to very low birth weight infants: phospholipid fatty acids. *Pediatric Research*. 1991; 30: 404-412.

Castres de Paulet, A. et coll. Biological effects on premature neonates of a milk formula enriched with alpha-linolenic acid: a multicenter study. *Bulletin de l'Académie nationale de médecine*. 1994; 178(2): 267-273.

Chandra, R. et coll. Effect of feeding whey hydrolysate, soy and conventional cow milk formulas on incidence of atopic disease in high risk infants. *Annals of Allergy*. 1989; 63(2): 102-106.

Clark, K. et coll. Determination of the optimal ratio of linoleic acid to a-linolenic acid in infant formulas. *Journal of Pediatrics*. 1992; 120: s151-s158.

Committee on Drugs. The transfer of drugs and other chemicals into human milk. *Pediatrics.* 1994; 93(1): 137-150.

Committee on Environmental Health. PCBs in breast milk. *Pediatrics.* 1994; 94(1): 122-123.

Committee on Nutrition. Indications for cholesterol testing in children. *Pediatrics.* 1989; 83(1): 141-142.

Committee on Nutrition. Iron-fortified infant formulas. *Pediatrics.* 1989; 84(6): 1114-1115.

Committee on Nutrition. On the feeding of supplemental foods to infants. *American Academy of Pediatrics.* 1980; 65(6): 1178-1181.

Committee on Nutrition. Use of oral fluid therapy and posttreatment feeding following enteritis in children in a developed country. *Pediatrics.* 1985; 75(2): 358-361.

Committee on Nutrition. Vitamin and mineral supplement needs in normal children in the United States. *Pediatrics.* 1980; 66(6): 1015-1021.

Covington, C. et coll. Newborn behavioral performance in colic and noncolic infants. *Nursing Research.* 1991; 40(5): 292-296.

Cunningham, A. S. et coll. Breast-feeding and health in the 1980s: A global epidemiologic review. *The Journal of Pediatrics.* 1991; 118(5): 659-666.

Curtis, D. Infant nutrient supplementation. *Journal of Pediatrics.* 1990; 117: s110-s118.

Dagnelie, P. et coll. Effects of macrobiotic diets on linear growth in infants and children until 10 years of age. *European Journal of Clinical Nutrition.* 1994; 48(1): s103-s112.

Dagnelie, P. et coll. Increased risk of vitamin B_{12} and iron deficiency in infants on macrobiotic diets. *American Journal of Clinical Nutrition.* 1989; 50(4): 818-824.

Deckelbaum, R. Nutrition, the child and atherosclerosis. *Acta Paediatrica Scandinavia.* 1990; 365, suppl.(13): 7-12.

Deslandres, C. et Chad, Z. L'allergie au lait chez le nourrisson. *Le clinicien.* 1993: 50-64.

Dewey, K. G. et coll. A randomized study of the effects of aerobic exercise by lactating women on breast-milk volume and composition. *New England Journal of Medicine.* 1994; 330(7): 449-453.

Dewey, K. G. et coll. Growth of breast-fed and formula-fed infants from 0 to 18 months: The DARLING study. *Pediatrics.* 1992; 89: 1035-1041.

Diaz, S. et coll. Breast-feeding duration and growth of fully breast-fed infants in a poor urban Chilean population. *American Journal of Clinical Nutrition.* 1995; 62: 371-376.

Dietz, W. Prevention of childhood obesity. *Pediatric Clinics of North America.* 1986; 33(4): 823-833.

Dionne, S. Les médicaments et l'allaitement: attitude, intervention et conseils. *Le médecin du Québec.* 1990: 45-47.

Doré, N. et coll. Préparations commerciales pour nourrissons (en poudre et en granules; expérimentation de la dilution. *Bulletin sur la nutrition périnatale.* 1995(21-22).

Duncan, B. et coll. Iron and the exclusively breast-fed infant from birth to six months. *Journal of Pediatric Gastroenterology and Nutrition.* 1985; 4(3): 421-425.

Dungy, C. et coll. Effects of discharge samples on duration of breast-feeding. *Pediatrics.* 1992; 90(2): 233-237.

Dunlop, M. Few Canadian hospitals qualify for "Baby Friendly" designation by promoting breast-feeding: Survey. *Canadian Medical Association Journal.* 1995; 152(1): 87-89.

Dusdieker, L. et coll. Is milk production impared by dieting during lactation? *American Journal of Clinical Nutrition.* 1994; 59(4): 833-840.

Esteban, M. Adverse food reactions in childhood: concept, importance, and present problems. *Journal of Pediatrics.* 1992; 121(5 part 2): s1-s3.

Evans, R. et coll. Maternal diet and infantile colic in breast-fed infants. *Lancet.* 1981: 1340-1342.

Faruque, A. et coll. Breast feeding and oral rehydration at home during diarrhea to prevent dehydration. *Archives of Disease in Childhood.* 1992; 67(8): 1027-1029.

Filer, L. A glimpse into the future of infant nutrition. *Pediatric Annals.* 1992; 21(10): 633-637.

Finberg, L. The weaning process. *Pediatrics.* 1985; 75, part 1 of 2: 214-215.

Fitzgerald, J. Constipation in children. *Pediatrics in Review.* 1987; 8(10): 299-302.

Fomon, S. Bioavailability of supplemental iron in commercially prepared dry infant cereals. *Journal of Pediatrics.* 1987; 110: 660-661.

Fomon, S. et coll. Cow milk feeding in infancy: gastrointestinal blood loss and iron nutritional status. *The Journal of Pediatrics*. 1981; 98(4): 540-545.

Fomon, S. et coll. Iron absorption from infant foods. *Pediatric Research*. 1989; 26(3): 250-254.

Fomon, S. et coll. Skim milk in infant feeding. *Acta Paediatrica Scandinavia*. 1977; 66: 17-30.

Font, L. et coll. Incidental maternal dietary intake and infant refusal to nurse. Consultants' Corner. *Journal of Human Lactation*. 1990; 6(1): 9-13.

Forsyth, B. Colic and the effect of changing formulas: a double-blind, multiple-crossover study. *Journal of Pediatrics*. 1989; 115(4): 521-526.

Freed, G. et coll. A practical guide to successful breast-feeding management. *American Journal of Disease in Childhood*. 1991; 145: 917-921.

Freed, G. et coll. Attitudes of expectant fathers regarding breast-feeding. *Pediatrics*. 1992; 89: 224-227.

Friel, J. et coll. Iron status of very-low-birth-weight infants during the first 15 months of infancy. *Canadian Medical Association Journal*. 1990; 143(8): 733-736.

Friel, J. K. et coll. Evaluation of full term infants fed an evaporated formula. *Acta Pediatrics*. 1997; 86: 448-453.

Fuchs, G. J. et coll. Effect of dietary fat on cardiovascular risk factors in infancy. *Pediatrics*. 1994; 93(5): 756-763.

Fuchs, G. J. et coll. Gastrointestinal blood loss in older infants: impact of cow milk versus formula. *Journal of Pediatric Gastroenterology and Nutrition*. 1993; 16: 4-9.

Gallaher, M. et coll. Obesity among Mescalero preschool children. *American Journal of Disease in Childhood*. 1991; 145: 1262-1265.

Gaull, G. et coll. Significance of growth modulators in human milk. *Pediatrics*. 1985; 75: 142-145.

Gern, J. et coll. Allergic reactions to milk-contaminated "nondairy" products. *New England Journal of Medicine*. 1991; 324(14): 976-979.

Gerrard, J. et Shenassa, M. Food allergy: two common types as seen in breast and formula fed babies. *Annals of Allergy*. 1983; 50(6): 375-379.

Gleghorn, E. et coll. No-enema therapy for idiopathic constipation and encopresis. *Clinical Pediatrics.* 1991; 30(12): 669-672.

Goldman, A. et coll. Immunologic factors in human milk during the first year of lactation. *Journal of Pediatrics.* 1982; 100(4): 563-567.

Gortmaker, S. et coll. Increasing pediatric obesity in the United States. *American Journal of Disease in Childhood.* 1987; 141: 535-540.

Gouraud, F. et Leverger, G. Anémie chez l'enfant. Orientation diagnostique. *Revue du praticien.* 1992; 42(4): 527-530.

Grange, D. et Finlay, J. Nutritional vitamin B_{12} deficiency in a breast-fed infant following maternal gastric bypass. *Pediatric Hematology & Oncology.* 1994; 11(3): 308-311.

Greene-Finestone, L. et coll. Infant feeding practices and socio-demographic factors in Ottawa-Carleton. *Canadian Journal of Public Health.* 1989; 80: 173-176.

Greer, F. Formulas for the healthy term infant. *Pediatrics in Review.* 1995; 16(3): 107-112.

Greer, F. et Marshall, S. Bone mineral content, serum vitamin D metabolite concentrations, and ultraviolet B light exposure in infants fed human milk with and without vitamin D_2 supplements. *Journal of Pediatrics.* 1989; 114: 204-212.

Hall, B. Changing composition of human milk and early development of an appetite control. *Lancet.* 1975: 779-781.

Hammer, L. The development of eating behavior in childhood. *Pediatric Clinics of North America.* 1992; 39(3): 379-395.

Hanson, L. et coll. Breast feeding: overview and breast milk immunology. *Acta Paediatrica Japonica.* 1994; 36(5): 557-561.

Hardy, S. et Kleinman, R. Fat and cholesterol in the diet of infants and young children: implications for growth, development and long-term health. *Journal of Pediatrics.* 1994; 125: s69-77.

Hattevig, G. et coll. The effect of maternal avoidance of eggs, cow's milk, and fish during lactation on the development of IgG, and IgA antibodies in infants. *Journal of Allergy and Clinical Immunology.* 1990; 85: 108-115.

Hegsted, M. Trends in food consumption: implications for infant feeding. *Journal of Pediatrics.* 1990; 117: s80-s83.

Hendricks, K. et Badruddin, S. Weaning recommendations: the scientific basis. *Nutrition Reviews.* 1992; 50(5): 125-133.

Hill, D. et coll. Charting infant distress: an aid to defining colic. *Journal of Pediatrics.* 1992; 121: 755-758.

Hillman, L. Mineral and vitamin D adequacy in infants fed human milk or formula between 6 and 12 months of age. *Journal of Pediatrics.* 1990; 117: s134-s142.

Himes, J. et coll. Maternal supplementation and bone growth in infancy. *Paediatric and Perinatal Epidemiology.* 1990; 4: 436-447.

Hyams, J. et Leichtner, A. Apple juice and diarrhea. *American Journal of Disease in Childhood.* 1985; 139: 503-505.

Hyams, J. et coll. Carbohydrate malabsorption following fruit juice ingestion in young children. *Pediatrics.* 1988; 82(1): 64-67.

Iacono, G. et coll. Chronic constipation as a symptom of cow milk allergy. *Journal of Pediatrics.* 1995; 126(1): 34-39.

Iacono G. et coll. Intolerance of cow's milk and chronic constipation in children. *New England Journal of Medicine* 1998; 339: 1100-1104.

Innis, S. Lipids in infant nutrition. *Journal of Pediatrics.* 1992; 120 (4): 551-561.

Issenman, R. et coll. Are chronic digestive complaints the result of abnormal dietary patterns? *American Journal of Disease in Childhood.* 1987; 141: 679-682.

Jakobsson, I. et Linberg, T. Cow's milk proteins cause infantile colic in breast-fed infants: a double-blind crossover study. *Pediatrics.* 1983; 71(2): 268-271.

Johnston, D. et Roghman, K. Recommendations for soy infant formula: A review of the literature and a survey of pediatric allergists. *Pediatric Asthma, Allergy and Immunology.* 1993; 7(2): 77-88.

Kaplan, R. et Toshima, M. Does a reduced fat diet cause retardation in children growth? *Preventive Medicine.* 1992; 21: 33-52.

Klesges, R. et coll. A longitudinal analysis of accelerated weight gain in preschool children. *Pediatrics.* 1995; 1(126-130).

Kolata, G. Obese children: a growing problem. *Science.* 1986; 232: 20-21.

Krebs, N. et coll. Growth and intakes of energy and zinc in infants fed human milk. *Journal of Pediatrics.* 1994; 124(1): 32-39.

Lambert, M. L'hypercholestérolémie: intervention à l'âge pédiatrique. *Diététique en action.* 1995; 9(2): 21-23.

Lanata, C. et coll. Feeding during acute diarrhea as a risk factor for persistent diarrhea. *Acta Pediatrica Scandinavia.* 1992; 381: 98-103.

Larson, K. et Ayllon, T. The effects of contingent music and differential reinforcement on infantile colic. *Behaviour Research & Therapy.* 1990; 28(2): 119-125.

Lascari, A. "Early" breast-feeding jaundice: clinical significance. *Journal of Pediatrics.* 1986; 108: 156-158.

Lauer, R. Should children, parents and pediatricians worry about cholesterol? Commentary. *Pediatrics.* 1992; 89(3): 509-511.

Lawrence, P. Breast milk. Best source of nutrition for term and preterm infants. *Pediatric Clinics of North America.* 1994; 41(5): 925-941.

Lawrence, R. A. Breast-feeding. *Pediatrics in review.* 1989; 11(6): 163-171.

Lebrun, J. B. et coll. Vitamin D deficiency in a Manitoba community. *Canadian Journal of Public Health Association.* 1993; 84(6): 394-396.

Lehmann, F. et coll. Iron deficiency anemia in 1-year-old children of disadvantaged families in Montreal. *Canadian Medical Association Journal.* 1992; 146(9): 1571-1577.

Lehtonen, L. et coll. Intestinal microflora in colicky and noncolicky infants: bacterial cultures and gas-liquid chromatography. *Journal of Pediatric Gastroenterolgy & Nutrition.* 1994; 19(3): 310-314.

Leung, A. et Robson, L. Acute diarrhea in children. *Postgraduate Medicine.* 1989; 86(8): 161-174.

Liebman, B. Baby formula: missing key fats? *Nutrition Action Healthletter.* 1990: 8-9.

Lifshitz, F. et coll. Role of juice carbohydrate malabsorption in chronic nonspecific diarrhea in children. *Journal of Pediatrics.* 1992; 120(5): 825-829.

Lothe, L. et coll. Cow's milk formula as a cause of infantile colic: a double-blind study. *Pediatrics.* 1982; 70(1): 7-10.

Lovegrove, J. et coll. The immunological and long-term atopic outcome of infants born to women following a milk-free diet during late pregnancy and lactation: a pilot study. *British Journal of Nutrition.* 1994; 71(2): 233-238.

Lozoff, B. Iron and learning potential. *Bulletin in the New York Academy of Medicine.* 1989; 65(10): 1050-1066.

Lozoff, B. Long term development outcome of infants with iron deficiency. *New England Journal of Medicine*. 1991; 325(10): 687-694.

Lozoff, B. et Zuckerman, B. Sleep problems in children. *Pediatrics in Review*. 1988; 10(1): 17-24.

Lubec, G. et coll. Aminoacid isomerisation and microwave exposure. *Lancet*. 1989; 2(8676): 1392-1393.

Lucas, A. et coll. Breast milk and subsequent intelligence quotient in children born preterm. *The Lancet*. 1992; 339: 261-264.

Lust, K. D. et coll. Maternal intake of cruciferous vegetables and other foods and colic symptoms in exclusively breast-fed infants. *Journal of American Dietetic Association*. 1996, 96(1); 46-48.

Macaulay, A. et coll. Breastfeeding in the Mohawk community of Kahnawake: Revisited and redefined. *Canadian Journal of Public Health*. 1989; 80: 177-181.

Macknin, M. et coll. Infant sleep and bedtime cereal. *American Journal of Disease in Childhood*. 1989; 143: 1066-1068.

Maisels, J. Jaundice in the newborn. *Pediatrics in Review*. 1982; 3(10): 305-319.

Makrides, M. et coll. Changes in Polyunsaturated fatty acids of breast milk from mothers of full-term infants over 30 week of lactation. *American Journal of Clinical Nutrition*. 1995; 62: 1231-1233.

Marchand, L. et Morrow, M. Infant feeding practices: understanding the decision-making. *Family Medicine*. 1994; 26(5): 319-324.

Markestand, T. Plasma concentrations of vitamin D metabolites in unsupplemented breast-fed infants. *European Journal of Pediatrics*. 1983; 141: 77-80.

Melnikow, J. et Bedinghaus, J. Management of common breast-feeding problems. *Journal of Family Practice*. 1994; 39(1): 56-64.

Mennella, J. et Beauchamp, G. Maternal diet alters the sensory qualities of human milk and nursing's behavior. *Pediatrics*. 1991; 88(4): 737-743.

Mennella, J. et Beauchamp, G. The transfer of alcohol to human milk. *New England Journal of Medicine*. 1991; 325(14): 981-985.

Mes, J. et Lau, P. Distribution of polychlorinated biphenyl congeners in human milk and blood during lactation. *Bulletin of Environmental Contamination and Toxicology*. 1983; 31: 639-643.

Michaelsen, K. et coll. The Copenhagen Cohort Study on infant nutrition and growth: breast-milk intake, human milk macronutrient content and influencing factors. *American Journal of Clinical Nutrition*. 1994; 59(3): 600-611.

Moffat, M.E.K. et coll. Prevention of iron deficiency and psychomotor decline in high risk infants through use of iron-fortified infant formula: A randomized clinical trial. *Journal of Pediatrics*. 1994; 1925: 527-534.

Morse, J. et coll. Patterns of breastfeeding and work: The Canadian experience. *Canadian Journal of Public Health*. 1989; 80: 182-188.

Morton, R. et coll. Iron status in the first year of life. *Journal of Pediatric Gastroenterology and Nutrition*. 1988; 7(5): 707-712.

Myres, A. Weaning: the timeless transition. *The Canadian Journal of Pediatrics*. 1991: 16-24.

Nelson, S. et coll. Lack of adverse reactions to iron-fortifed formula. *Pediatrics*. 1988; 81(3): 360-364.

Nemethy, M. et Clore, E. Microwave heating of infant formula and breast milk. *Journal of Pediatric Health Care*. 1990; 4(3): 131-135.

Newman, J. et Wilmott, B. Breast rejection: A little-appreciated cause of lactation failure. *Canadian Family Physician*. 1990; 36: 449-453.

Nicoll, A. et coll. Supplementary feeding and jaundice in newborns. *Acta Paediatrica Scandinavia*. 1982; 71: 759-761.

Nutrition Committee. Oral rehydration therapy and early refeeding in the management of childhood gastroenteritis. *Canadian Journal of Paediatrics*. 1994; 1(5): 160-164.

Nutrition Committee, Canadian Paediatric Society. Megavitamin and megamineral therapy in childhood. *Canadian Medical Association Journal*. 1990; 143(10): 1009-1013.

Nutrition Committee, Canadian Paediatric Society. Nutrient needs and feeding of premature infants. *Canadian Medical Association Journal*. 1995; 152: 1765-1785.

O'Connell, J. et coll. Growth of vegetarian children: The Farm Study. *Pediatrics*. 1989; 84(3): 475-481.

Orenstein, S. et coll. The infant seat as treatment for gastroesophageal reflux. *New England Journal of Medicine*. 1983; 309: 760-763.

Oski, F. Hyperbilirubinemia in the term infant: An unjaundiced approach. *Contemporary Pediatrics*. 1992: 148-155.

Oski, F. Iron supplementation and the breast-fed infant. *Journal of Pediatric Gastroenterology and Nutrition*. 1985; 4(3): 344-345.

Oski, F. et Landaw S. Inhibition of iron absorption from human milk by baby food. *American Journal of Disease in Childhood*. 1980; 134: 459-460.

Peipert, J. et coll. Infant obesity, weight reduction with normal increase in linear growth and fat-free body mass. *Pediatrics*. 1992; 89(1): 143-145.

Pelchat, M. L. et Pliner, P. Antecedents and correlates of feeding problems in young children. *Journal of Nutrition Education*. 1986; 18(1): 23-29.

Pinyerd, B. Strategies for consoling the infant with colic: fact or fiction? *Journal of Pediatric Nursing*. 1992; 7(6): 403-411.

Pizarro, F. et coll. Iron status with different infant feeding regimens: relevance to screening and prevention of iron deficiency. *Journal of Pediatrics*. 1991; 118: 687-692.

Potter, S. et coll. Does infant feeding method influence maternal postpartum weight loss? *Journal of the American Dietetic Association*. 1991; 91: 441-446.

Prentice, A. et coll. The effect of water abstention on milk synthesis in lactating women. *Clinical Science*. 1984; 66: 291-298.

Pugliese, M. et coll. Parental health beliefs as a cause of nonorganic failure to thrive. *Pediatrics*. 1987; 80(2): 175-181.

Rappaport, L. et Levine, M. The prevention of constipation and encopresis: a developmental model and approach. *Pediatric Clinics of North America*. 1986; 33(4): 859-868.

Rees, J. et coll. Iron fortification of infant foods. *Clinical Pediatrics*. 1985; 24(12): 707-710.

Roberts, S. B. et coll. Energy expenditure and intake in infants born to lean and overweight mothers. *The New England Journal of Medicine*. 1988; 318: 461-466.

Rogan, W. J. et Gladen, B. C. Breast-feeding and cognitive development. *Early Human Development*. 1993; 31: 181-193.

Ryan, A. S. et Martinez, G. A. Breast-feeding and the working mother: A profile. *Pediatrics*. 1989; 83(4): 524-531.

Sabharwal, H. et coll. A prospective cohort study on breast-feeding and otitis media in Swedish infants. *Pediatric Infectious Disease Journal*. 1994; 13(3): 183-188.

Sampson, H. et coll. Fatal and near-fatal anaphylactic reactions to food in children and adolescents. *New England Journal of Medicine.* 1992; 327: 380-384.

Sanders, T. et Reddy, S. The influence of a vegetarian diet on the fatty acid composition of human milk and the essential fatty acid status of the infant. *Journal of Pediatrics.* 1992; 120: s71-77.

Sanders, T. et Reddy, S. Vegetarian diets and children. *American Journal of Clinical Nutrition.* 1994; 59: s1176-s1181.

Schmitz, J. et Navarro, J. Peut-on prévenir l'allergie en agissant sur l'alimentation de la première enfance? *Archives françaises de pédiatrie.* 1992; 49: 261-269.

Scrimshaw, N. Iron deficiency. Scientific American. 1991: 47-52.

Shea, S. et coll. Failure of family history to predict high blood cholesterol among Hispanic preschool children. *Preventive Medicine.* 1990; 19: 443-455.

Shea, S. et coll. Is there a relationship between dietary fat and stature or growth in children three to five years of age? *Pediatrics.* 1993; 92(4): 579-586.

Shea, S. et coll. Relationships of dietary fat consumption to serum total and low-density lipoprotein cholesterol in Hispanic preschool children. *Preventive Medicine.* 1991; 20: 237-249.

Shea, S. et coll. Variability and self-regulation of energy intake in young children in their every day environment. *Pediatrics.* 1992; 90(4): 542-545.

Sigman-Grant, M. et coll. Microwave heating of infant formula: a dilemma resolved. *Pediatrics.* 1992; 90(3): 412-415.

Sigurs, N. et coll. Maternal avoidance of eggs, cow's milk and fish during lactation: Effect on allergic manifestations, skin-prick test, and specific IgE antibodies in children at age 4 years. *Pediatrics.* 1992; 89(4): 735-738.

Smith, M. et coll. Carbohydrate absorption from fruit juice in young children. *Pediatrics.* 1995; 95(3): 340-344.

Smith, M. et Lifshitz, F. Excess fruit juice consumption as a contributing factor in nonorganic failure to thrive. *Pediatrics.* 1994; 93(3): 438-443.

Snyder, J. et coll. Home-based therapy for diarrhea. *Journal of Pediatric Gastroenterology and Nutrition.* 1990; 11: 438-447.

Société canadienne de pédiatrie, Section d'allergie. Réaction anaphy-lactiques alimentaires mortelles chez les enfants. *Canadian Medical Association Journal*. 1994; 150(3): 339-342.

Sorva, R. et coll. Beta-lactoglobulin secretion in human milk varies widely after cow's milk ingestion in mothers of infants with cow's milk allergy. *Journal of Allergy and Clinical Immunology*. 1994; 93(4): 787-792.

Specker, B. Do North American women need supplemental vitamin D during pregnancy or lactation? *American Journal of Clinical Nutrition*. 1994; 59: s484-s491.

Specker, B. et coll. Sunshine exposure and 6 serum 25 hydroxyvita-min D concentrations in exclusively breast-fed infants. *Journal of Pediatrics*. 1985; 107(3): 372-376.

Specker, B. et coll. Vitamin B_{12}: low milk concentrations are related to low serum concentrations in vegetarian women and to methyl-malonic aciduria in their infants. *American Journal of Clinical Nutrition*. 1990; 52(6): 1073-1076.

Stender, S. et coll. The influence of trans fatty acids on health: a report from the Danish Nutrition Council. *Clinical Science*. 1995; 88: 375-392.

Sullivan, S. et Birch, L. Infant dietary experience and acceptance of solid foods. *Pediatrics*. 1994; 93(2): 271-277.

Tanaka, P. et coll. Use of commercial and home-prepared strained infant foods: comparison of mothers' reasons for use and cost. *Journal of the Canadian Dietetic Association*. 1989; 50(1): 41-45.

Taubman, B. Clinical trial of the treatment of colic by modification of parent-infant interaction. *Pediatrics*. 1984; 74(6): 998-1003.

Taubman, B. Parental counseling compared with elimination of cow's milk or soy milk protein for the treatment of infant colic syndrome: a randomized trial. *Pediatrics*. 1988; 81(6): 756-761.

Taylor, J. et Bergman, A. Iron-fortified formulas. Pediatricians pre-scribing practices. *Clinical Pediatrics*. 1989; 28(2): 73-75.

The writing group for the DISC Collaborative Research Group. Efficacy and safety of lowering dietary intake of fat and cholesterol in children with elevated low-density lipoprotein cholesterol. *Journal of the American Medical Association*. 1995; 273: 1429-1435.

Tiwary, C. et Holguin, H. Prevalence of obesity among children of military dependents at two major medical centers. *American Journal of Public Health*. 1992; 82(3): 354-357.

Touhami, M. et coll. Clinical consequences of replacing milk with yogurt in persistent infantile diarrhea. *Annales de pédiatrie.* 1992; 39(2): 79-86.

Treem, W. Chronic nonspecific diarrhea of childhood. *Clinical Pediatrics.* 1992: 413-419.

Treem, W. Infant colic. A pediatric gastroenterologist's perspective. *Pediatric Clinics of North America.* 1994; 41(5): 1121-1138.

Tunnessen, W. et Oski, F. Consequences of starting whole cow milk at 6 months of age. *Journal of Pediatrics.* 1987; 111: 813-816.

Tyson, J. et coll. Adaptation of feeding to a low-fat yield in breast milk. *Pediatrics.* 1992; 89(2): 215-220.

Unger, R. et coll. Childhood obesity. *Clinical Pediatrics.* 1990; 29(7): 368-373.

Ventura, A. et coll. Diet and atopic eczema in children. *Allergy.* 1989; 44: 159-164.

Weaver, L. Bowel habit from birth to old age. *Journal of Pediatric Gastroenterology and Nutrition.* 1988; 7: 637-640.

Weaver, L. et coll. The bowel habit of milk-fed infants. *Journal of Pediatric Gastroenterology and Nutrition.* 1988; 7: 568-571.

Weizman, Z. et coll. Efficacy of herbal tea preparation in infantile colic. *Journal of Pediatrics.* 1993; 122(4): 650-652.

Whitehead, R. The human weaning process. *Pediatrics.* 1985; 75, suppl.: 189-193.

Woolridge, M. et Fisher, C. Colic, "overfeeding", and symptoms of lactose malabsorption in the breast-fed baby: a possible artifact of feed management? *Lancet.* 1988: 382-384.

Yamauchi, Y. et Yamanouchi, I. Breast-feeding frequency during the first 24 hours after birth in full-term neonates. *Pediatrics.* 1990; 86(2): 171-175.

Zavaleta, N. et coll. Affect of acute maternal infection on quantity and composition of breast milk. *American Journal of Clinical Nutrition.* 1995; 62: 559-563.

Ziegler, E. et coll. Cow milk feeding in infancy: further observations on blood loss from the gastrointestinal tract. *Journal of Pediatrics.* 1990; 116(11): 11-18.

Zlotkin, S. Nutrition in infants during the second six months of life. *Canadian Journal of Pediatrics.* 1993: 310-317.

Index général

Index des recettes

Index des tableaux

Table des matières

Cet ouvrage a été achevé d'imprimer
au Canada en novembre 2001.